まえがき

税法学習は、税理士への

　本書を手にしたみなさんの多くは、税理士試験の会計科目（簿記論、財務諸表論）の受験をされた方や無事合格された方だと思います。よくぞ、ここまで来られました！

　そして、いよいよ税法科目の学習をはじめようとされる方にあらためて伝えておきたいことがあります。それは、税理士とは「税法のプロフェッショナルであり、法律家である」ということです。

　ですから、税法の学習は税理士への真の第一歩を踏み出したことになります。

　ここからまた気を引き締めていけば、税理士試験の合格も間近です。

　さて、ネットスクールでは税理士試験を目指す方への資格支援の学校として、画期的なことを行いました。それは、本来、高額な受講料を払ってのみ手にすることのできる講座使用教材を書店やネットショップで市販することでした。

　これにより、独学者にも平等に合格を目指す機会を提供することができましたし、また、独学者が同じ教材を使用して講座学習に切り替えられるという利便性を高めることができました。

　一方で、講座使用教材を誰もが購入できるということは、講座の付加価値の希薄化を招き、さらには講座のノウハウの流出というリスクも抱えてしまうことになりかねません。

　しかしそれでも、人生を賭けてチャレンジする受験生にとってよりよい教材は生命線であり、その気持ちを想像したときに、講座使用教材を市販することについて一縷の迷いも生じることはありませんでした。さらに言えば、講座のノウハウとして主要な要素である講師からの説明を側注として書き添えることで、独学でもより理解の深まる教科書に仕上げることに注力いたしました。

　合格するための状況は我々が整えます。

　みなさんは、この本で勇気を持って始め、本気で学んでください。

　そうすれば、みなさん自身ばかりではなく、みなさんの周りの人たちをも幸せにできる、そんな人生が開けてきます。

　さあ、この一歩、いま踏み出しましょう！

税理士WEB講座
講師一同

目次
Contents

税理士試験　教科書・問題集
法人税法I　基礎導入編

教科書編

Chapter1 法人税の概要

Chapter2 課税標準

Chapter3 欠損金

Chapter4 税額計算

Chapter5 受取配当等の益金不算入

Chapter6 所得税額控除

Chapter7 同族会社

Chapter8 給与等

Chapter9 営業経費

Chapter10 資産評価等

Chapter11 繰延資産・減価償却等

Chapter12 圧縮記帳

Chapter13 引当金等

問題集編

合格に必要な知識を効果的に習得するために

本書の構成・特長

【教科書編】

このセクションで何を学習するのか、また、その学習の要点についてまとめています。

教科書で学習した内容をすぐに問題集で確認できるようになっています。

側注には、主に講師からの補足説明を記載し、理解の深度と学習のモチベーションが高まるよう工夫しています。

本試験対策として必要な学習項目をセクションごとに整理し、効率よく学習を進められます。

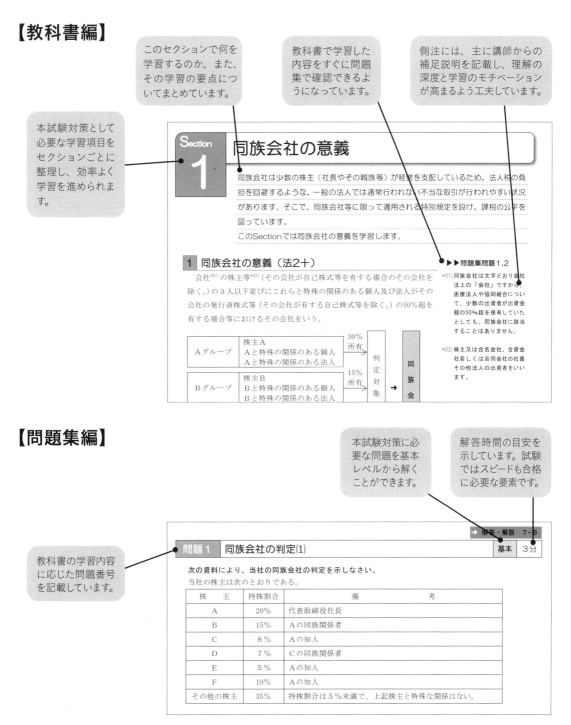

Section 1 同族会社の意義

同族会社は少数の株主（社長やその親族等）が経営を支配しているため、法人税の負担を回避するような、一般の法人では通常行われない不当な取引が行われやすい状況があります。そこで、同族会社等に限って適用される特別規定を設け、課税の公平を図っています。

このSectionでは同族会社の意義を学習します。

1 同族会社の意義（法2十）

会社*01)の株主等*02)（その会社が自己株式等を有する場合のその会社を除く。）の3人以下並びにこれらと特殊の関係のある個人及び法人がその会社の発行済株式等（その会社が有する自己株式等を除く。）の50%超を有する場合等におけるその会社をいう。

▶▶問題集問題1,2

*01) 同族会社は文字どおり会社法上の「会社」ですから、医療法人や協同組合について、少数の出資者が出資金額の50%超を保有していたとしても、同族会社に該当することはありません。

*02) 株主又は合名会社、合資会社若しくは合同会社の社員その他法人の出資者をいいます。

Aグループ	株主A Aと特殊の関係のある個人 Aと特殊の関係のある法人	30%所有	判定対象 →	同族会
Bグループ	株主B Bと特殊の関係のある個人 Bと特殊の関係のある法人	15%所有		

【問題集編】

本試験対策に必要な問題を基本レベルから解くことができます。

解答時間の目安を示しています。試験ではスピードも合格に必要な要素です。

教科書の学習内容に応じた問題番号を記載しています。

→ 解答・解説 7-6

| 問題1 | 同族会社の判定(1) | 基本 | 3分 |

次の資料により、当社の同族会社の判定を示しなさい。

当社の株主は次のとおりである。

株　主	持株割合	備　　　　　考
A	20%	代表取締役社長
B	15%	Aの同族関係者
C	8%	Aの知人
D	7%	Cの同族関係者
E	5%	Aの知人
F	10%	Aの知人
その他の株主	35%	持株割合は5%未満で、上記株主と特殊な関係はない。

答案用紙については、ネットスクールホームページにてダウンロードサービスを行っております。

著者からのメッセージ

本書の著者であり、WEB講座の講師でもある田中政義先生から、本書を学習する前の心構えとしてメッセージがございます。本書を最大限に有効活用するためにも、まずはこのメッセージをお読みください。

プロフィール
講師　田中政義（たなかまさよし）
講師歴25年。法人税法担当。懇切丁寧な講義がわかりやすいと評判。受験生の親身になった詳しい解説で、多くの受験生を最短合格へと導く。

◆無駄のない学習教材こそ合格への近道

　法人税法は、とにかくボリュームが大きい税法です。やみくもに学習したら、何年かけても終わらないでしょう。その反面、法人税法は、税法実務において不可欠な知識となってきますので、学習するのは、税法実務においても大いに役に立ちます。

　ただ、税理士試験に合格するためには、なるべく学習の範囲を広げたくないところです。

　皆様のご要望に応えるべく、本教材は、本試験の試験傾向から、なるべく合格に必要な学習範囲に絞ったものです。

　さあ、法人税のボリュームを恐れることはありません。

　早速、法人税の学習をスタートしましょう！

◆合格への土台作りはここから

　教科書と問題集は「基礎導入編」「基礎完成編」「応用編」の3部構成となっています。

　基礎導入編では、「基礎完成編」以後の学習への足慣らしを行っていきます。つまり、税金計算の基本とも言うべき土台作りをしていく作業です。この土台作りをしっかりと行わないと、試験の合格に必要な知識や他の計算項目を積み上げることはできません。基礎導入編だからといって、気を緩めることは一切できませんので、最初から真剣に、そして楽しく法人税法の学習に取り組んで行きましょう！

"講師がちゃんと教える" だから学びやすい！分かりやすい！

ネットスクールの税理士WEB講座

【開講科目】簿記論、財務諸表論、法人税法、消費税法、相続税法、国税徴収法

ネットスクールの税理士WEB講座の特長

◆自宅で学べる！　オンライン受講システム

臨場感のある講義をご自宅で受講できます。しかも、生配信の際には、チャットやアンケート機能を使った講師とのコミュニケーションをとりながらの授業となります。もちろん、講義は受講期間内であればお好きな時に何度でも講義を見直すことも可能です。

▲講義画面イメージ▲

★講義はダウンロード可能です★

オンデマンド配信されている講義は、お使いのスマートフォン・タブレット端末にダウンロードして受講することができます。事前にWi-Fi環境のある場所でダウンロードしておけば、通信料や通信速度を気にせず、外出先のスキマ時間の学習も可能です。
※講義をダウンロードできるのはスマートフォン・タブレット端末のみです。
※一度ダウンロードした講義の保存期間は1か月間ですが、受講期間内であれば、再度ダウンロードして頂くことは可能です。

ネットスクール税理士WEB講座の満足度

◆受講生からも高い評価をいただいております

WEB講座 79.5%

- ▶ Zoom面談は、孤独な自宅学習の励みになりましたし、試験直前にお電話をいただいたときは本当に感動しました。（消費／上級コース）
- ▶ 合格できた要因は、質問を24時間受け付けている「学び舎」を積極的に利用したことだと思います。（簿財／上級コース）
- ▶ 質問事項や添削のレスポンスも早く対応して下さり、大変感謝しております。（相続／上級コース）
- ▶ 講義が1コマ30分程度と短かったので、空き時間等を利用して自分のペースで効率よく学習を進めることができました。（国徴／標準コース）

教材 82.3%

- ▶ 理論教材のミニテストと「つながる会計理論」のおかげで、今まで理解が難しかった論点が頭の中でつながった瞬間は感動しました。（財表／標準コース）
- ▶ テキストが読みやすく、側注による補足説明があって理解しやすかったです。（全科目共通）

講師 78.2%

- ▶ 財務諸表論の穂坂先生の理論講義がとてもわかり易く良かったです。（簿財／上級コース）
- ▶ 先生方の学習面はもちろん精神的にもきめ細かいサポートのおかげで試験を乗り越えることができました。（法人／上級コース）
- ▶ 堀川先生の授業はとても面白いです。印象に残るお話をからめて授業を進めて下さるので、記憶に残りやすいです。（国徴／標準コース）
- ▶ 田中先生の熱意に引っ張られて、ここまで努力できました。（法人／標準コース）

※2019～2023年度試験向け税理士WEB講座受講生アンケート結果より

各項目について5段階評価
不満 ← | 1 | 2 | 3 | 4 | 5 | → 満足

税理士試験合格に向けた学習

教科書・問題集　Ⅰ基礎導入編

基礎導入編は"教科書（テキスト）"と"問題集"の内容を１冊にまとめた構成となっており、『教科書編』ではインプットを、『問題集編』ではアウトプットを繰り返すことにより、効率的に学習を進めることができます。何事も最初が肝心となりますので、まずは本書で法人税法学習の土台を作りあげていきましょう。

教科書／問題集　Ⅱ基礎完成編

基礎導入編での学習が終わったら、基礎完成編に移ります。基礎導入編と同様に、税理士試験で頻繁に出題される重要論点の基礎的事項を学習していきます。

基礎完成編も基礎導入編と同様に、教科書でインプットしたことを必ず問題集（教科書と別売りとなります）を使ってアウトプットし、学習した知識を定着させましょう。

理 論 集

理論学習に特化したテキストで、効果的で無駄のない理論学習を行えます。

また、重要理論については音声＆デジタル版のＷダウンロードサービスを付帯し、移動中や外出先でも理論学習を行えるようにしております（別途有料サービス）ので、あわせてご利用ください。

教科書／問題集　Ⅲ応用編

基礎完成編での学習が終わったら、応用編の学習に移ります。試験対策として重要となる応用的な内容及び特殊論点を学習していくことになりますが、基礎導入編及び基礎完成編で学習した内容を基に学習を進めていただければ、無理なく学習を進めることができますので、復習する際は、基礎導入編及び基礎完成編も併せて復習するようにしましょう。

全経　税法能力検定試験　公式テキスト（3級／2級・1級）

公益社団法人　全国経理教育協会（全経協会）では、経理担当者として身に付けておきたい法人税法・消費税法・相続税法・所得税法の実務能力を測る検定試験が実施されています。試験を受けることで、実務のスキルアップを図れるだけでなく、税理士試験の基礎学力の確認としても有効に活用することができます。税理士試験の学習と並行して、全経　税法能力検定試験の学習を進めることをお勧めします。

※検定試験の詳細は、全経協会公式ホームページをご確認ください。
https://www.zenkei.or.jp/

ラストスパート模試

教科書（テキスト）での学習が一通り終わったら、本試験形式で構成された模擬試験問題を解きましょう。本シリーズでは、ネットスクールの税理士講師の先生が作成した模擬問題を3回分収載しています。

試験問題を本体から取り外し、YouTube で配信している「試験タイマー」を流しながら解くことで、試験本番の臨場感の中で解くことができます。学習してきた力を試験本番で十分に発揮できるよう訓練をしましょう。

試験合格！

ネットスクール公式 YouTube チャンネル

試験勉強や合格後の実務に役立つ動画も随時配信中！

☑ 出題予想や本試験の講評・解説

☑ 最新の実務の動向を解説する「ネットスクール学びちゃんねる」

☑ 試験会場の雰囲気を味わえる試験タイマーなど

アカウントをお持ちの方はぜひチャンネル登録のうえ、ご覧ください。

※掲載している書影は、すべて 2024 年 8 月現在の最新版、教科書／問題集シリーズは 2024 年度版のものとなります。
※書籍のお求めは全国の書店・インターネット書店、またはネットスクール WEB-SHOP をご利用ください。

ネットスクールWEB講座 合格者の声

ネットスクールで見事！合格を勝ち取った受講生様からのお言葉を紹介いたします。

イトウ　ハルカ様（20代女性／学生）　第72回試験／消費税法合格

私は他の予備校と併用する形で受講させていただいたのですが、画面を通しての講義でも質問などに親身に対応してくれてとても勉強しやすかったです。また、常に前向きな言葉をかけてくださる所にもとても勇気をもらいました。

　勉強方法については、学生で本業の学業も手を抜くことができないため、試験勉強は、毎日何時から何をするかの計画を立てて勉強しました。また、直前期は毎日総合問題を解き、問題解答のフォームやルーティーンを定着させるようにしました。直前期は複数の予備校の直前対策問題を解くようにしましたが、ネットスクールの教材は、特に予想問題が主要論点を抑えつつ初見の問題もあったため何度も活用させていただきました。

　YouTubeの解答速報を拝見し、丁寧な解説と勇気をもらえるような言葉を伝えてくれるネットスクールに興味を持ち、複数の科目を受講しましたが、丁寧な解説、教材、出題予想で本当に助かりました。受講してよかったです。

Y・K様（30代男性／一般会社勤務）　第72回試験／相続税法合格

相続税法の受験は3回目となりますが過去2回不合格となった際には、計算・理論共に基本論点で解答できておりませんでした。そのため、基本論点を見直し、ネットスクールの参考書や問題集を何度も回転させて記憶の定着を図りました。

　また、単なる暗記ではなく理解力も伸ばさなければ本番の試験には対応できないので、制度の概要やなぜその制度が創設されたのかといった背景を理解することも重視しておりました。ネットスクールでは講義が分かりやすく、何度も気になったところは再生できるので納得いかないところは何度も視聴して理解することを心がけておりました。

　最後になりますが、試験直前になるとSNS等で他校の生徒が高得点を取った情報や理論予想などの投稿を目にすることがありますが、そのような情報に惑わされずにまずはネットスクールのカリキュラムをしっかりと消化してその中での問題は確実に解けるようにすることが非常に重要だと思いました。実際に相続税法の理論では、ネットスクールで出題されたところを完璧に理解しておりましたので、他校の理論の出題ランクは低い論点でしたがしっかりと点数を取ることが出来ました。

　これからは法人税法・消費税法の合格を目指して引き続きネットスクールにお世話になろうと考えております。引き続きどうぞよろしくお願いいたします。

M・S様（50代男性／一般会社勤務）第71回試験／国税徴収法・官報合格

以前は独学で市販の理論集や問題集を購入して勉強していましたが、配当額の計算でどうしてこのような計算結果となるのか、いまひとつ理解できないところもあり、本試験でも配当額を間違えて計算してしまったことから、その年度は残念ながら不合格となりました。

その後、国税徴収法のテキストを探していたところ、ネットスクールの通信講座を知り、もう一度勉強しなおそうと思い立ち、受講を決めました。

実際に講義を受けてみると、これまで理解が不完全だった「なぜこうなるのか」がすっきりと理解でき、まさに目からウロコが落ちる、という体験でした。

理論は、試験に直結する重要度が高いものに加え、「これは覚えておくべき」と自分が判断したものを全部暗記し、2～3日間で一回転するやり方で精度の向上に努めました。ただ単に暗記するだけではなく、横のつながりを意識することが大切だと思いましたので、どことつながっているのかもいっしょに覚えるようにしました。

答練は、通信講座のなかの問題と過去問で練習を繰り返しました。「ラストスパート模試」は過去8年分と模擬試験4回分が収録されていましたので、これだけでも練習量としては充分だったと思います。答案の書き方自体もあまりよく知らず、以前は隙間なくビッシリと書いていましたので、適度にスペースを空ける書き方を教えてもらったことも受講してよかった、と思いました。

おかげさまで国税徴収法に合格することができました。ありがとうございました。

S・K様（40代男性）第72回試験／法人税法・官報合格 ※

この度、ようやく官報合格となりました。これまでにお世話になった先生方、本当に本当にありがとうございました。私は他校の受講経験がなく比較することはできませんが、一番ありがたかったのは「学び舎」です。理解力不足や勘違いで何度もくだらない質問をしましたが、すぐに丁寧に詳しく解説を頂けたことが合格に結び付いたと確信しています。

受験勉強で私が一番苦労したのは、何と言っても勉強時間の確保です。仕事との両立はやはり厳しく、平日夜はほぼ時間がとれないため、毎朝3時に起床し朝に勉強するというスタイルで、1日約3～4時間は勉強に充てていました。主な1日のスケジュールは、朝は計算メインの勉強、通勤時間は車の中で、自分が吹き込んだオリジナル理論音声を聞きながらブツブツ念仏を唱え、昼休みは理論集の暗記、ベッドに入って寝るまでの時間も理論集の暗記といった内容でした。

私の理論暗記法は、短期間で繰り返し理論集を何回転もさせるやり方です。最初は重要語句を暗記ペンでマーカーし、覚えたら次の理論という感じでどんどん進めていき、少しずつ暗記ペンでマーカーした部分を増やしていきます。30～40回転目になると、ほとんどマーカーした状態になり、その頃からは、理論集を見ずに暗唱し、つまれば理論集を見て確認するというやり方に徐々にシフトしていきます。この方法は職場の先輩から教えてもらったもので、前回受験した国税徴収法と今回受験した法人税法はこの方法でほぼ全部暗記しました。直前期は数日で1回転できるようになり、最終的には60回転くらいさせたと思います。理論暗記に悩んでいる人にはお勧めです。

税理士試験はかなり長い年数を勉強に費やすことになり、それに比例して犠牲にしなければならないことも多いと思います。私も何度も諦めそうになりました。しかし、なんとか踏みとどまり、ネットスクールを信じて諦めずに継続したことで、5科目合格することができました。

税理士WEB講座の詳細はホームページへ　**ネットスクール株式会社 税理士WEB講座**

https://www.net-school.co.jp/　ネットスクール 税理士講座　検索

税理士試験とは
試験概要

【試験科目】

　税理士試験は、会計科目2科目・税法科目9科目の全11科目あります。このうち、会計科目2科目と税法科目3科目(選択必須科目1科目以上を含む)の合計5科目に合格する必要があります。1度の受験で5科目全てに合格する必要はなく、1科目ずつ受験することもできます。なお、1度合格した科目は生涯有効となります。

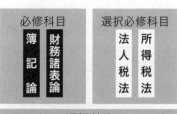

【試験日】

　通常、8月第1又は第2週の火曜日～木曜日に実施されます。

【合格点・合格発表】

　合格基準点は各科目とも満点の60パーセントです。合格発表は12月中旬になります。

　その他、税理士試験の詳細については、国税庁ホームページをご覧下さい。

> ### https://www.nta.go.jp/index.htm
> 国税庁ホームページ　税の情報・手続・用紙　▶ 税理士に関する情報　▶ 税理士試験 ▶

本書シリーズ
法令等の改正情報の公開について

　本書税理士シリーズについて、法令等の改正や会計基準等の変更があった場合には、改正・変更に関する情報を公開いたします。

> ### https://www.net-school.co.jp/
> 読者の方へ　＞　税理士試験 / 科目　＞　改正情報

> **凡例(略式名称……正式名称)**
> 法……法人税法　　　令……法人税法施行令　　　規……法人税法施行規則
> 法附則……法人税法附則
> 措法……租税特別措置法　　　措令……租税特別措置法施行令
> 基通……法人税法基本通達　　　個通……法人税法個別通達
> 措通……租税特別措置法関係通達
> 耐令……減価償却資産の耐用年数等に関する省令
> 耐通……耐用年数の適用等に関する取扱通達
> **引用例**
> 令28①一イ……法人税法施行令第28条第1項第一号イ

（注）　本書は、令和6年度までの税制改正による令和6年4月1日現在施行の法令等に基づきます。
　　　また、問題の資料中に特別な指示がある場合を除き、当期は「令和7年4月1日から令和8年3月31日」までの期間であるものとして解答してください。
　　　なお、ミニテストについては、答案用紙はついていないことをご了承ください。

教科書編

Chapter 1

法人税の概要

法人税は、その名のとおり株式会社などの「法人」に対して課される税金です。国にとっては、個人に対して課される所得税と並んで最も大きな税収の一つです。これから学習していく「法人税」とは、どんな税金なのでしょうか？

このChapterでは、法人税の概要について学習します。

Section 1 税法入門

法人税は、法人の所得（儲け）に課す税金です。この所得や税額を法人が勝手に計算するのでは「公平な課税」を行うことができません。「公平な課税」を実現するためには、一定の「ルール」が必要であり、その「ルール」が「法人税法」という法律です。

このSectionでは、税法に関する基本的な知識を整理していきます。

1 納税の義務

わが国では、日本国憲法によって国民の「納税の義務」が定められています。しかし、「税金」[01]は、国や地方公共団体が具体的な見返りを伴わず、国民に負担を求めるものであり、具体的なルールなしに課税することは認められません。したがって、「税金」を課税する場合には、必ず法律の規定によることを必要とします[02]。

> **日本国憲法第30条（納税の義務）**
>
> 国民は、法律の定めるところにより、納税の義務を負ふ。
>
> **日本国憲法第84条（課税の要件）**
>
> あらたに租税を課し、又は現行の租税を変更するには、法律又は法律の定める条件によることを必要とする。

*01) 国や地方公共団体は、国民の生活に欠かせない公共サービスを提供しています。公共サービスを提供するためには、当然、多くの費用が必要となりますが、その費用を国民で出し合って負担しているものが「税金」です。

*02) このような考え方を「租税法律主義」といい、税金の課税や徴収に関する法律を「税法」と呼ぶことになります。

〈条文の体系〉

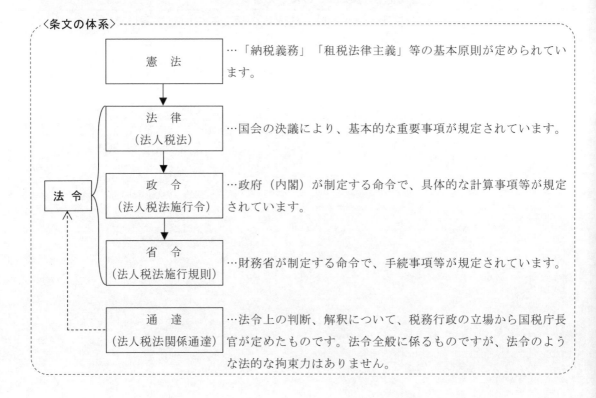

憲 法	…「納税義務」「租税法律主義」等の基本原則が定められています。
法 律（法人税法）	…国会の決議により、基本的な重要事項が規定されています。
政 令（法人税法施行令）	…政府（内閣）が制定する命令で、具体的な計算事項等が規定されています。
省 令（法人税法施行規則）	…財務省が制定する命令で、手続事項等が規定されています。
通 達（法人税法関係通達）	…法令上の判断、解釈について、税務行政の立場から国税庁長官が定めたものです。法令全般に係るものですが、法令のような法的な拘束力はありません。

法令 …（法律・政令・省令）

Ch 1

Ch 2

Ch 3

Ch 4

Ch 5

Ch 6

Ch 7

Ch 8

Ch 9

Ch 10

Ch 11

Ch 12

Ch 13

総合計算問題

2 税金の分類

税金は様々な観点から分類されますが、その主な内容は次のとおりです。

1. 国税と地方税

課税するのが「国」か「地方公共団体」であるかによって国税と地方税に分類されます。法人税は「国税」に分類されます。

区 分	内 容	税 目
国 税	国が個人や企業に課税する税金*01)	所得税、法人税、相続税、消費税、酒税 等
地方税	地方公共団体が個人や企業に課税する税金*02)	固定資産税、事業税、住民税 等

*01) 国税に関しては、税目ごとに税法が設けられています。

*02) 地方税のうちには道府県民税と市町村民税などがありますが、地方税法という一つの法律で規定されています。

2. 直接税と間接税

税金を納める義務がある者（納税義務者）と税金を負担する者（担税者）が同一である税金を直接税といい、別々である税金を間接税といいます。法人税は「直接税」に分類されます。

区 分	内 容	税 目
直接税	納税義務者 ＝ 担税者	所得税、法人税、相続税 等
間接税	納税義務者 ≠ 担税者	消費税、酒税 等

3. 本税と附帯税

税金は、法律の規定によって、一定の条件のもとに課税されますが、通常の税金を「本税」といいます。

また、本税を課税する上で、適正を欠く場合（税金を遅れて納めた場合等）に、本税に附帯して課税される税金を「附帯税」といい、次のようなものがあります。

附帯税	内 容
延滞税	税金を滞納したときに課されます。
過少申告加算税	申告書に記載された税金が過少であるときに課されます。
無申告加算税	申告をしなかった場合に課されます。
重加算税	悪質な脱税があったときに課されます。

4．税金の性格による分類

どのような事実に着目して課税するかによって税金を区分すること
ができます。法人税は「収得税」に分類されます。

区　分	内　　　容	税　　目
収得税	収入を得ているという事実に着目して課税するものをいいます。	所得税、法人税
財産税	財産の所有という事実に着目して課税するものをいいます。	相続税　等
消費税	貨幣を支出して商品やサービスを購入又は消費するという事実に着目して課税するものをいいます。	消費税、酒税　等
流通税	財産の移転という事実に着目して課税するものをいいます。	印紙税　等

3 申告納税方式と賦課課税方式

納付する税額を確定する手続きには、次の二つの方式があります。法
人税は「申告納税方式」に分類されます。

区　分	内　　　容
申告納税方式	納税義務者が税法にしたがって税額を計算し、申告することで納付する税額が確定する方式をいいます*01)。
賦課課税方式	国又は地方公共団体等が税額を確定する方式をいいます*02)。

*01) 納税義務者は申告書に記載した税額を納めることになります。

*02) 納税義務者には納付する税額が記載された「賦課決定通知書」が送付され、そこに記載された税額を納めることとなります。

〈更正と決定〉

更正と決定は、いずれも税務署長が行う行政処分のことであり、国税通則法に規定が置かれています。

区　分	内　　　容
更　　正	納税者が申告書を提出した場合において、その申告書に記載された税額などが、税務調査と異なる場合などに、これを正しい数値に税務署長が訂正する処分をいいます。 なお、納付すべき税額を増加させる更正を「増額更正」、納付すべき税額を減少させる更正を「減額更正」といいます。
決　　定	申告書を提出しなければならない者が、その申告書を提出しなかった場合に、税務調査に基づき、税務署長がその税額などを確定する処分のことをいいます。

Section

Section 2 納税義務者と課税所得等の範囲

「法人」は、民法や会社法その他の法律により規定されていますが、法人税法では、法人の性格等に応じて法人を分類しています。そして、その分類に応じて「納税義務」や、「課税所得等の範囲」が定められています。

このSectionでは、納税義務者と課税所得等の範囲を学習します。

1 法人の分類（法2）

国内に本店又は主たる事務所*01)を有する法人を内国法人といい、内国法人以外の法人を外国法人*02)といいます。具体的には、次のように区分されます。

法人の種類		内　容
内国法人	(1)　公共法人	地方公共団体、日本放送協会、国立大学法人、日本年金機構　等
	(2)　公益法人等	学校法人、社会福祉法人、宗教法人、税理士会、日本赤十字社　等
	(3)　人格のない社団等*03)	ＰＴＡ・同窓会　等
	(4)　協同組合等	消費生活協同組合、信用金庫、農業協同組合　等
	(5)　普通法人	**株式会社**、合名会社、合資会社、合同会社　等
外国法人	(1)　人格のない社団等*03)	内国法人の(3)と同じもの
	(2)　普通法人	内国法人及び外国法人の(1)以外の法人

*01) 本店とは会社の事業活動の本拠をいい、主たる事務所とは、会社以外の法人の本店に相当するものをいいます。

*02) 国内に本店又は主たる事務所を有しない法人をいいます。

*03) 法人でない社団又は財団で代表者又は管理人の定めがあるものをいい、法人税法上は法人とみなされます。個人でも法人でもないということになると、所得税も法人税も一切課税できないことになってしまうからです。

〈法人の種類とその内容〉

区　分	内　容
公共法人	法人税法別表第一（公共法人の表）に限定列挙されている法人をいいます。政府の出資により公共の利益のための事業を行う法人や国又は地方公共団体の行うべき事務を代行する法人が該当します。
公益法人等	法人税法別表第二（公益法人等の表）に限定列挙されている法人をいいます。教育や宗教等の公共の利益を目的とし、原則として営利を目的としない法人が該当します。
協同組合等	法人税法別表第三（協同組合等の表）に限定列挙されている法人をいいます。組合員の事業活動に便宜を与えるための活動を行う法人をいいます（組合自体が営利を追求するものではありません。）。
人格のない社団等	法人でない社団又は財団で代表者又は管理人の定めがあるものをいいます。社団又は財団としての実体は備えているが、法人となる手続きを取っていないものが該当します。
普通法人	公共法人、公益法人等、協同組合等以外の法人（人格のない社団等は含まれません。）をいい、営利を追求する法人が該当します。

2 納税義務者（法4）

　納税義務者とは、税法の規定により納税の義務を負う者をいいます。法人税の納税義務者は法人ということになりますが、すべての法人について納税義務を課しているのではなく、その法人の性格などを考慮して納税義務を定めています。

1．内国法人

　法人の種類に応じて次のとおり定められています。

法人の種類	納　税　義　務	
普通法人 協同組合等	特に制限なく**納税義務あり**[*01]	
公益法人等 人格のない社団等	収益事業を行う場合	納税義務あり[*02]
	その他の場合	納税義務なし
公共法人	納税義務なし	

*01) 無制限納税義務者といいます。

*02) 制限納税義務者といいます。また、特殊なケースとして法人課税信託の引受けを行う場合や退職年金業務等を行う場合にも納税義務を負うことになります。

2．外国法人

　原則として国内源泉所得[*03]を有する場合に納税義務が生じます。

*03) 国内において行う事業から生ずる所得等として一定のものをいいます。

3 法人税の種類

　法人税には、次の2種類があります。このうち「各事業年度の所得に対する法人税」が、一般的に「法人税」と呼ばれているものです[*01]。

法人税の種類	概　　要
各事業年度の所得に対する法人税	通常の事業活動から生じた所得に対して課される法人税をいいます。
退職年金等積立金に対する法人税[*02]	信託会社等が、退職年金業務を行う場合に課される特別な法人税をいいます。

*01)「各事業年度の所得に対する法人税」が今後の学習の中心になります。

*02) 退職年金等積立金に対する法人税の課税は、現在停止期間中です。

4 課税所得の範囲（法5、7）

　内国法人に対して課される「各事業年度の所得に対する法人税」について、課税所得の範囲は法人の種類等ごとに次のとおり規定されています。

区　　分	各事業年度の所得
普通法人 協同組合等[*01]	特に制限なく**全ての所得**に課税されます。
公益法人等[*01] 人格のない社団等	収益事業から生じた所得についてのみ課税されます。
公共法人	納税義務がないため、課税される所得もありません。

*01) 普通法人や人格のない社団等に比較して、軽減された税率が適用されることになります。

Section 3 事業年度と申告

法人税は、企業会計の損益計算と同様に、一定の期間を単位として計算することになります。また、法人税は、申告納税方式を採用していることから、一定の期間ごとに申告し、税額を納付する必要があります。

このSectionでは、事業年度の意義と申告手続きを学習します。

1 事業年度の意義（法13）

事業年度とは、法人の財産及び損益の計算の単位となる期間（「会計期間」といいます。）で、法令で定めるもの又は法人の定款、寄附行為、規則、規約その他これらに準ずるものに定めるものをいいます[*01]。具体的には次のとおりとなります。

区　分	事業年度		
会 計 期 間 の 定 め が あ る 場 合	会計期間（法令又は定款等に定めるもの）		
会 計 期 間 の 定 め が な い 場 合	届 出 が あ る 場 合	設立等の日以後2月以内に届出	
	届 出 が な い 場 合	下 記 以 外	税務署長による指定
		人 格 の な い 社 団 等	暦年（1/1〜12/31）

なお、定款等に定める会計期間を変更し、又はその定款等において新たに会計期間を定めた場合には、遅滞なく、その変更前及び変更後の会計期間又は定めた会計期間を納税地[*02]の所轄税務署長に届け出なければなりません。

＜原則的な事業年度＞

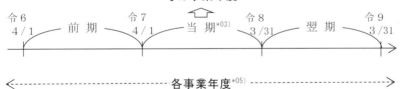

*01) 事業年度は、法人が事業活動を行う上で人為的に区切った期間であり、所得金額の計算や各種手続きの基礎となる期間を明確にするため規定されています。

*02) 内国法人の納税地は、その本店又は主たる事務所の所在地です。なお、納税地に異動があった場合には、遅滞なく、その異動前の納税地の所轄税務署長にその旨を届け出なければなりません。

*03) 税理士試験では、例年「4月1日から3月31日まで」を当期として出題されています。

*04) 「その」事業年度とは、特定の事業年度を指す場合に使用されます。通常は当期を指しています。

*05) 「各」事業年度とは、特定されない複数の事業年度を指しています。特定の複数の事業年度を指す場合には、「その各」事業年度と表現される場合もあります。

＜用語の意義＞

用　語	内　　容
定　　款	株式会社等の目的、組織、運営に関する基本規則をいいます。
寄附行為	旧民法による財団法人の目的、組織、運営に関する基本規則をいいます。
規　　則	特別法による宗教法人の「定款」に相当するものをいいます。
規　　約	労働組合等の「定款」に相当するものをいいます。
法　　令	銀行法、金融商品取引法等を指しています。

2 確定申告と中間申告

　法人税は申告納税方式の税金であるため、申告書を提出することにより税額が確定することになります。「各事業年度の所得に対する法人税」に係る申告には、次の2種類があります。

種　類	申告書	内　容
1．確定申告	確定申告書	事業年度が終了するごとに提出する申告書をいいます[*01]。
2．中間申告	中間申告書	事業年度が6月を超える場合に、事業年度の中途で提出する申告書をいいます。

*01) 法人の納税義務は事業年度が終了すると成立し、申告書を提出することによって税額が確定します。

1．確定申告

(1) 原則的な提出期限（法74）

　内国法人は、**その事業年度終了の日の翌日から2月以内に**、確定した決算に基づいて確定申告書を作成し、貸借対照表、損益計算書その他の書類を添付して納税地の所轄税務署長に提出します[*02]。

*02) 申告書を提出した法人は、その申告書の提出期限までにその申告書に記載した税額を国に納付しなければなりません。なお、中間申告についても同様です。

＜提出期限＞

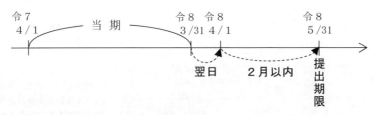

(2) 提出期限の延長（法75、75の2）

　原則としてその事業年度終了の日の翌日から2月以内に確定申告書を提出しなければなりませんが、次の場合には、提出期限を延長することができます。

区　分	内　容
災害により被害を受けた場合	**災害などで決算が確定しない**という特別の場合には、申請を行うことにより、**税務署長が認める期日まで**、提出期限を延長することができます[*03]。
定款等の定めにより又は特別の事情がある場合	定款等の定めにより又は特別の事情があることにより、その事業年度以後の各事業年度終了の日の翌日から2月以内にその各事業年度の決算についての定時総会が招集されない常況にある場合には、納税地の所轄税務署長は、法人の申請に基づき、基本的に、その事業年度以後の各事業年度の申告書の提出期限を1月間延長することができます。

*03) 決算の確定後、申告書を提出するまでの間に災害等により被害を受けた場合には、国税通則法による申告期限の延長が認められます。

2．中間申告

内国法人である**普通法人**[*04]は、その事業年度が６月を超える場合には、その事業年度開始の日から６月を経過した日から２月以内に納税地の所轄税務署長に中間申告書を提出しなければなりません。

＜提出期限＞

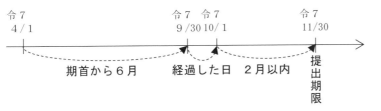

なお、中間申告の方法には次の３種類があります。

⑴　前期実績による場合（法71）

前期の実績に基づいて６月分の予定納税額を計算し、申告する方法です。

$$予定納税額^{*05} ＝ \frac{前期分の確定法人税額}{前期の月数}（１円未満切捨）× 6$$

⑵　仮決算による場合（法72）

中間申告書を提出すべき法人は、事業年度開始の日以後６月の期間を一事業年度とみなして仮決算を行い、その６月間の実績に基づいて中間申告することができます[*06]。

この場合には、仮決算の貸借対照表、損益計算書等の決算書類を添付しなければなりません。

⑶　中間申告書の提出がない場合の特例（法73）

中間申告書を提出すべき法人が提出期限までに前期実績による中間申告書も仮決算による中間申告書も提出しなかった場合は、その提出期限において⑴の前期実績による中間申告書を提出したものとみなされます[*07]。

＜期限後申告と修正申告＞

区　分	内　　容
期限後申告	法定申告期限が過ぎても、税務署長から処分を受けるまでは、自主的な申告書の提出が認められています。これを期限後申告といいます。なお、期限後申告を行う場合には、本税の他、無申告加算税等が課せられます。
修正申告	申告した所得や税額に不足額がある場合には、修正申告書を提出して正当な額に修正することができます。なお、修正申告を行う場合には、本税の他、過少申告加算税等が課せられることがあります。

········ *Memorandum Sheet* ········

Chapter 2

課税標準

法人税は、株式会社などの法人に対して、事業年度という期間を区切って課税されます。ところで、法人税額は、具体的に何を基準に計算されるのでしょうか？また、企業会計との関係はどのようになっているのでしょうか？

このChapterでは、法人税の課税標準の計算を中心に学習します。

Section 1 各事業年度の所得の金額

各事業年度の所得に対する法人税は、法人の利益に対して課される税金ですが、法人税額の計算の対象となる利益を「各事業年度の所得の金額」といいます。

法人税額は、「各事業年度の所得の金額」に税率を乗じて計算することになります。

このSectionでは、各事業年度の所得の金額の計算の通則を学習します。

1 課税標準（法21）

各事業年度の所得に対する法人税の課税標準[*01]は、各事業年度の所得の金額となります。

*01) 課税標準とは、税額を計算する基礎となる基準数量をいいます。法人税の場合は、所得の「金額」によることになります。

＜法人税額の計算＞

$$\boxed{各事業年度の所得の金額} \times \boxed{税　率} = \boxed{法人税額}$$
（課税標準）

2 各事業年度の所得の金額（法22①）

各事業年度の所得の金額は、その事業年度の益金の額からその事業年度の損金の額を控除した金額となります[*01]。

なお、益金の額及び損金の額は、それぞれ総額で認識するという考え方を採っています。

*01) 法人税は、企業会計と同様に期間計算を前提としているため、その事業年度に生じた益金の額及び損金の額を基礎に計算することになります。このような課税方式を「事業年度単位課税」といいます。

益金の額	
損金の額	所得の金額（課税標準）

×税率＝法人税額

＜例＞

当社は、当期において土地（帳簿価額15,000,000円）を20,000,000円で譲渡した。

区　分	仕　訳			
会計上の仕訳	（現 金 預 金）	20,000,000円	（土　　　地）	15,000,000円
			（土地売却益）	5,000,000円
税務上の仕訳	（現 金 預 金）	20,000,000円	（土地譲渡収入） 益 金	20,000,000円
	（土地譲渡原価） 損 金	15,000,000円	（土　　　地）	15,000,000円

　上記の具体例では、結果として利益と所得は一致しますが、法人税法では、各事業年度の所得の金額の計算の基礎となる益金の額及び損金の額を明確に把握する観点から、ともに総額で認識します。企業会計とは異なり、原則として個々の取引についての利益概念はとりません。

3　益金の額（法22②）

1．益金の額の範囲

　　各事業年度の所得の金額の計算上、その事業年度の益金の額に算入すべき金額[01]は、別段の定め[02]があるものを除き、次の取引に係るその事業年度の収益の額[03]とされています。

＜取引の例示＞

取　　　　　　引
(1)　資産の販売
(2)　有償による資産の譲渡又は役務の提供
(3)　無償による資産の譲渡又は役務の提供
(4)　無償による資産の譲受け
(5)　その他の取引で資本等取引[04]以外のもの

(1)　資産の販売

　　商品や製品の販売を指しています。売上高である譲渡収入を益金の額としてとらえることになります。

＜例＞

　　当社は当期において、A社に対し商品を20,000,000円で販売した。

税務上の仕訳			
（売　掛　金）　20,000,000円	（売　　　　　上）　20,000,000円
	益　　金

(2)　有償による資産の譲渡又は役務の提供

　　固定資産の売却収入や土地の賃貸収入、受取手数料、受取利息配当金等を指しています。なお、税務上の「譲渡」には、一般の売買の他、収用^{しゅうよう}[05]、交換、出資、代物弁済^{だいぶつべんさい}[06]など様々な取引が含まれています。

＜例＞

　　当社は当期において、B社に対し土地（帳簿価額10,000,000円）を30,000,000円で譲渡した。

税務上の仕訳			
（現　金　預　金）　30,000,000円	（土地譲渡収入）　　30,000,000円
	益　　金
（土地譲渡原価）　10,000,000円	（土　　　　地）　　10,000,000円
損　　金	

[01] 益金の額に算入「すべき」金額ですから、原則としての規定ということになります。

[02] 特例部分であり、企業会計の収益の額と益金の額の異なる部分を規定しています。

[03] 企業会計における収益の額を指しており、益金の額に算入すべき金額は、原則として収益の額によることになります。

[04] 資本金等の額の増減取引等をいい、所得を構成しない種類の取引として規定されています。

[05] 国等が、道路の拡張等の公共目的のために、土地等を強制的に取得することをいいます。

[06] 債権者が債権者の承諾を得て、約定されていた弁済の手段に代えて他の手段によって弁済することをいいます。

⑶　無償による資産の譲渡又は役務の提供

資産の贈与[07]をした場合の時価相当額等を指しています。

*07) 当事者の一方が自己の財産を、無償で相手方に与えることをいいます。

<例>

当社は当期において、C社に対し土地（帳簿価額30,000,000円）を贈与した。なお、贈与した土地の時価は50,000,000円であった。

①　土地を時価で譲渡したものと考えます。

税務上の仕訳			
（現　金　預　金）　50,000,000円	（土地譲渡収入）　50,000,000円		
	益　金		
（土地譲渡原価）　30,000,000円	（土　　　　　地）　30,000,000円		
損　金			

②　対価の現金預金を贈与したものと考えます。

税務上の仕訳		
（寄　附　金）　50,000,000円	（現　金　預　金）　50,000,000円	
損　金（注）		
（注）別段の定めにより、損金算入に制限があります。		

つまり、税務上はいったん譲渡収入を得た後、寄附をしたと考えるということです[08]。上記の仕訳のみで考えると利益と所得は同額となりますが、寄附金は、別段の定めにより損金算入に制限が設けられていますので、損金の額に算入されない金額が生ずれば利益と所得の間には差が生じます。

*08) 資産の贈与は、資産を有償（時価）で譲渡し、取得した金銭を贈与することと経済的効果は同じであるため、課税の公平を図る観点からこのように考えます。

⑷　無償による資産の譲受け

資産の贈与を受けた場合のいわゆる受贈益の額（時価）や国庫補助金収入等を指しています。

<例>

当社は当期において、X社から土地（時価60,000,000円）を無償で譲り受けた。

・　土地を時価で取得したものと考えます。

税務上の仕訳		
（土　　　　　地）　60,000,000円	（受　贈　益）　60,000,000円	
	益　金	

企業会計では、贈与を受けたものの性格によっては資本剰余金とすることも考えられますが、税務上は、受贈益の額は益金の額を構成します。

2. 収益の額と益金の額

　益金の額は、企業会計における収益の額に近い概念ですが、計算目的の相違[09]などから、別段の定めによる特例を考慮するため、収益の額と益金の額の間には差異が生じます。

*09) 企業会計では適正な期間損益計算を目的とするのに対して、税法では課税の公平や経済政策等を重視します。

```
            ┌────────── 収益の額 ──────────┐
┌─────────┬──────────────────────────┬─────────┐
│ 益金不算入 │   企業会計と税法の一致部分   │ 益金算入 │
└─────────┴──────────────────────────┴─────────┘
            └────────── 益金の額 ──────────┘
```

　収益であるが、益金の額に算入しない項目を益金不算入項目といい、収益ではないが、益金の額に算入する項目を益金算入項目といいます。これらが企業会計と税法の不一致部分となりますが、益金不算入項目と益金算入項目以外の部分については、企業会計と税法は一致しています。

4 損金の額（法22③）

1．損金の額の範囲

各事業年度の所得の金額の計算上、その事業年度の損金の額に算入すべき金額[*01]は、別段の定めがあるものを除き、次の額とされています。

*01) 損金の額に算入「すべき」金額ですから、原則としての規定ということになります。

⑴　その事業年度の収益に係る売上原価、完成工事原価その他これらに準ずる原価の額
⑵　その事業年度の販売費、一般管理費その他の費用の額（償却費以外の費用については期末までに債務の確定しているものに限ります。）
⑶　その事業年度の損失の額で資本等取引以外の取引に係るもの

⑴　原価の額

商品や製品の売上高に対応する売上原価や固定資産の譲渡原価などを指しています。

＜例＞

当社は当期において、D社に対し土地（帳簿価額15,000,000円）を40,000,000円で譲渡した。

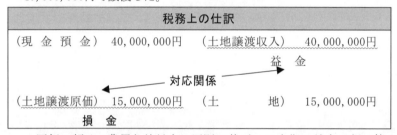

税務上の仕訳
（現 金 預 金）　40,000,000円　　（土地譲渡収入）　40,000,000円 益 金
対応関係
（土地譲渡原価）　15,000,000円　　（土　　　　地）　15,000,000円 損 金

原価の額は、費用収益対応の原則に基づいて当期の益金の額に算入した収益との対応関係により、当期の損金の額に算入するかどうか決定します[*02]。

*02) 当期の収益に対応する原価の額が当期末までに確定していない場合には、当期末の現況によりその金額を適正に見積もることになります。

⑵　費用の額

販売費及び一般管理費や支払利息等外部に支払われる費用の額を指しています。これらの費用は、期末までに債務が確定していることが必要です。よって、償却費を除いて[*03]、費用の見越計上及び見積計上（引当金の計上）は、原則として認められません。

*03) 減価償却資産及び繰延資産の償却費のように、内部計算によって見積計上されたものについては、外部との間に債務の確定という問題が生じないため、対象となる費用から除かれています。

＜債務の確定＞

期末までに債務が確定しているものとは、特別なものを除き、次の要件のすべてに該当するものをいいます。

① 期末までにその費用に係る債務が成立していること。

② 期末までにその債務に基づいて具体的な給付をすべき原因となる事実が発生していること（請求を受ける状態になったこと。）。

③ 期末までにその金額を合理的に算定することができるものであること。

⑶　損失の額

災害損失や盗難損失等、偶発的な損失の額を指しています。

損失の額は、その発生に着目して、当期に発生した損失の額を認識することになります。

２．原価・費用・損失の額と損金の額

損金の額は、企業会計における原価・費用・損失の額に近い概念ですが、益金の額と同様に計算目的の相違などから、原価・費用・損失の額と損金の額の間には差異が生じます。

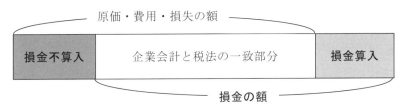

原価・費用・損失であるが、損金の額に算入しない項目を損金不算入項目といい、原価・費用・損失ではないが、損金の額に算入する項目を損金算入項目といいます。これらが企業会計と税法の不一致部分となりますが、損金不算入項目と損金算入項目以外の部分については、企業会計と税法は一致しています。

5 公正妥当な会計処理の基準（法22④）

▶▶問題集問題１

収益の額及び原価・費用・損失の額は、会計慣行の尊重や税制の簡素化を図る観点から、一般に公正妥当な会計処理の基準（企業会計原則や会社法等）にしたがって計算することになります[01]。

③ の収益の額　④ の原価・費用・損失の額	→	一般に公正妥当と認められる会計処理の基準にしたがって計算

つまり、税法上の特例が設けられていない白地部分については、企業会計における概念や計算と同じように処理すればよいことになります。

6 資本等取引（法22⑤）

資本等取引とは、法人の資本金等の額[01]の増加又は減少を生ずる取引及び法人が行う利益又は剰余金の分配等をいいます。所得の金額を構成しない種類の取引として規定されています。

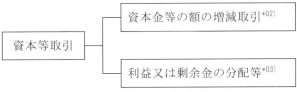

資本金等の額の増減取引は、株主等からの拠出資本（元本）の増減取引であり、所得の金額の計算に関係させません。また、利益又は剰余金の分配等は、課税済の所得の分配であるため、所得の金額の計算に関係させません。

*01) 課税上特に問題が生じない収益の額や原価・費用・損失の額までを法令で規定すると、細かくなりすぎて、かえって複雑な制度となってしまいます。そこで、これらについては、その取扱いを公正妥当な会計処理の基準に委ねています。

*01) 資本金等の額とは、法人が株主等から出資を受けた金額として一定の金額（資本金や株式払込剰余金等）をいいます。

*02) 増資や減資等を指しています。

*03) 中間配当や期末配当等を指しています。

7 所得計算と別表四

1．確定決算原則

法人税法では、「法人はその確定した決算に基づいて確定申告書を提出しなければならない。」と規定されています。

＜申告の流れ＞

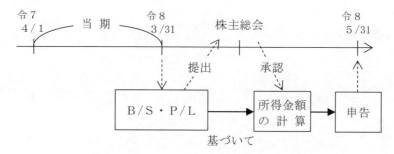

このように取り扱うのは、法人の最高意思決定機関である株主総会において承認を受けた決算を基礎とすることが、最も信頼性があり、かつ、法的にも安定しているためです[01]。

*01) このような考え方を「確定決算原則」といいます。

2．所得金額の計算

所得金額は、税法独自に計算するのではなく、法人の確定した決算（株主総会の承認を受けた決算）に基づく損益計算書に計上された当期純利益を出発点として、これに税法独自の調整を加えて誘導的に算出します。

この当期純利益を出発点として所得金額を算出する明細書を「別表四」（所得の金額の計算に関する明細書）といいます。

＜P／Lと別表四の関係＞

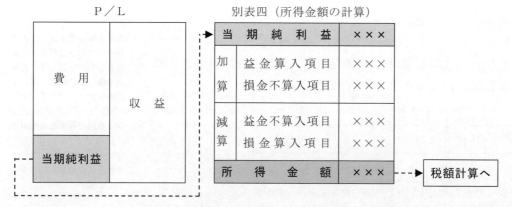

別表四では、当期純利益を基礎に、企業会計と税法の異なる部分を調整（加算又は減算）して所得金額を求めることになります。

3．別表四上の調整

　別表四では、当期純利益を出発点に企業会計と税法の差異を調整していきます。当期純利益にプラスする調整を「加算調整」といい、当期純利益からマイナスする調整を「減算調整」といいます。「加算調整」又は「減算調整」をする項目は、次の4つのグループに区分されます。

項　　目	内　　容	別表四上の調整
益金算入項目	収益ではないが、益金となるもの	加　算
損金不算入項目	費用だが、損金とならないもの	
益金不算入項目	収益だが、益金とならないもの	減　算
損金算入項目	費用ではないが、損金となるもの	

4．別表四のひな型

　過去の本試験では、実務上使用する別表四と比較して若干簡易な形式で出題されています。過去の本試験における典型的な別表四の形式は次のとおりです。

　なお、「内容」の欄に記載する調整項目の名称は、実務上の慣習によるものであり、法令に定められているものではないため、内容を示す適当な表現であれば問題ありません。

<別表四>   (単位：円)

内　　　容	金　　額	計　算　過　程
当 期 純 利 益	①	← 税引後の当期純利益を記載します。
加算　損 金 経 理 法 人 税 損 金 経 理 地 方 法 人 税 損 金 経 理 住 民 税 損 金 経 理 納 税 充 当 金 減 価 償 却 超 過 額 役員給与の損金不算入額 交際費等の損金不算入額 売 上 高 計 上 も れ	益金算入 及び 損金不算入	記載順序は決まっていません。 なお、法人税と地方法人税は、その合計額をまとめて、損金経理法人税及び地方法人税としても、よろしいです。
小　　計	②	
減算　減 価 償 却 超 過 額 認 容 納税充当金支出事業税等 受取配当等の益金不算入額 売 上 原 価 計 上 も れ	益金不算入 及び 損金算入	記載順序は決まっていません。
小　　計	③	
仮　　計	④	←「①＋②－③」で計算します。
寄附金の損金不算入額	加　算	記載順序が決まっています。 学習の進度に応じて覚えるようにしましょう。
法 人 税 額 控 除 所 得 税 額	加　算	
控 除 対 象 外 国 法 人 税 額	加　算	
合　　計		
差　引　計		
総　　計		
所 得 金 額		

<注意点>

⑴　当期純利益の欄は、損益計算書における税引後の当期純利益の金額を記載します。

⑵　加算欄及び減算欄は、記載順序は特に決まっていません。また、減算欄に記載する金額に△（マイナス）印を付ける必要はありません。

⑶　仮計下に記載する項目は、記載箇所及び記載順序が決まっています。なお、仮計下は加算を前提としているため、減算項目については金額の前に△（マイナス）印を付けます。

⑷　「合計」「差引計」「総計」の名称、記載順序は決まっています。

⑸　計算過程欄には、各調整項目の計算の過程や根拠を記載します。

次の資料により、答案用紙の別表四を完成させなさい。

⑴　株主総会の承認を受けた損益計算書の末尾は次のとおり記載されている。

税引前当期純利益	35,000,000円
法人税、住民税及び事業税	14,000,000円
当期純利益	21,000,000円

⑵　法人税、住民税及び事業税のうち、中間申告法人税3,976,000円、中間申告分地方法人税410,000円及び中間申告住民税414,000円は「損金経理法人税」、「損金経理地方法人税」及び「損金経理住民税」として、期末引当額8,000,000円は「損金経理納税充当金」として、それぞれ別表四で加算調整を行うものとする。

⑶　損益計算書に計上された減価償却費は2,800,000円であるが、税法上の償却限度額は2,300,000円であるため、差額の500,000円について「減価償却超過額」として別表四で加算調整を行うものとする。

⑷　損益計算書に計上された受取配当金のうち200,000円は「受取配当等の益金不算入額」として別表四で減算調整を行うものとする。

⑸　損益計算書に計上された寄附金のうち、損金不算入額は300,000円であり、別表四で加算調整を行うものとする。

⑹　法人税額から控除する所得税額は40,000円であり、別表四で加算調整を行うものとする。

答案用紙

＜別表四＞　　　　　　　　　　　　　　　　　　　　　　　　（単位：円）

内　　　容		金　　　額
当 期 純 利 益		
加算	損 金 経 理 法 人 税	
	損 金 経 理 地 方 法 人 税	
	損 金 経 理 住 民 税	
	損 金 経 理 納 税 充 当 金	
	減 価 償 却 超 過 額	
	小　　　計	
減算	受 取 配 当 等 の 益 金 不 算 入 額	
	小　　　計	
仮　　　計		
寄 附 金 の 損 金 不 算 入 額		
法 人 税 額 控 除 所 得 税 額		
合 計 ・ 差 引 計 ・ 総 計		
所 得 金 額		

<別表四>　　　　　　　　　　　　　　　　　　　　　　（単位：円）

内　　容		金　　額
当期純利益		21,000,000
加算	損金経理法人税	3,976,000
	損金経理地方法人税	410,000
	損金経理住民税	414,000
	損金経理納税充当金	8,000,000
	減価償却超過額	500,000
	小　　計	13,300,000
減算	受取配当等の益金不算入額	200,000
	小　　計	200,000
仮　　計		34,100,000
寄附金の損金不算入額		300,000
法人税額控除所得税額		40,000
合計・差引計・総計		34,440,000
所　得　金　額		34,440,000

Section 2 収益の計上時期

企業会計では、会計期間ごとに経営成績を把握するため、その会計期間に帰属させるべき収益・費用の範囲を実現主義や発生主義により認識しています。法人税法においても、期間帰属は所得計算に直接関係するため、いろいろと細かい規定が設けられています。

このSectionでは、収益の帰属事業年度の原則を学習します。

1 棚卸資産の販売（一般販売）

棚卸資産の販売による収益は、代金を受領したか否かに関係なく、その棚卸資産の引き渡しがあった日又はその近接日の属する事業年度の収益に計上します。

なお、引き渡しがあった日とは、その引渡しの日として合理的と認められる日のうち、法人が継続して収益計上を行うこととしている日をいいますが、具体的には次の基準等によることになります。

区　分	内　容
(1)　出荷基準	当社の倉庫等から販売先に向けて実際に出荷した日を引渡しの日として収益計上日とする方法
(2)　検収基準	数量、品質等を販売先が検査して合格した日を引渡しの日として収益計上日とする方法[*01]
(3)　使用収益日基準	販売先において使用収益[*02]を開始した日を引渡しの日として収益計上日とする方法[*03]
(4)　検針日基準	検針等をした日を収益計上日とする方法[*04]引渡しの日の近接日となりますが、引渡日と同様に、原則として、収益と経理した場合に限り、収益計上日となります。

*01) 大型の機械設備等を納入したときには、この基準がよく使われます。

*02) 不動産等を使用し、その不動産等から生ずる収益を得ることをいいます。

*03) 不動産の販売等の場合に、適合する基準です。

*04) 電気、ガス、水道のようにメーターの検針等によりはじめて販売数量を確認することができる棚卸資産について、適合する基準です。

＜図解＞

棚卸資産の販売の流れと収益計上時期との関係は次のとおりです。

2 その他の収益

1. 委託販売

　原則として、受託者が販売した日が引渡しの日であり、収益計上しますが、売上計算書が売上のつど（週、旬又は月の単位でもよい。）作成されて送付されている場合には、継続適用を要件に、その近接日としてその売上計算書が到達した日に収益計上することができます。

＜図解＞

　委託販売の流れと収益計上時期との関係は次のとおりです。

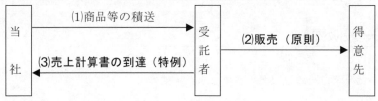

2. 請負による収益

　請負[*01)]による収益は、次の区分に応じてそれぞれの日の属する事業年度に計上します。

区　　分	内　　容
(1)　物の引渡しを要する場合	目的物の全部を完成して相手方に引き渡した日
(2)　物の引渡しを要しない場合	契約した役務の全部を完了した日

*01) 注文を受けた者がある仕事を完成させ、注文をした者がその仕事の結果に対してその報酬を支払う契約をいいます。

3. 固定資産の譲渡による収益

　原則として、引き渡しがあった日の属する事業年度に収益計上しますが、その固定資産が土地、建物等である場合は、引渡しの日の近接日として譲渡契約の効力発生の日の属する事業年度に収益計上することもできます。

Chapter 3

欠損金

法人の経営は、いつも順調に黒字になるとは限りません。赤字が生じてしまった場合、所得金額はゼロになるため法人税額は算出されませんが、赤字を埋めることができなければ法人は事業を継続することができなくなってしまいます。法人税では、この赤字をどのように取り扱うことになるのでしょうか？

このChapterでは、欠損金の繰越し制度を学習します。

欠損金の繰越し

各事業年度の所得の金額は、事業年度単位で計算することを原則としているため、前期以前に生じた欠損金額(税務上の赤字)を当期の所得計算に影響させることは原則としてできません。しかし、企業資本の維持等の理由から一定の要件の下、事業年度間の損益通算を行うことを認めています。この制度を「欠損金の繰越し」といいます。

このSectionでは欠損金の繰越しを学習します。

1 欠損金額の意義（法２十九）

欠損金額とは、各事業年度の所得の金額の計算上その事業年度の損金の額がその事業年度の益金の額を超える場合のその超える部分の金額をいいます*01)。

＜所得金額と欠損金額＞

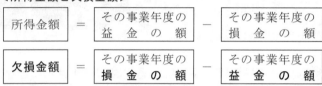

*01) いわゆる税務上の赤字の金額（マイナスの所得金額）を指しています。所得金額と当期純利益の額が異なるように、企業会計における当期純損失の額とは異なります。

2 繰越控除（法57）

▶▶問題集問題1,2,3

各事業年度開始の日前10年（適用上、当期は実質９年）以内に開始した青色申告書*01)を提出する事業年度において生じた欠損金額は、その発生年度の古いものから順次、この欠損金の繰越しによる損金算入を行う前の当期の所得金額を限度として、当期の損金の額に算入されます。

＜図解＞

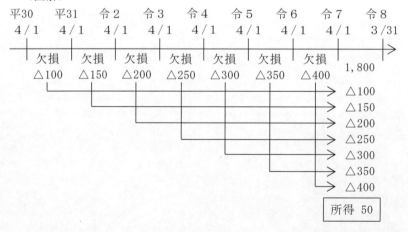

*01) 青色申告制度は、納税者が所定の帳簿書類を備え付け税務署長の承認を受けたときに、青色の用紙の申告書を提出することができるという制度です。青色申告書を提出する法人は、税務上の各種の特典が受けられます。なお、図解は７年間ですが、９年間繰越しできます。平成30年４月１日前に開始した事業年度において生じた欠損金額の繰越期間は９年です。

〈青色申告制度の概要〉

青色申告制度は、申告納税制度の発展のため、納税者の誠実な申告を期待し、その申告を税務官庁が尊重することとしたものです。そのため、青色申告法人は、組織的な帳簿を備え、複式簿記の原理に従って整然と、かつ、明瞭に記帳し、一定の手続きによって決算を行い、正当な所得金額を計算しなければなりません。

記帳等の一定の負担を負いますが、青色申告法人を対象とする各種の優遇規定も設けられています。

(1) 青色申告ができる申告書
① 中間申告書
② 確定申告書
③ ①及び②の修正申告書

(2) 承認の申請
(1)の申告書を青色申告書により提出しようとする場合には、その事業年度開始の日の前日までに、一定の事項を記載した申請書を提出し、税務署長の承認を受ける必要があります。

ただし、その事業年度が設立事業年度である場合には、その設立の日以後3月を経過した日とその事業年度終了の日のいずれか早い日の前日が期限となります。

(3) 申請の却下
帳簿書類の備付け等の要件を満たしていない場合には、誠実な申告が期待できないため、その申請は却下されることもあります。

(4) 承認の通知
申請の承認又は却下は、原則として書面により通知されることが規定されていますが、その事業年度終了の日までに承認又は却下の処分がなかったときは、その日において承認があったものとみなされ、青色申告が認められます。

(5) 取消し又は取りやめ
承認を受けた後に、帳簿書類の備付け等の要件を満たさなくなった場合には、その事実が生じた事業年度までさかのぼって、承認は取り消されます。この場合のその事業年度開始の日以後に提出した青色申告書は青色申告書以外の申告書とみなされ、各種優遇規定の適用はできなくなってしまいます。

また、法人自らが青色申告をやめようとする場合には、その事業年度終了の日の翌日から2月以内に、届出書を税務署長に提出しなければなりません。

(6) 青色申告の特典
確定申告書等を青色申告書により提出する場合には、青色申告を要件とする、次のような優遇規定の適用が認められます。
① 欠損金の繰越し、繰戻し還付
② 租税特別措置法に規定する特別控除
③ 各種特別償却
④ 各種準備金の積立て　等

1．適用要件

次の要件に該当している場合に限り適用されます。

適 用 要 件
⑴　欠損金額の発生事業年度について青色申告書である確定申告書を提出していること。
⑵　その後において連続して確定申告書を提出していること。

2．繰越控除の対象となる欠損金額

青色申告書を提出する事業年度において生じた欠損金額が対象となりますが、次のものは除かれます。

除外される欠損金額
⑴　当期から9年超前に生じた欠損金額
⑵　この規定によりすでに損金の額に算入されたもの
⑶　欠損金の繰戻し還付の計算の基礎となったもの*03)

3．損金算入額

損金算入額は、繰越控除を行う前の当期の所得金額を限度*04)とするため、次のように計算します。

損 金 算 入 額
⑴　控除対象欠損金額
⑵　別表四差引計（×50%*05)）
⑶　⑴と⑵のいずれか少ない方　➡　欠損金等の当期控除額（減算）

4．別表四の表示

欠損金等の繰越しによる当期控除額（当期損金算入額）は、別表四差引計の金額を限度*05)として控除するため、別表四上では差引計の欄の次に記載します。なお、金額に△（マイナス）を付す必要があります。

＜別表四＞

内　　容	金　　額
仮　　計	
合　　計	
差　引　計	
欠 損 金 等 の 当 期 控 除 額	△　×××
総　　計	
所　得　金　額	

*03) 欠損金の繰越しの対象と同様に、青色申告書を提出した事業年度において生じた欠損金を対象とする制度です。他の制度の適用対象とした欠損金は繰越しの対象とすることはできません。

*04) 所得金額を超えて控除を認めると、その超える部分が新たな欠損金額となり「9年間」を超えて繰越控除が可能となってしまうため、一定の所得金額を限度として控除することとされています。

*05) 中小法人以外の法人については、損金算入額は別表四差引計の50%が限度となります。なお、期末資本金1億円以下の法人のうち、大法人（資本金5億円以上の法人）による完全支配関係（100%の支配関係をいいます。）があるものを非中小法人といい、非中小法人以外を中小法人といいます。

　次の資料により、当社の当期における欠損金等の当期控除額を計算し、別表四（一部）を完成させなさい。

⑴　前期において8,000,000円の欠損金額が生じている。なお、前期において欠損金の繰戻し還付の規定の適用は受けていない。

⑵　当期の法人税申告書別表四の差引計の欄に記載されている金額は15,000,000円である。

⑶　当社は設立以来連続して青色の申告書により確定申告書を提出している。

⑷　当社の当期末における資本金の額は100,000,000円（株主はすべて個人である。）である。

答案用紙

＜別表四＞　　　　　　　　　　　　　　　　　　　　　　　（単位：円）

内　　　容	金　　　額
合　　　計	15,000,000
差　引　計	15,000,000
総　　　計	
所　　得　　金　　額	

解答

＜別表四＞　　　　　　　　　　　　　　　　　　　　　　　（単位：円）

内　　　容	金　　　額
合　　　計	15,000,000
差　引　計	15,000,000
欠　損　金　等　の　当　期　控　除　額	△　8,000,000
総　　　計	7,000,000
所　　得　　金　　額	7,000,000

解説

　欠損金等の当期控除額は、次のように求めます。

$$8,000,000円 \ < \ 15,000,000円 \quad \therefore \quad 8,000,000円$$
控除対象欠損金額　　　別表四差引計

········ *Memorandum Sheet* ········

Chapter 4

税額計算

これまで、法人税の課税標準が所得金額であることを学習してきました。所得金額が算出されれば、法人税額を計算しなければなりません。日本の法人税はいまだに高いといわれていますが、所得金額を基礎に「どのくらい」の法人税を納めなければならないのでしょうか？

このChapterでは、基本的な税額計算の流れを学習します。

法人税額の計算

法人税額は、課税標準である所得金額に税率を乗じて計算されます。その法人税額が、直ちに納付すべき法人税額となるとは限りません。法人税額からは、各種税額控除等を考慮し、「納付すべき法人税額」を算出する必要があるからです。この納付すべき法人税額を計算する申告書を「別表一」といいます。

このSectionでは、法人税額の計算を学習します。

1 税率の区分（法66、措法42の3の2）

▶▶問題集問題1,2

法人税の税率は、比例税率であり、一律23.2%が原則です。しかし、期末資本金1億円以下の財政基盤の弱い比較的小規模な法人（中小法人）に対しては、所得金額の一部について軽減税率（15%）の適用が認められています。

普通法人に対する税率は、次のように区分されています。

区　　分		税　　率	
期末資本金 1億円以下	中小法人*01)	年800万円以下の所得金額	15%
		年800万円超の所得金額	23.2%
	非中小法人*01)	所得金額は区分しない	23.2%
期末資本金1億円超			

*01) 期末資本金1億円以下の法人のうち、大法人（資本金5億円以上の法人）による完全支配関係（100%の支配関係をいいます。）があるものを非中小法人といい、非中小法人以外を中小法人といいます。なお、非中小法人については、財政基盤が弱いとは言えないため、軽減税率の適用対象から除かれています。

なお、課税標準である所得金額に千円未満の端数があるときは、その端数金額を切り捨て、その端数処理をした所得金額に税率を乗じて法人税額を計算します。

設例1－1　　　　　　　　　　　　　　　　　　　　　法人税額の計算（期末資本金1億円超）

次の資料により法人税額を計算しなさい。

⑴　当社の所得金額は、23,456,789円と計算されている。

⑵　当社は、期末資本金の額が200,000,000円の卸売業を営む普通法人である。

解答
⑴　判　定
200,000,000円＞1億円　　　∴　軽減税率適用なし

⑵　課税標準である所得金額
23,456,789円　→　23,456,000円（千円未満切捨）

⑶　法人税額
23,456,000円×23.2%＝5,441,792円

解説

　当社は、資本金1億円超の法人に該当するため、所得金額を区分することなく、一律23.2%の税率を適用して法人税額を算出します。なお、課税標準である所得金額に千円未満の端数がある場合には、その端数処理後の金額に税率を適用します。

設例1－2　　　　　　　　　　　　　　　　　　　　　法人税額の計算（中小法人）

　次の資料により法人税額を計算しなさい。

⑴　当社の所得金額は、23,456,789円と計算されている。

⑵　当社は、期末資本金の額が100,000,000円の製造業を営む普通法人である。なお、当社の株主に資本金の額が5億円以上の大法人はいない。

解答　⑴　判　定

　　　　100,000,000円 ≦ 1億円

　　　　大法人による完全支配関係なし　　∴　軽減税率適用あり

　　⑵　課税標準である所得金額

　　　　23,456,789円 → 23,456,000円（千円未満切捨）

　　⑶　年800万円以下の金額

　　　　$8,000,000 \times \dfrac{12}{12} = 8,000,000$円

　　⑷　年800万円超の金額

　　　　23,456,000 － 8,000,000 ＝ 15,456,000円

　　⑸　法人税額

　　　　$8,000,000 \times 15\% + 15,456,000 \times 23.2\% = 4,785,792$円

解説

　当社は、資本金1億円以下であり、株主に大法人がいないことから大法人による完全支配関係もないため、軽減税率を適用することになります。年800万円以下の金額と年800万円超の金額に所得金額を区分して、前者には15%、後者には23.2%の税率を適用することになります。なお、年800万円は、次の算式により計算します。

　　年800万円 ＝ $8,000,000 \times \dfrac{\text{当期の月数}}{12}$

＜図解＞

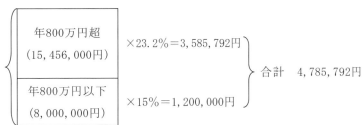

2 別表一のひな型

▶▶問題集問題3,4

　別表四において課税標準となる所得金額を算出し、その所得金額を基礎として別表一で法人税額の計算を行うことになります。別表一では、最終的に納付すべき法人税額（差引確定法人税額）を計算することになります。

　過去の本試験では、実務上使用する別表一と比較して簡易な形式で出題されています。過去の本試験における典型的な別表一の形式は次のとおりです。

＜別表一＞　　　　　　　　　　　　　　　　　　　　　　　　　（単位：円）

内　　容	金　　額	計　算　過　程
所　得　金　額		←　課税標準である所得金額（千円未満切捨後）を記載します。
法　人　税　額	①	←　法人の区分に応じて税率を適用して求めた法人税額を記載します。
特　別　控　除　額	②	←　租税特別措置法上の控除税額を記載します。
差　引　法　人　税　額	①－②＝③	
留保金に対する税額	④	←　法人税額に加算する税額を記載します。
法　人　税　額　計	③＋④＝⑤	
控　除　税　額	⑥	←　法人税法上の控除税額を記載します。
差引所得に対する法人税額	⑤－⑥＝⑦	←　**百円未満の端数を切捨てます。**
中間申告分の法人税額	⑧	←　**中間申告分の法人税額を記載します。**
差　引　確　定　法　人　税　額	⑦－⑧	←　この申告により納付すべき法人税額です。

次の資料により、当社の当期における別表一を完成させなさい。

⑴　当期の所得金額（別表四の最終値）は、76,987,190円と計算されている。

⑵　当期の中間申告により納付した法人税額は7,563,800円である。

⑶　当社は、期末資本金1億円（株主に法人株主はいない。）の小売業を営む普通法人である。

答案用紙

<別表一>　　　　　　　　　　　　　　　　　　　　　　　　　　　　（単位：円）

内　　容	金　　額	計　算　過　程
所　得　金　額		（　　　　　　　）
法　人　税　額		［法人税額の計算］ 　⑴　年800万円以下の金額
差　引　法　人　税　額		⑵　年800万円超の金額
法　人　税　額　計		⑶　法人税額
差引所得に対する法人税額		（　　　　　　　）
差　引　確　定　法　人　税　額		

＜別表一＞

（単位：円）

内　　容	金　　額	計　算　過　程
所　得　金　額	76,987,000	（千円未満切捨　）
法　人　税　額	17,204,984	［法人税額の計算］ 　(1)　年800万円以下の金額 　　　$8,000,000 \times \dfrac{12}{12} = 8,000,000$円
差　引　法　人　税　額	17,204,984	(2)　年800万円超の金額 　　　$76,987,000 - 8,000,000 = 68,987,000$円
法　人　税　額　計	17,204,984	(3)　法人税額 　　　$8,000,000 \times 15\% + 68,987,000 \times 23.2\%$ 　　　$= 17,204,984$円
差引所得に対する法人税額	17,204,900	（百円未満切捨　）
中間申告分の法人税額	7,563,800	
差　引　確　定　法　人　税　額	9,641,100	

解説

　　所得金額は、千円未満切捨後の金額を記載します。また、差引所得に対する法人税額は、百円未満切捨後の金額を記載します。

Chapter 5

受取配当等の益金不算入

株式会社に利益が生じると、株主に対して配当金が支払われます。その配当金の原資は、既に法人税が課税された利益です。株主も法人だと、配当金を支払う法人で法人税を負担し、受け取る法人でも法人税が課税されることになります。同じ法人税が2度も課税されたままでよいのでしょうか？

このChapterでは、受取配当等の益金不算入制度を学習します。

配当等の額の範囲

法人が受け取る配当金は、企業会計では受取配当金として収益に計上されます。

しかし、法人税法では、法人間の二重課税を排除するため等の理由から、申告上の手続きを行うことにより、益金不算入とする取扱いが設けられています。

このSectionでは益金不算入の対象となる配当等の額の範囲を学習します。

1 制度の趣旨

株式会社等の法人が、配当金を支払うときの財源は、すでに法人税が課税された後の課税済所得ということになります[*01]。

さらに、その配当金を受け取った法人に、再び法人税を課税[*02]してしまうと、同一の財源に対して2度、法人税が課税される「二重課税」となってしまいます。

つまりこの規定は、内国法人から支払いを受ける配当等の額[*03]を益金の額に算入しないことにより**法人間の二重課税を排除**し、課税の公平を図ろうとするものです。

*01) 配当金の支払いは、資本等取引に該当しますから、支払配当金を損金の額に算入することはできません。

*02) 受取配当金は、企業会計上の収益ですから、原則として益金の額に算入されます。

*03) 配当等の額には、配当金の他、特定株式投資信託（後述）の収益分配金等が含まれます。

2 益金不算入額の計算（法23①）

受取配当等の益金不算入額は、内国法人が受ける配当等の額の区分に応じて、次の金額の合計額となります。

配当等の額の区分	益金不算入額
完全子法人株式等に係るもの	配当等の額の全額[*01]
関連法人株式等に係るもの	配当等の額－負債利子の額[*01]
その他株式等に係るもの	配当等の額[*01] ×50%
非支配目的株式等	配当等の額[*01] ×20%

*01) 関連法人株式等のみ元本の取得に要した負債利子の額を計算し、控除することになります。

基本算式

(1) 配当等の額

① 完全子法人株式等

② 関連法人株式等

③ その他株式等

④ 非支配目的株式等

(2) 控除負債利子

(3) 益金不算入額

(1)① + ((1)② − (2)) + (1)③ × 50% + (1)④ × 20%

受取配当等の益金不算入額（減算）

設例1－1　　　　　　　　　　　　　　　　　　　　　　　　　益金不算入額の計算

次の資料により、受取配当等の益金不算入額を求めなさい。

(1) 当社の当期に係る配当等の額は2,400,000円であるが、その内訳は完全子法人株式等に係る配当等の額が500,000円、関連法人株式等に係る配当等の額が1,000,000円、その他株式等に係る配当等の額が800,000円、非支配目的株式等に係る配当等の額100,000円である。

(2) 配当等の額から控除する負債利子の額は40,000円と計算されている。

解答

(1) 配当等の額

① 完全子法人株式等

500,000円

② 関連法人株式等

1,000,000円

③ その他株式等

800,000円

④ 非支配目的株式等

100,000円

(2) 控除負債利子

40,000円

(3) 益金不算入額

$500,000 + (1,000,000 − 40,000) + 800,000 × 50\% + 100,000 × 20\% = 1,880,000$円（減算）

解説

　ここでは、配当等の額の区分を中心に、完全子法人株式等に係るもの、関連法人株式等に係るもの、その他株式等に係るもの及び非支配目的株式等に係るものに区分し、その区分に応じて益金不算入額の計算が異なることを確認してください。

3 株式等の区分

　益金不算入額の計算は、配当等の額の元本である株式等[*01]の区分に応じて定められているため、その株式等の区分を行うことから始める必要があります。それぞれの株式等を区分する際の判断基準の概要は次とおりです。

株式等の区分	判　断　基　準
完全子法人株式等	配当等の計算期間中[*02]継続して完全支配関係があった他の内国法人の株式等
関連法人株式等	配当等の計算期間中[*02]継続して発行済株式等の1/3超を保有していた他の内国法人の株式等
その他株式等	完全子法人株式等、関連法人株式等及び非支配目的株式等以外の株式等
非支配目的株式等	保有割合5％以下の株式等及び特定株式投資信託

4 配当等の額の範囲

▶▶問題集問題1,2

1. 株式・出資

(1) 対象となる配当等（法23①一）

　内国法人（公益法人等及び人格のない社団等を除く[*01]。）から支払いを受ける次のものの全額[*02]が配当等の額に含まれます。

含まれるもの	内　容
剰余金の配当	株式会社からの利益の分配
利益の配当	持分会社（合名会社、合資会社及び合同会社をいいます。）からの利益の分配
剰余金の分配	相互保険会社からの利益の分配

(2) 対象とならない配当等

含まれないもの	含まれない理由
外国法人からの配当金	内国法人間における二重課税は生じないため[*03]。
預貯金等の利子	出資関係がなく、課税済所得の分配ではないため。

2．証券投資信託

(1) 証券投資信託の仕組み

証券投資信託とは、投資家から集めた資金をファンド*04)として1つにまとめ、証券市場で運用を行い、その運用益を投資家に分配する仕組みをいいます。

(2) 配当等の額になるもの（措法67の6）

証券投資信託の収益分配金のうち特定株式投資信託の収益分配金だけ配当等の額になります。

区　　分	配当等の額
特定株式投資信託*06) （外国株価指数連動型*08)のものを除く。）	収益分配金*07)の全額

*04) 投資資金をいいます。

*05) 証券投資信託は証券会社等が募集・販売し、投資信託委託会社が運用計画を立て、信託銀行に売買の実行を指図します。信託銀行ではその運用指図に基づき売買を実行し管理する仕組みとなっています。

*06) 特定株式投資信託とは、信託財産を特定の株価指数（日経300等）採用銘柄の株式のみで運用することを目的とする一定の証券投資信託をいいます。なお、内国法人の株式等に運用するだけでは、特定株式投資信託とはいえません。問題文に特定株式投資信託に該当するとなっていますので、問題文で確認します。

*07) 源泉所得税額等控除前の金額です。

*08) 外国株価指数連動型は、その株価指数採用銘柄が外国株式であるものをいいます。

次の資料により、当社の当期における受取配当等の益金不算入額を計算しなさい。

⑴ 当期中に次の配当等の支払いを受け、配当等の額から源泉徴収税額を控除した差引手取額を雑収入として収益に計上している。

銘　柄　等	区　分	配当等の額	源泉徴収税額
A　　株　　式	剰余金の配当	600,000円	―
B　　株　　式	剰余金の配当	200,000円	30,630円
C　　株　　式	剰余金の配当	100,000円	15,000円
D 証 券 投 資 信 託	収 益 分 配 金	300,000円	45,945円

（注1）A株式は、関連法人株式等に該当する。

（注2）B株式は、完全子法人株式等、関連法人株式等及び非支配目的株式等以外の株式等に該当する。

（注3）C株式は、外国法人が発行する株式である。

（注4）D証券投資信託は、その信託財産を主として内国法人の発行する株式等に運用するものである。

（注5）C株式を除き、全て内国法人が発行するものであり、いずれの元本も数年前に取得して以来元本に異動はない。

⑵ 配当等の額から控除する負債利子の額は24,000円と計算されている。

解答

⑴ 配当等の額

　① 関連法人株式等

　　600,000円

　② その他株式等

　　200,000円

⑵ 控除負債利子

　24,000円

⑶ 益金不算入

　（600,000－24,000）＋200,000×50％＝676,000円　（減算）

解説

⑴ D証券投資信託は、特定株式投資信託とはなっていませんので、配当等の額はありません。

⑵ C株式は、外国法人が発行する株式であるため、受取配当等の益金不算入の対象とはなりません。

⑶ 受取配当等の益金不算入額の計算の基礎となる配当等の額は、源泉所得税額等控除前の配当等の額を使用します。

Section 2　控除負債利子

受取配当金の元本である株式の取得に充てた借入金に係る負債利子は、配当金を得るための費用と考えられます。二重課税が生じるのはあくまで利益部分であることから、利益ベースで益金不算入額を計算するためには、負債利子を控除することが必要です。このSectionでは、控除負債利子の計算を学習します。

1　控除負債利子の計算方法

控除負債利子の額は、次のうちいずれか少ない金額とされています。

次の金額のうちいずれか少ない金額
├ 関連法人株式等に係る配当等の額×4％
└ その事業年度の支払負債利子×10％

次の資料により、控除負債利子の額を求めなさい。

(1)　当期の支払利子は800,000円である。

(2)　関連法人株式等に係る配当等の額は1,000,000円である。

解答　(1)　当期支払負債利子　　800,000円

　　　(2)　控除負債利子の額

　　　　　①　配当等の額基準額

　　　　　　　$1,000,000 \times 4\% = 40,000$円

　　　　　②　支払負債利子基準額

　　　　　　　$800,000 \times 10\% = 80,000$円

　　　　　③　①＜②　　∴　40,000円

解説

　①配当等の額基準額と②支払負債利子基準額のいずれか少ない金額となります。

次の資料により、当社の当期における受取配当等の益金不算入額を計算しなさい。

⑴ 当期中に次の配当等の支払いを受け、配当等の額から源泉徴収税額を控除した差引手取額を雑収入として収益に計上している。

銘　柄　等	区　分	配当等の額	源泉徴収税額
A　　株　　式	剰余金の配当	450,000円	―
B　　株　　式	剰余金の配当	180,000円	27,567円
C 証 券 投 資 信 託	収 益 分 配 金	320,000円	49,008円

（注1）A株式は、関連法人株式等に該当する。

（注2）B株式は、完全子法人株式等、関連法人株式等及び非支配目的株式等以外の株式等に該当する。

（注3）C証券投資信託は、特定株式投資信託に該当する。

（注4）上記の株式等は、全て内国法人が発行するものであり、いずれの元本も数年前に取得して以来元本に異動はない。

⑵ 当期の費用に計上した支払利子の額は2,300,000円である。

解答

(1) 配当等の額

① 関連法人株式等

450,000円

② その他株式等

180,000円

③ 非支配目的株式等

320,000円

(2) 控除負債利子

① 当期支払負債利子　　2,300,000円

② 控除負債利子の額

イ　配当等の額基準額

$450,000 \times 4\% = 18,000$円

ロ　支払負債利子基準額

$2,300,000 \times 10\% = 230,000$円

ハ　イ＜ロ　　∴　18,000円

(3) 益金不算入額

$(450,000 - 18,000) + 180,000 \times 50\% + 320,000 \times 20\% = 586,000$円（減算）

解説

　控除負債利子の額の計算は、イ配当等の額基準額とロ支払負債利子基準額のいずれか少ない金額となり、仮に当期支払負債利子がなければ、控除負債利子の額は0となります。

Chapter 6

所得税額控除

所得税は、主に個人に対して課される税金ですが、銀行預金の利子のように、法人に対して所得税が課税される場合があります。法人税は所得税と同じ国税ですが、受取利息には法人税も課税されることになります。同じ国税の二重課税が生じてしまいます。

このChapterでは、所得税額控除制度を学習します。

Section 1 所得税額の控除

利子や配当金を受け取る場合には、その利子等に対して所得税が源泉徴収されます。

この源泉徴収により差し引かれた所得税は、法人税と同じ国税であるため、法人税を前払いしたものと考えて、法人税額から控除することが認められています。

このSectionでは利子・配当等について源泉徴収された所得税の取扱いを学習します。

1 概 要

法人が利子や配当金の支払いを受ける場合には、その利子等から差し引かれる方法により所得税が源泉徴収されます。この利子や配当金は、収益の額に該当するため、原則として益金の額に算入され、法人税が課税されます。すると、同じ国税である所得税と法人税の間で二重課税が生じてしまいます。

所得税額控除は、この所得税と法人税の二重課税を排除するために設けられている制度です。

<図解>

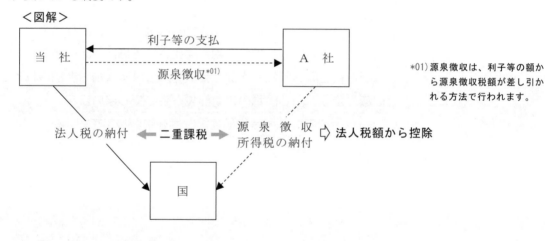

*01) 源泉徴収は、利子等の額から源泉徴収税額が差し引かれる方法で行われます。

2 税額計算上の取扱い（法68）

内国法人が支払いを受ける利子及び配当等について、源泉徴収された所得税の額は、一定の方法により当期の法人税額から控除し、控除しきれない金額は還付されます。

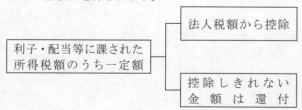

3 所得計算上の取扱い（法40）

　内国法人が、所得税額の控除又は還付の適用を受ける場合には、控除
又は還付される金額は、損金不算入とされます[*01]。

　＜別表四と別表一の関係＞

　所得税額控除の適用を受ける場合の所得計算と税額計算の関係は次
のとおりとなります。

（別表四）

内　　容	金　　額
当 期 純 利 益	
加算	
減算	
仮　　計	
法人税額控除所得税額	×　×　×
合計・差引計・総計	
所　得　金　額	

同一金額を
転記[*02]）→

（別表一）

内　　容	金　　額
所　得　金　額	
法　人　税　額	
差 引 法 人 税 額	
法 人 税 額 計	
控 除 所 得 税 額	×　×　×
差引所得に対する法人税額	
中間申告分の法人税額	
差引確定法人税額	

　所得税額控除の適用を受ける場合には、その控除を受ける金額を別
表四で損金不算入とし、所得計算と税額計算の間の二重控除を防止し
ています。

*01) 源泉徴収された所得税額について、所得税額の控除又は還付の適用を受けない場合には、その源泉徴収された所得税の額は損金の額に算入されることになります。

*02) 平成25年以降の源泉徴収税額のうちには、源泉徴収所得税額の2.1％相当額の復興特別所得税額（東日本大震災からの復興財源に充てるため、臨時的に設けられている租税です。）が含まれています。この復興特別所得税額は、所得税額の控除の適用上、所得税額とみなされることから、所得税額と同様に取扱うことになります。

控除税額の計算

源泉徴収された所得税の額は、必ずしもその全額が控除されるわけではありません。元本の種類によっては、その元本の所有期間により按分して控除税額を求めるものがあります。なお、所有期間により按分する方法には「個別法」と「簡便法」の2種類があります。

このSectionでは控除税額の計算を学習します。

1 控除対象となる所得税額の範囲

税額控除の対象となる所得税額は、利子・配当等につき源泉徴収された所得税額ですが、源泉徴収の対象となる利子・配当等には次のようなものがあります。

源泉徴収の対象となる利子・配当等
剰余金の配当*01)、利益の配当、剰余金の分配（出資に係るもの）　等
特定株式投資信託の収益分配金、公社債投資信託の収益分配金、上記以外の証券投資信託の収益分配金　等
公社債の利子、預貯金の利子　等

*01) 所有割合3分の1超の株式等及び完全子法人株式等に係るものは源泉徴収されません。

これらのうち、その元本に譲渡性のあるもの*02)のうち、一定のものの控除税額の計算については、その元本の所有期間に応じた「所有期間按分」が必要です。

*02) 表では、預貯金の利子以外のものが該当します。

2 個別法と簡便法（令140の2）

▶▶問題集問題1,2,3,4

*01) 証券投資信託の受益証券が該当します。

株式出資及び受益権*01)に係る所得税額について、元本の所有期間に対応する金額を計算する場合の計算方法には、次の2つの方法があります。なお、株式出資、受益権の区分ごとにいずれかの方法を選択することができます。

計算方法	概　　要
1. 個別法	元本の所有期間に対応する部分を実際に所有していた月数で按分して計算する方法
2. 簡便法	計算期間中に取得した元本はすべて計算期間の期央に取得したものとして計算する方法

1．個別法

元本の所有期間が異なるものごとに、実際の所有期間に応じて次の算式で計算します[*02]。

*02) 実際の所有期間に応じた計算となるため、「取得日」がポイントとなります。

基本算式

配当等に対する所得税の額 × その元本を所有している期間の月数／配当等の計算の基礎となった期間の月数 〔小数点以下3位未満切上〕

（注）1月未満の端数は、1月に切り上げます。

源泉徴収された所得税額を、配当等の計算の基礎となった期間の月数（配当計算期間の月数）のうちにその元本を所有している期間の月数（取得日から配当計算期間の末日までの月数）の占める割合で按分しています。なお、月数については「1月未満切上」、割合については「小数点以下3位未満切上」の端数処理がありますので注意が必要です。

設例2－1　　　　　　　　　　　　　控除税額の計算（個別法）

次の資料により、法人税額から控除される所得税額を個別法により計算しなさい。

当社は、A株式会社が発行するA社株式を当期において取得し、剰余金の配当の支払いを受けている。なお、配当計算期間等の資料は次のとおりである。

配当計算期間：令和7年1月1日から令和7年12月31日

元本の取得日：令和7年5月10日

源泉徴収所得税額：10,000円

解答　　$10,000 \times \dfrac{8}{12}(0.6666\cdots \rightarrow 0.667) = 6,670$円

解説

個別法の計算では、実際の所有期間を基礎に計算します。A社株式の所有期間は、取得日の令和7年5月10日から配当計算期間の末日である令和7年12月31日までの8月間（1月未満は切り上げて1月とします。）です。当社の当期を基準に按分するのではなく、A社の配当計算期間を基準に按分します。

A社　　1／1　　　　5／10　　　　　　　　12/31

$\dfrac{4}{12}$　控除不可　　　　$\dfrac{8}{12}$　控除可

なお、按分の端数処理（小数点以下3位未満切上）を忘れないように注意してください。

2．簡便法

　配当計算期間中に増加した元本は、すべて配当計算期間の期央に取得したものと仮定して計算する方法で、配当計算期間が１年以下のものについては、銘柄ごとに次の算式で計算します。

> **基本算式**
>
> $$\text{配当等に対する所得税の額} \times \frac{\text{配当計算期間開始時の所有元本数A}+(\text{B}-\text{A})\times\frac{1}{2}}{\text{配当計算期間終了時の所有元本数B}} \quad \left[\begin{array}{c}\text{小数点以下}\\\text{3位未満切上}\end{array}\right]$$

　個別法では、同じ銘柄の元本でも取得日が異なれば、所有期間が異なるため、それぞれ区分して計算しなければなりません。そのため、日々売買を繰り返す法人では、個別法の計算は非常に煩雑なものとなってしまいます。そこで、実際の取得日とは関係させずに計算する簡便法が認められています[03]。

　なお、上記の算式中の「Ｂ」が「Ａ」に満たない場合（分数部分の割合が１を超える場合）には、「配当等に対する所得税の額」に乗ずる割合は「１」となります。

[03] 配当計算期間中に取得した元本はすべて配当計算期間の期央に取得したものとして計算するため、元本の取得日は計算に関係なく、配当計算期間の開始時と終了時の元本数がポイントになります。

設例２−２　　　　　　　　　　　　　　　　　　　　　控除税額の計算（簡便法）

次の資料により、法人税額から控除される所得税額を簡便法により計算しなさい。

　当社は、Ｂ株式会社が発行するＢ社株式を当期において10,000株取得し、剰余金の配当の支払いを受けている。なお、配当計算期間等の資料は次のとおりである。

　配当計算期間：令和７年１月１日から令和７年12月31日

　元本の取得日：令和７年８月20日

　源泉徴収所得税額：150,000円

解答

$$150,000\times\frac{0+(10,000-0)\times\frac{1}{2}}{10,000}(0.500)=75,000\text{円}$$

解説

　簡便法の計算では、実際の取得日は関係させません。Ｂ社株式の所有期間は、取得日の令和７年８月20日から配当計算期間の末日である令和７年12月31日までの５月間（１月未満は切り上げて１月とします。）となりますが、配当計算期間中に増加した元本は配当計算期間の期央で取得したものとして計算します。

B社　　1／1　　　　　　　　　　8／20　　　　12／31

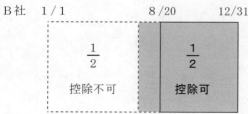

なお、按分の端数処理（小数点以下３位未満切上）があります。

3. 個別法と簡便法の選択

個別法と簡便法は、配当等の元本を、株式出資、受益権の2つのグループに区分し、区分ごとに統一して適用しなければなりません。

(1) 株式出資、受益権のそれぞれの区分内は個別法又は簡便法を統一して適用しなければなりません。

具　体　例	取　扱　い
(1)　株式出資………個別法 ⎫ (2)　受益権…………簡便法 ⎭ 選択可	グループごとに統一して適用します。
(1)　株式出資 　①　A株式………簡便法 ⎫ 　②　B株式………個別法 ⎭ 選択不可	グループ内は統一適用のため、銘柄ごとには選択できません。

(2) 個別法又は簡便法の選択は、法人にとって有利になる方法を選択することができます。

個別法と簡便法のうち有利な方		控除税額の多い方

基本算式

(1) **株式出資**

　① **個別法**

　② **簡便法**

　③ **①と②の多い方**

(2) **受益権**

　① **個別法**

　② **簡便法**

　③ **①と②の多い方**

(3) **その他**

　所有期間按分は不要で全額控除

(4) **合　計**

　(1)＋(2)＋(3)　　**法人税額控除所得税額（別表四仮計下・加算）**

　　　　　　　　　　　　　　＋

　　　　　控除所得税額（別表一法人税額計の下・控除）

次の資料により、当社の当期における法人税額から控除される所得税額を計算しなさい。

当社の当期における受取配当等の状況は次のとおりであり、差引手取額を雑収入に計上している。

銘　柄　等	配当等の計算期間	配当等の額	源泉徴収税額
A　社　株　式 （剰余金の配当）	令和6年7月1日～ 　　令和7年6月30日	700,000円	107,205円
B証券投資信託 （収益分配金）	令和6年9月1日～ 　　令和7年8月31日	300,000円	45,945円
C　　銀　　行 （預金利子）	―	42,000円	6,432円

（注1）　A社株式は、20,000株を令和6年10月3日に取得したものである。

（注2）　B証券投資信託は、1,000口を令和7年5月8日に取得したものである。

（注3）　源泉徴収税額は、所得税額と復興特別所得税額の合計額である。

解　答

(1)　株式出資

　①　個別法

$$107,205 \times \frac{9}{12}(0.750) = 80,403円$$

　②　簡便法

$$107,205 \times \frac{0 + (20,000 - 0) \times \frac{1}{2}}{20,000}(0.500) = 53,602円$$

　③　①＞②　　∴　80,403円

(2)　受益権

　①　個別法

$$45,945 \times \frac{4}{12}(0.334) = 15,345円$$

　②　簡便法

$$45,945 \times \frac{0 + (1,000 - 0) \times \frac{1}{2}}{1,000}(0.500) = 22,972円$$

　③　①＜②　　∴　22,972円

(3)　その他

　　6,432円

(4)　合　計

　　(1)＋(2)＋(3)＝109,807円（別表四加算・別表一控除）

解 説

① 元本を、株式出資・受益権・その他に区分します。A社株式は株式出資、B証券投資信託は受益権、
C銀行預金はその他に区分します。

② 個別法と簡便法は、①の区分ごとに有利な方法を選択できます。

③ A社株式の配当等の計算期間と増加した元本に係る所有期間との関係は、次のとおりです。

配当等の計算期間中に増加した元本に係る所有期間が2分の1（6月）より多いもののみであり、
個別法が有利となるため、個別法を選択します。このように、明らかに個別法が有利になる場合には、
次のように解答していただいてもかまいません。

⑴ 株式出資（$\frac{9}{12} > \frac{1}{2}$　∴　個別法有利）

　　$107,205 \times \frac{9}{12}(0.750) = 80,403$円

---

④ B証券投資信託の配当等の計算期間と増加した元本に係る所有期間との関係は、次のとおりです。

配当等の計算期間中に増加した元本に係る所有期間が2分の1（6月）より少ないもののみであり、
簡便法が有利となるため、簡便法を選択します。このように、明らかに簡便法が有利になる場合には、
次のように解答していただいてもかまいません。

⑵ 受益権（$\frac{4}{12} < \frac{1}{2}$　∴　簡便法有利）

　　$45,945 \times \dfrac{0 + (1,000 - 0) \times \frac{1}{2}}{1,000}(0.500) = 22,972$円

························ *Memorandum Sheet* ························

Chapter 7

同族会社

同族会社は、創業者等を中心とする一族が株式等を保有し、実質的に経営を支配している会社等をいいます。素晴らしい伝統を持つ優良企業も多数ありますが、法人税の世界では、株主と経営者が同一であることから、税負担の回避につながる不合理な取引を行いやすい会社という位置づけになっています。

このChapterでは、同族会社の特別規定の内容を学習します。

1 同族会社の意義

同族会社は少数の株主（社長やその親族等）が経営を支配しているため、法人税の負担を回避するような、一般の法人では通常行われない不当な取引が行われやすい状況があります。そこで、同族会社等に限って適用される特別規定を設け、課税の公平を図っています。

このSectionでは同族会社の意義を学習します。

1 同族会社の意義（法2十）

▶▶問題集問題1,2

会社[01]の株主等[02]（その会社が自己株式等を有する場合のその会社を除く。）の3人以下並びにこれらと特殊の関係のある個人及び法人がその会社の発行済株式等（その会社が有する自己株式等を除く。）の50%超を有する場合等におけるその会社をいう。

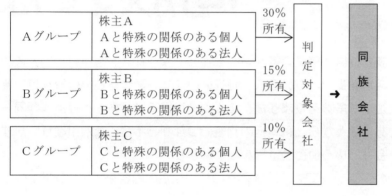

つまり、3つ以下の株主グループで所有割合の合計が50%を超える会社を指しています[03]。

〈同族関係者の範囲〉

特殊の関係のある個人及び法人（同族関係者）とは、次の個人及び法人をいいます。
(1) 特殊の関係のある個人
  ① 株主等の親族（配偶者、6親等内の血族[04]及び3親等内の姻族[05]）
  ② 株主等と内縁関係にある者
  ③ 個人株主等の使用人
  ④ ①〜③以外の者で、個人株主等から受ける金銭等によって生計を維持しているもの
  ⑤ ②〜④の者と生計を一にしているこれらの者の親族
(2) 特殊の関係のある法人
  ① 株主等の1人（個人株主等の場合には(1)①〜⑤の者を含みます。以下同じ。）で支配している（所有割合が50%を超えることをいいます。以下同じ。）他の会社
  ② 株主等の1人と①の会社とで支配している他の会社
  ③ 株主等の1人と①及び②の会社とで支配している他の会社

*01) 同族会社は文字どおり会社法上の「会社」ですから、医療法人や協同組合について、少数の出資者が出資金額の50%超を保有していたとしても、同族会社に該当することはありません。

*02) 株主又は合名会社、合資会社若しくは合同会社の社員その他法人の出資者をいいます。

*03) 同族会社に該当すると、役員等の範囲に制限を受けたり、同族会社等の行為又は計算の否認の規定の適用を受けることになります。

*04) 法的に血縁で繋がっている者を血族といいます。実の親子のように血筋のつながった自然血族と、養親と養子のように法律の規定により血族とされる法定血族があります。

*05) 配偶者の血族及び血族の配偶者のことをいいます。具体的には、配偶者の両親や兄弟姉妹などが姻族になります。

次の資料により、当社が同族会社に該当するか否かの判定を示しなさい。

当社の株主構成は次のとおりである。なお、発行済株式総数は20,000株であり、その他の少数株主の所有割合はいずれも1％未満である。

株　主　等	持株数
A氏	4,000株
A氏の同族関係者	2,300
B氏	2,500
B氏の同族関係者	1,400
C氏	1,500
C氏の同族関係者	900
その他の少数株主	7,400

解答

(1)　Aグループ

4,000＋2,300＝6,300株

$\dfrac{6,300}{20,000}=31.5\%$

(2)　Bグループ

2,500＋1,400＝3,900株

$\dfrac{3,900}{20,000}=19.5\%$

(3)　Cグループ

1,500＋900＝2,400株

$\dfrac{2,400}{20,000}=12\%$

(4)　判　定

(1)＋(2)＋(3)＝63％＞50％　　∴　同族会社

解説

同族会社の判定は、株主等をグループ分けし、上位3グループの合計で50％超になるかを判定します。本問の場合、A氏、B氏、C氏を中心にとらえて、これらの者の持株数に同族関係者の持株数を合わせて判定します。

Ch 1　Ch 2　Ch 3　Ch 4　Ch 5　Ch 6　Ch 7　Ch 8　Ch 9　Ch 10　Ch 11　Ch 12　Ch 13　総合計算問題

2 留保金課税

特定同族会社（一つの株主グループで支配されている同族会社）については、その配当金の支払いを故意に制限することが容易にできてしまいます。配当金の支払いが制限されると、所得が会社に留保されることになり、その留保した金額に対して、法人税を追加課税する制度が設けられています。この制度を「留保金課税」といいます。このSectionでは留保金課税の計算を学習します。

1 制度の内容（法67①）

特定同族会社の各事業年度の留保金額[*01]が留保控除額[*02]を超える場合には、その超える部分の留保金額に特別税率を乗じて計算した金額（特別税額）が、通常の法人税の額に加算されます。

> **適用要件**
> ① 特定同族会社に該当すること。
> ② 留保金額が留保控除額を超えていること。

*01) 所得等の金額のうち留保した金額をいいます。

*02) 必要最低限の留保額を指しています。

特別税額は、次の算式により計算します。

> **基本算式**
> 特別税額＝（留保金額－留保控除額）×特別税率
> 　　　　　　　　　課税留保金額

＜図解＞

法人が配当金を支払う場合には、所得税が源泉徴収されることになりますが、個人株主においては、配当を受けないことにより配当所得を減らして所得税の課税を回避する[*03]ことが考えられます。

そこで、法人が必要以上に内部留保した金額は、配当制限をした結果生じたものと考え、所得税が課税できない代わりに法人税を追加して課税することとしたものです。

*03) 所得税は超過累進税率であるため、所得の多い年と少ない年とで所得税の負担率は異なります。所得の多い年には配当せず、所得の少ない年に配当することで本来課税されるべき所得税の課税を回避することが考えられます。

▶▶問題集問題3,4,5

2 特定同族会社の意義（法67①②）

　特定同族会社とは、被支配会社（株主等の１人とその同族関係者の所有割合が50％を超える会社をいいます。）で、被支配会社であることについての判定の基礎となった株主等のうちに、被支配会社でない法人がある場合には、その法人を除外して判定しても被支配会社となるものをいいます。

　つまり、１つの株主グループ（被支配会社に該当しない法人株主はグループから除きます。）の所有割合が50％を超える会社が、留保金課税の対象となります[*01][*02]。

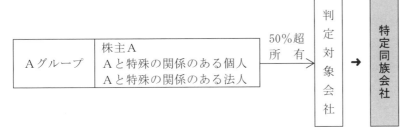

*01) 資本金の額が１億円以下の法人（資本金の額が５億円以上の法人の100％子会社等は除きます。）は、対象から除かれます。

*02) 特定同族会社以外の同族会社は、留保金課税は適用されませんが、役員等の範囲の制限や行為計算の否認規定の適用はあります。

3 特別税率（法67①）

　留保金課税における特別税額は、課税留保金額を次の金額に区分してそれぞれの税率を乗じて計算した金額の合計額となります。

課税留保金額の区分	特別税率
年3,000万円[*01]以下の金額	10％
年3,000万円[*01]を超え、年１億円[*01]以下の金額	15％
年１億円[*01]を超える金額	20％

*01) 3,000万円及び１億円は、事業年度が12月（１年）の場合の金額であり、例えば事業年度が６月（半年）である場合には、それぞれ1,500万円及び5,000万円となります。

　　次の資料により、それぞれの場合において、当期における特定同族会社の特別税率の規定による特別税額を計算しなさい。

(1)　課税留保金額が70,000,000円である場合

(2)　留保金額が200,000,000円、留保控除額が80,000,000円である場合

解答　(1)①　30,000,000×10％＝3,000,000円

　　　　②　(70,000,000−30,000,000)×15％＝6,000,000円

　　　　③　①＋②＝9,000,000円

　　　(2)①　200,000,000−80,000,000＝120,000,000円

　　　　②(イ)　30,000,000×10％＝3,000,000円

　　　　　(ロ)　(100,000,000−30,000,000)×15％＝10,500,000円

　　　　　(ハ)　(120,000,000−100,000,000)×20％＝4,000,000円

　　　　　(ニ)　(イ)＋(ロ)＋(ハ)＝17,500,000円

解説

　　課税留保金額を、年3,000万円以下と年3,000万円超1億円以下、年1億円超の部分に区分して、それぞれ特別税率を適用して求めた特別税額を合計することになります。なお、課税留保金額は、留保金額から留保控除額を控除して求めます。

Chapter 8

給与等

株式会社の役員は、株主によって選任され、その株主の委任に基づいて業務を執行する立場にあります。つまり、役員は、ある程度自由に報酬の額を決定できる立場にあるということです。報酬が高額なものであっても業務に見合ったものであれば問題ありませんが、税負担の回避を目的とした操作が行われる可能性があるわけです。このChapterでは、役員給与の取扱いを中心に学習します。

役員等の範囲

役員は、自分が受け取る給与の額をある程度自由に決定できる立場にあり、何らの規制も加えなければ、その給与は課税回避に利用されやすいといえます。そのため、役員に対する給与については、損金算入に一定の制限が加えられています。また、使用人と役員とでは給与の取扱いが異なるため、厳密に区別する必要があります。

このSectionでは、役員等の範囲を学習します。

1 役員の意義（法2十五）

役員とは、法人の取締役、執行役*01)、会計参与*02)、監査役、理事*03)、監事*03)及び清算人*04)並びにこれら以外の者で法人の経営に従事している者のうち一定のものをいいます。

具体的には、法人税法上の役員の範囲は次のとおりです。

法人税法上の役員の範囲
1．会社法等の役員（株主総会等において選任された本来の役員）
2．みなし役員（本来の役員ではないが、経営に従事している者）

1．会社法等の役員

株主総会等において選任された本来の役員をいいます。

会社法等の役員
取締役、執行役、会計参与、監査役、理事、監事、清算人

2．みなし役員

税法上は、会社法等の役員（本来の役員）ではなくても、実質的に経営に従事している者は役員とみなされ、役員の範囲に含まれます。

みなし役員
使用人以外の者で経営に従事しているもの（会長、相談役、顧問等）
経営に従事している者のうち、同族会社の使用人で一定の要件を満たす者*05)

*01) 特殊な法人に限定されて置かれる役員で、日常の業務執行を行います。

*02) 取締役と共同して計算書類を作成すること等を職務とする役員で、会計に関する専門家である税理士又は公認会計士に限られます。

*03) 公益法人等における代表者や監査を行う者をいいます。

*04) 法人が解散をするときに、清算事務を遂行する者をいいます。

*05) 法人税法では、同族会社の使用人について、実質的に経営に従事している状況や持株割合等による判定により、要件に該当する者を役員として取扱います。

2 使用人兼務役員の意義（法34⑤）

1. 意 義

　　使用人兼務役員とは、役員のうち、部長、課長その他法人の使用人としての職制上の地位を有し、かつ、常時使用人としての職務に従事するものをいいます[01]。

使用人兼務役員
次の要件を満たす者をいいます。
⑴　社長、理事長等、下記 2 . に掲げる役員以外の役員であること。
⑵　使用人としての職制上の地位[02]を有していること。
⑶　常時使用人としての職務に従事していること[03]。

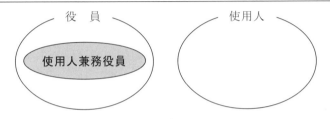

　　使用人兼務役員は、「役員」であり「使用人」ではありません。

2. 使用人兼務役員とされない役員

　　次の者は、使用人兼務役員にはなれません。

使用人兼務役員とされない役員
⑴　代表取締役、代表執行役及び清算人
⑵　社長、副社長、専務、常務その他これらに準ずる職制上の地位を有する役員
⑶　取締役（指名委員会等設置の取締役及び監査等委員である取締役に限ります。）、会計参与及び監査役
⑷　同族会社の役員のうち一定の要件を満たす者

*01) 使用人と役員との両面性を持つ役員を使用人兼務役員といい、他の一般の役員に対する給与とは異なった取扱いが定められています。

*02) 部長、課長、支店長、工場長、営業所長、支配人、主任等の使用人としての地位をいいます。なお、担当役員（○○担当）は使用人としての地位ではありません。

*03) 「常時」使用人としての職務に従事している必要があるため、非常勤役員は除かれます。

役員給与の取扱い

法人が支出する給与は、費用の額として損金の額に算入されるのが原則です。しかし、役員給与に関しては、その給与の決定に役員自身が関与する等の理由から損金算入に制限が設けられています。

このSectionでは、役員給与の取扱いを学習します。

1 隠ぺい又は仮装経理の場合（法34③）

事実を隠ぺいし、又は仮装経理することによりその役員に対して支給する給与*01)の額は、各事業年度の損金の額に算入されません*02)。

*01) 給与には、経済的な利益の額を含みます。以下同じ。

2 損金不算入給与（法34①）

内国法人がその役員に対して支給する給与（退職給与で業績連動給与に該当しないもの、使用人兼務役員に対する使用人分給与及び 1 の適用があるものを除きます。）のうち次のいずれにも該当しないものの額は、各事業年度の損金の額に算入されません。

1. 定期同額給与
2. 事前確定届出給与
3. 非同族会社（及びその完全子会社）の業績連動給与

*02) この規定は、例えば、売上を除外する等して得た簿外資産から支給した給与について、不正が発覚した際に、除外した売上と役員給与を相殺することで課税を免れることを防止するものです。

＜図解＞

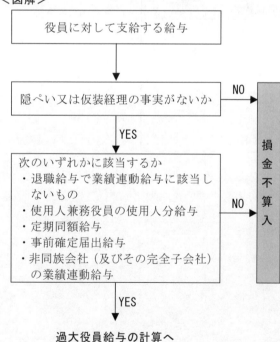

役員に対して支給する給与

隠ぺい又は仮装経理の事実がないか　NO → 損金不算入

YES

次のいずれかに該当するか
・退職給与で業績連動給与に該当しないもの
・使用人兼務役員の使用人分給与
・定期同額給与
・事前確定届出給与
・非同族会社（及びその完全子会社）の業績連動給与

NO → 損金不算入

YES

過大役員給与の計算へ

1．定期同額給与

定期同額給与とは、定期給与（その支給時期が1月以下の一定期間ごとである給与をいいます。）でその事業年度の各支給時期における支給額が同額であるものをいいます。

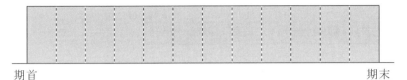

期首 　　　　　　　　　　　　　　　　　　　　　期末

通常は、毎月支給される月額報酬のことを指しています。

2．事前確定届出給与

所定の時期に確定した額の金銭又は確定した数の株式などを支給する旨の定めに基づいて支給する給与をいいます。なお、原則として納税地の所轄税務署長に届出をしているものに限られます。

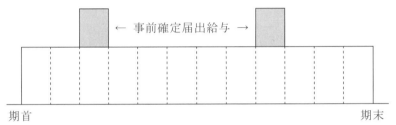

← 事前確定届出給与 →

期首 　　　　　　　　　　　　　　　　　　　　　期末

役員賞与を指していますが、事前に確定額を届け出る必要があります。

3．非同族会社（及びその完全子会社）の業績連動給与

同族会社に該当しない内国法人がその業務執行役員[01]に対して支給する業績連動給与で一定のものをいいます。

いわゆる業績連動型報酬を指しています。

[01] 代表取締役、取締役会設置会社の業務を執行する取締役及び委員会設置会社の執行役等をいいます。

Ch 1
Ch 2
Ch 3
Ch 4
Ch 5
Ch 6
Ch 7
Ch 8
Ch 9
Ch 10
Ch 11
Ch 12
Ch 13
総合計算問題

3 過大役員給与の損金不算入（法34②）

役員に対して支給する給与（ 1 又は 2 の適用があるものを除きます。）の額のうち不相当に高額な部分の金額は、各事業年度の損金の額に算入されません。

なお、不相当に高額な部分の金額は、次の金額の合計額となります。

過大役員給与の額	
1．過大な役員報酬等	次のうちいずれか多い金額 (1) 実質基準額 (2) 形式基準額
2．過大な役員退職給与	役員の業務従事期間等に照らし、その退職給与としての相当額を超える場合のその超える部分の金額
3．過大な使用人兼務役員の使用人分賞与	使用人兼務役員の使用人分賞与で、他の使用人の賞与の支給時期と異なる時期に支給したものの額

1．過大な役員報酬等

実質基準と形式基準のうち損金不算入額が多く計算される方法により過大役員給与の額を計算します。

(1) 実質基準

個々の役員給与の額につき、その役員の職務の内容等に照らし、その役員の職務に対する対価として相当であると認められる相当額を超える部分の金額を過大役員給与の額とする方法をいいます。

> **基本算式**
>
> 過大役員給与の額[*01] ＝役員給与の支給額－職務対価相当額

*01) 役員が2人以上の場合には、各人別に計算した金額の合計額となります。

(2) 形式基準

定款の規定等により役員給与として支給することができる限度額を定めている場合におけるその支給限度額を超える部分の金額を過大役員給与の額とする方法をいいます。

> **基本算式**
>
> 過大役員給与の額[*02] ＝役員給与の支給額－支給限度額

*02) 支給限度額が役員給与の総額として定められている場合には、各役員に対する支給総額がその支給限度額を超える部分の金額を計算します。また、支給限度額が個々の役員ごとに定められている場合には、個々の役員ごとに支給額がその支給限度額を超える部分の金額を計算し、合計します。

2. 過大な役員退職給与

役員に対して支給する退職給与は、原則として損金の額に算入されますが、その役員の業務従事期間等に照らし、その退職給与として不相当に高額な部分の金額は、損金の額に算入されません。

> **基本算式**
> 過大役員給与の額[*03] ＝役員退職給与の支給額－職務対価相当額

*03) 役員が２人以上の場合には、各人別に計算した金額の合計額となります。過大な役員報酬等における実質基準と同様の計算となります。

3. 過大な使用人兼務役員の使用人分賞与

使用人兼務役員に対する使用人分給与の額は、原則として損金の額に算入されますが、支給時期を操作することによる法人の恣意的な利益操作を防止するために、他の使用人の賞与の支給時期と異なる時期に支給した使用人分賞与の額は、損金の額に算入されません。

設例２－１　　　　　　　　　　　　　　　　　役員給与の損金不算入

次の資料により、役員給与の損金不算入額を求めなさい。

⑴ 当社が当期において取締役に支給した報酬の額（定期同額給与に該当する。）は、38,500,000円である。なお、当社は定款において役員に対して支給することができる報酬の支給限度額を35,000,000円と定めている。

⑵ 当期において退職した取締役Ａに対して退職金50,000,000円を支給している。なお、取締役Ａの業務従事期間等に照らして、退職給与としての相当額は40,000,000円と認められる。

解答　⑴ 過大な役員報酬等

38,500,000－35,000,000＝3,500,000円

⑵ 過大な役員退職給与

50,000,000－40,000,000＝10,000,000円

⑶ ⑴＋⑵＝13,500,000円 （加算）

解説

役員給与の損金不算入額は、役員報酬等については、支給額が定款等に規定する支給限度額を超える部分の金額であり、退職給与については、支給額が業務従事期間等に照らしての相当額を超える部分の金額です。それぞれ計算した金額を合計して別表四で加算調整します。

3 過大な使用人給与の損金不算入

使用人に対して支給する給与は、原則として損金の額に算入されます。しかし、使用人のうち、経営者（役員）の親族等（特殊関係使用人）に対して多額の給与を支給することにより、法人税の負担軽減が図られる可能性があります。そこで、使用人給与であっても、特殊関係使用人に対して支給する過大な給与については、損金算入に制限が設けられています。

このSectionでは、過大な使用人給与の損金不算入を学習します。

1 特殊関係使用人の意義（令72）

特殊関係使用人とは、その役員と次の特殊の関係のある使用人をいいます。

特殊関係使用人の範囲
⑴ 役員の親族
⑵ 役員と事実上婚姻関係と同様の関係にある者
⑶ 上記以外の者で役員から生計の支援を受けているもの
⑷ 上記⑵及び⑶の者と生計を一にするこれらの者の親族

2 過大使用人給与の損金不算入（法36）

役員と特殊の関係のある使用人に対して支給する給与の額のうち不相当に高額な部分の金額は、各事業年度の損金の額に算入されません。

> **基本算式**
>
> 過大使用人給与の額*01) ＝使用人給与の支給額－職務対価相当額

*01) 特殊関係使用人が2人以上の場合には、各人別に計算した金額の合計額となります。過大な役員報酬等における実質基準と同様の計算となります。

設例3－1　　　　　　　　　　　　　　　　　　　　　　　　　　　　過大使用人給与

次の資料により、過大使用人給与の損金不算入額を求めなさい。

当社が当期において使用人Aに支給した給料及び賞与の額の合計額は、7,500,000円である。なお、使用人Aは、当社の代表取締役の二男であり、その職務に対する給与としての相当額は6,000,000円である。

解答　7,500,000－6,000,000＝1,500,000円（加算）

解説

使用人Aは、代表取締役（役員）の二男（親族）であり、特殊関係使用人に該当します。したがって、使用人Aに対する支給額がその職務に対する給与としての相当額を超える部分の金額は損金の額に算入されません。

Chapter 9

営業経費

企業の経営に各種経費の支出はつきものです。税法の観点からは、営業経費は所得計算のマイナス項目であるため、必要なものは当然経費として認める一方で、必ずしも必要のない経費等について一定の制限を加えています。このことにより、不合理な計算や無駄使いを排除しようとしています。

このChapterでは、営業経費の取扱いを中心に学習します。

租税公課

法人が納付する租税公課の額は、原則として期末までに債務が確定している限り、費用として損金の額に算入されます。しかし、一定の租税公課については租税政策上の理由から損金の額に算入しないこととする取扱いが設けられています。

このSectionでは、租税公課の取扱いを学習します。

1 損金不算入とされる租税公課（法38①②、55③④）

　内国法人が納付する次の租税公課等の額は、各事業年度の損金の額に算入されません。

損金不算入とされる租税		損金不算入とされる理由
法人税の本税	中間申告分法人税	これらの租税は、法人の所得に対して課されるもの（所得から負担すべきもの）であり、所得計算の途中で控除する性格のものではないため。
	確定申告分法人税	
地方法人税*01)の本税	中間申告分地方法人税	
	確定申告分地方法人税	
住民税の本税	中間申告分住民税	
	確定申告分住民税	
国税の附帯税	延滞税	これら租税公課等は、秩序違反に対する行政上の制裁として課されるものであり、これらを損金算入するとした場合には、そのペナルティ的効果が薄れてしまうため。
	過少申告加算税	
	無申告加算税	
	不納付加算税	
	重加算税	
	印紙税の過怠税	
地方税の附帯金	延滞金（納期限延長に係るものを除きます。）	
	過少申告加算金	
	不申告加算金	
	重加算金	
罰金・科料・過料*02)		

*01) 地方に再配分するために、課される国税です。

*02) 「科料」は刑法に定める刑罰で、罰金よりも軽い刑罰をいいます。「過料」は行政上の義務を履行させる目的で課されるもので、行政罰と呼ばれています。いずれも「かりょう」と読みますが、これらを区別するために、前者を「とがりょう」、後者を「あやまちりょう」と発音します。

2 損金算入される租税公課 （法38①、55③）

内国法人が納付する次の租税公課等の額は、損金の額に算入されます。

損金算入される租税公課	損金算入される理由等
法人税又は地方法人税の利子税 納期限延長に伴う納期限延長に係る延滞金	災害等により、申告期限が延長された場合に課されるものであり、利息としての性格を有しているため。
事業税	事業税等は、公共施設利用税としての性格（費用としての性格）を有しているため。
その他の租税公課	印紙税、固定資産税、自動車税　等

3 租税公課の損金算入時期 （基通９－５－１）

内国法人が納付する租税公課等の額は、次の区分に応じそれぞれに定める事業年度の損金の額に算入されます。

区　分	損金算入時期
申告納税方式*01)	申告書の提出された日の属する事業年度
賦課課税方式*02)	賦課決定のあった日の属する事業年度
利子税及び延滞金	納付の日の属する事業年度

*01) 事業税、消費税、事業所税等があります。

*02) 固定資産税、不動産取得税、自動車税等があります。

＜図解＞

事業税（申告納税方式）の損金算入時期は次のとおりです。

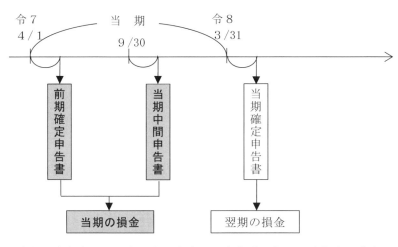

前期確定申告分及び当期中間申告分の事業税の額は、当期中に申告書を提出することとなるため、当期の損金の額に算入されます。しかし、当期確定申告分の事業税は、申告書の提出が翌期となるため、当期の損金の額に算入することはできません。

なお、当期の損金の額に算入される事業税（前期確定及び当期中間分）について、未払等であるため何ら経理をしていない場合には、別表四で「未払事業税認定損」（減算）の調整を行って認識します。

4 経理処理と別表四上の調整

▶▶問題集問題1,2,3

1. 損金経理の場合

損金不算入となる租税を損金経理[*01]している場合には、損金不算入として別表四で加算調整します。

*01)損金経理とは確定した決算において費用又は損失として経理することです。

(1) 経理処理

損金経理
(租税公課) ×××　　(現金預金) ×××

(2) 税務調整

区　分	税　目　等	税務調整
損金不算入のもの	法人税[*02]（本税）	損金経理法人税（加算）
	地方法人税[*02]（本税）	損金経理地方法人税（加算）
	住民税（本税）	損金経理住民税（加算）
	印紙過怠税	損金経理過怠税（加算）
	罰金・科料・過料	損金経理罰科金等（加算）
	その他の附帯税等	損金経理附帯税等（加算）
損金算入のもの	利子税、事業税等、固定資産税　等	調整なし

*02)法人税と地方法人税は、合計して、損金経理法人税及び地方法人税として調整しても、よろしいです。

次の資料により、当社の当期における税務上の調整を示しなさい。

当社が当期中に納付した次の租税については、租税公課として当期の費用に計上されている。

(1)	当期中間申告分法人税	38,774,000円
(2)	当期中間申告分地方法人税	3,994,000円
(3)	当期中間申告分住民税	4,032,000円
(3)	当期中間申告分事業税	13,600,000円
(4)	固定資産税	9,200,000円
(5)	印紙税（過怠税30,000円を含む。）	300,000円
(6)	商品運搬中の交通反則金	18,000円

解答 (単位：円)

区 分		金 額
加算	損金経理法人税	38,774,000
	損金経理地方法人税	3,994,000
	損金経理住民税	4,032,000
	損金経理過怠税	30,000
	損金経理罰科金等	18,000
減算		

解説

事業税及び印紙税（過怠税を除きます。）は損金の額に算入されるため、税務調整を行う必要はありません。

2．納税充当金

当期確定申告分の法人税、地方法人税、住民税、事業税等の見積り額を、納税充当金[01]として費用に計上した場合には、債務未確定費用の計上となるため、当期の損金の額に算入することはできません。この納税充当金繰入額は、翌期において、申告書を提出することにより債務が確定します。

*01) 企業会計上の未払法人税等に当たるものです。

(1) 経理処理

納税充当金			
繰 入	（納税充当金繰入）×××	（納 税 充 当 金）×××
取 崩	（納 税 充 当 金）×××	（現 金 預 金）×××

(2) 税務調整

区　分	金　額	税務調整
当期確定分の繰入額	全　額	損金経理納税充当金（加算）
前期確定分の納付のための取崩	法人税（本税）、地方法人税(本税)、住民税（本税）以外の金額	納税充当金支出事業税等（減算）

＜図解＞

納税充当金は、債務確定主義により処理するため、その流れは、次のとおりになります。

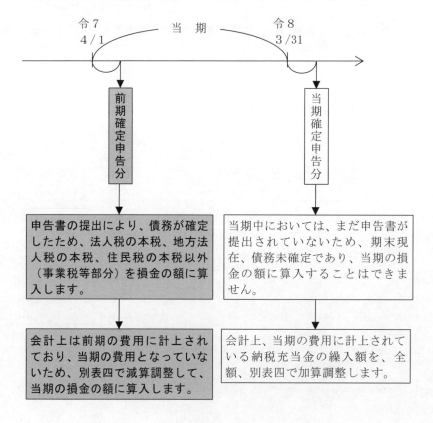

次の資料により、当社の当期における税務上の調整を示しなさい。

⑴　当期確定申告分の法人税、地方法人税、住民税及び事業税の見込額の合計額33,000,000円について
　　は、納税充当金として当期の費用に計上している。

⑵　当期中に納付した前期確定申告分の法人税18,641,000円、地方法人税1,920,000円、住民税1,939,000
　　円及び事業税6,200,000円については、前期に費用に計上した納税充当金28,700,000円を取り崩す経理
　　を行っている。

⑶　上記の税額はいずれも本税である。

解答　　　　　　　　　　　　　　　　　　　　　　　（単位：円）

区　　分		金　　額
加算	損金経理納税充当金	33,000,000
減算	納税充当金支出事業税等	6,200,000

解説

①　当期確定申告分の法人税、地方法人税、住民税及び事業税について繰り入れた納税充当金の額は、
　　期末現在、債務未確定の費用計上に当たるため、当期の損金の額に算入することはできません。

②　前期の確定申告分の法人税、地方法人税、住民税及び事業税については、当期に申告書が提出され
　　債務が確定しているが、そのうち法人税本税及び住民税本税以外の金額を別表四で減算します。

$$\underset{\text{納税充当金取崩額}}{28,700,000} - \underset{\text{法人税本税}}{18,641,000} - \underset{\text{地方法人税本税}}{1,920,000} - \underset{\text{住民税本税}}{1,939,000} = \underset{\text{別表四減算}}{6,200,000}円$$

　　本問の場合、結果として「事業税」部分が減算され損金の額に算入されることになります。

Ch 1　Ch 2　Ch 3　Ch 4　Ch 5　Ch 6　Ch 7　Ch 8　Ch 9　Ch 10　Ch 11　Ch 12　Ch 13　総合計算問題

Section 2 還付金等

還付金の支払いを受けた場合には、その還付金の額は、原則として益金算入されます。

しかし、納付時に損金不算入とされた租税に係る還付金を益金算入してしまうと、納付時と還付時の二度の課税を受ける結果となってしまいます。そこで、一定の還付金については、二重課税を排除するため、益金不算入とする取扱いが設けられています。

このSectionでは、還付金等の取扱いを学習します。

1 制度の概要 (法26①)

内国法人が一定の税額の還付を受け、又はその還付金を未納の国税若しくは地方税に充当される[01]場合には、その還付又は充当される金額は、各事業年度の益金の額に算入されません。

*01) 還付金が生じた場合において、還付を受ける法人に他に未納税額があるときは、還付を受けないで、その未納の税額に充当されます。

```
還付金 ┬ 納付時に損金不算入の租税公課 ── 還付金は益金不算入
       └ 納付時に損金算入の租税公課 ── 還付金は益金算入
```

2 経理処理と別表四上の調整

▶▶問題集問題４

還付金等について、法人は雑収入に計上する等、収益として計上することになります。この場合においては、その還付金等が益金不算入とされるものであるときは、別表四において減算調整が必要となります。

(1) 経理処理

会社経理	還付金の区分	取扱い
(現 金) ××× (雑収入) ×××	納付時に損金不算入	益金不算入
	納付時に損金算入	益金算入

(2) 税務調整

益金不算入とされる還付金等について収益計上している場合の別表四上の調整は次のとおりです[01]。

*01) 還付加算金 (還付金に付される受取利息相当額) や事業税 (本税)、損金算入される附帯税等の還付金は、益金の額に算入されるため、税務調整はありません。

還付金の区分	税務調整
前期中間法人税 (本税) の還付金	法人税等還付金等の益金不算入額 (減算)
前期中間地方法人税 (本税) の還付金	
前期中間住民税 (本税) の還付金	
損金不算入の附帯税等に係る還付金	所得税額等還付金等の益金不算入額 (減算)
所得税額等の還付金	
欠損金の繰戻しによる還付金	

　次の資料により、当社の当期における税務上の調整を示しなさい。

　当社は、当期中に次の租税の還付を受け、雑収入として当期の収益に計上している。

(1)　前期中間申告分法人税額 3,750,000円
(2)　前期中間申告分地方法人税額 386,000円
(3)　前期中間申告分住民税額 390,000円
(4)　前期中間申告分事業税額 1,570,000円
(5)　前期中間申告分法人税に係る延滞税の額 150,000円
(6)　前期に徴収された所得税額 670,000円
(7)　上記の還付金に係る還付加算金額 150,000円

解答

(単位：円)

区　　分		金　　額
加算		
減算	法人税等還付金等の益金不算入額	4,526,000
	所得税額等還付金等の益金不算入額	820,000

解説

①　前期中間申告分法人税、地方法人税及び住民税の還付金4,526,000円（＝3,750,000＋386,000＋390,000）は「法人税等還付金等の益金不算入額」として減算調整します。

②　延滞税の額及び所得税額820,000円（＝150,000＋670,000）は「所得税額等還付金等の益金不算入額」として減算調整します。

③　事業税の還付金及び還付加算金については、益金の額に算入されるため、税務調整の必要はありません。

3 寄附金

寄附金は何の見返りも期待しない任意の支出ですが、費用に該当するため、原則として損金の額に算入されます。しかし、これを無制限に認めると、寄附金の額に税率を乗じた分だけ法人税の負担が減少し、その減少分だけ国が寄附金を肩代わりすることになってしまいます。そこで、損金算入に制限を設けて、課税の公平を図っています。このSectionでは、寄附金の取扱いを学習します。

1 寄附金の額の区分（法37③④⑦⑧）

寄附金の額は、その取扱いが異なる次の3種類に区分されます。

区　分	内　容
1．指定寄附金等	全額が損金の額に算入されます。
2．特定公益増進法人等に対する寄附金	一般の損金算入限度額とは別枠の特別損金算入限度額が認められています。
3．一般寄附金	一般寄附金の損金算入限度額の範囲内で、損金の額に算入されます。

1．指定寄附金等

国又は地方公共団体に対する寄附金及び財務大臣の指定した寄附金（指定寄附金）をいい、具体的には次のものがあります。

具　体　例
⑴　国又は地方公共団体に対する寄附金
⑵　日本学生支援機構に対する寄附金で学資貸与資金に充てるためのもの
⑶　日本赤十字社に対する寄附金で財務大臣の承認を受けたもの　等

租税と同様に国等に帰属することや、政策的配慮から全額が損金の額に算入されるものです。

2．特定公益増進法人等に対する寄附金

特定公益増進法人*01) 又は認定特定非営利活動法人*02) に対する寄附金等をいい、具体的には次のものがあります。

具　体　例
⑴　独立行政法人に対する寄附金
⑵　日本赤十字社に対する寄附金で経常経費に充てるためのもの
⑶　日本学生支援機構に対する寄附金で経常経費に充てるためのもの
⑷　社会福祉法人に対する寄附金
⑸　認定特定非営利活動法人に対する寄附金　等

指定寄附金等ほどの緊急性はないが、公益性が比較的高いと認められる法人に対するものです。

*01) 公益の増進に著しく寄与する法人をいいます。

*02) 特定非営利活動法人のうち、一定の要件を満たすものとして、所轄庁の認定を受けたものをいいます。

3．一般寄附金

上記以外の一般の寄附金で、具体的には次のものがあります。

具　体　例
(1)　政治団体（政党）に対する寄附金
(2)　宗教法人（神社・寺）に対する寄附金
(3)　町内会に対する寄附金　等

2 損金算入限度額の計算（令73、77の2）

1．一般寄附金の損金算入限度額

損金算入限度額は、法人の資本規模から見た支出水準である「資本基準額」と法人の支払能力（利益）から見た支出水準である「所得基準額」の合計額の4分の1です。

基本算式
(1)　資本基準額

$$期末資本金及び資本準備金の額^{*01} \times \frac{当期の月数}{12} \times \frac{2.5}{1,000}$$

(2)　所得基準額

$$当期の所得金額（別表四仮計の金額＋支出寄附金の額）\times \frac{2.5}{100}$$

(3)　$((1)＋(2)) \times \frac{1}{4}$

*01) 会計上の資本金の額及び資本準備金の額の合計額を資本規模とした計算です。

設例3−1　　　　　　　　　　　　　　　　　　　　　　　　一般寄附金の損金算入限度額

次の資料により、当社の当期における一般寄附金の損金算入限度額を計算しなさい。

(1)　当社が当期において支出した寄附金の額は、5,000,000円である。

(2)　当社の当期の所得金額（別表四仮計の金額であり、調整は不要とする。）は、46,286,000円である。

(3)　当社の当期末における資本金の額は100,000,000円、資本準備金の額は25,000,000円であり、その合計額は125,000,000円である。

解答
(1)　資本基準額

$$125,000,000 \times \frac{12}{12} \times \frac{2.5}{1,000} = 312,500円$$

(2)　所得基準額

$$(46,286,000＋5,000,000) \times \frac{2.5}{100} = 1,282,150円$$

(3)　$((1)＋(2)) \times \frac{1}{4} = 398,662円$

解説
資本基準額は、当期末における資本金及び資本準備金の額の合計額を使用します。また、所得基準額では、別表四仮計の金額に支出寄附金の額を加えた「寄附金支出前の所得」を基に計算します。最後に$\frac{1}{4}$を乗ずることを忘れないようにしましょう。

2．特別損金算入限度額

　　特定公益増進法人等に対する寄附金に対して一般寄附金の損金算入限度額とは別枠で適用される限度額で、「資本基準額」と「所得基準額」の合計額の２分の１です。

基本算式

(1)　資本基準額

　　期末資本金及び資本準備金の額 $\times \dfrac{当期の月数}{12} \times \dfrac{3.75}{1,000}$

(2)　所得基準額

　　当期の所得金額（別表四仮計の金額＋支出寄附金の額）$\times \dfrac{6.25}{100}$

(3)　$((1)+(2)) \times \dfrac{1}{2}$

　　次の資料により、当社の当期における特別損金算入限度額を計算しなさい。

⑴　当社が当期において支出した寄附金の額は、7,000,000円である。

⑵　当社の当期の所得金額（別表四仮計の金額であり、調整は不要とする。）は、50,910,000円である。

⑶　当社の当期末における資本金の額は300,000,000円、資本準備金の額は50,000,000円であり、その合計額は350,000,000円である。

解答　　⑴　資本基準額

$$350,000,000 \times \frac{12}{12} \times \frac{3.75}{1,000} = 1,312,500円$$

⑵　所得基準額

$$(50,910,000 + 7,000,000) \times \frac{6.25}{100} = 3,619,375円$$

⑶　$(⑴+⑵) \times \dfrac{1}{2} = 2,465,937円$

3 損金不算入額の計算（法37①③④）

　内国法人が支出した寄附金の額の合計額のうち、損金算入限度額を超える部分の金額は、各事業年度の損金の額に算入されません。

　具体的には、次のように損金不算入額を計算します。

基本算式

(1)　支出寄附金

　①　指定寄附金等

　②　特定公益増進法人等

　③　一般寄附金

　④　合　計　①＋②＋③

(2)　損金算入限度額

　①　一般寄附金の損金算入限度額

　②　特別損金算入限度額

(3)　損金不算入額

　　　(1)④－(1)①－（※）－(2)①　　　寄附金の損金不算入額（加算）

　　※　(1)②と(2)②のいずれか少ない方

＜図解＞

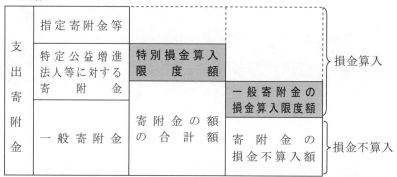

　支出寄附金の額から、まず、全額損金算入される指定寄附金等を控除し、次に、特定公益増進法人等に対する寄附金を、特別損金算入限度額の範囲内で控除します。最後に残った寄附金の額の合計額から一般寄附金の損金算入限度額を控除して損金不算入額を求めます。

＜別表四の表示＞

　損金算入限度額の計算に別表四仮計の金額を使用するため、通常の加算欄で加算するのではなく、仮計と合計の間に記載し、加算調整します。

減算	小　　　　計	
	仮　　　　計	
寄附金の損金不算入額		×××
	合　計・差引計・総　計	
	所　得　金　額	

設例3－3　　　　　　　　　　　　　　　　　　　　　　　　　　損金不算入額の計算

　　次の資料により、当社の当期における税務上の調整を示しなさい。

⑴　当社が当期において支出し、費用に計上した寄附金の額の内訳は次のとおりである。

　①　指定寄附金等　　　　　　　　　　　　　600,000円

　②　特定公益増進法人等に対する寄附金　1,800,000円

　③　一般寄附金　　　　　　　　　　　　　2,000,000円

⑵　当社の当期に係る別表四の仮計の金額は28,694,800円（調整不要）である。

⑶　当社の当期末における資本金の額は50,000,000円、資本準備金の額は10,000,000円であり、その合計額は60,000,000円である。

解答　⑴　支出寄附金

　　①　指定寄附金等　　　　　　600,000円

　　②　特定公益増進法人等　1,800,000円

　　③　一般寄附金　　　　　2,000,000円

　　④　合　計

　　　　①＋②＋③＝4,400,000円

⑵　損金算入限度額

　　①　一般寄附金の損金算入限度額

　　　⑷　資本基準額

　　　　　$60,000,000×\dfrac{12}{12}×\dfrac{2.5}{1,000}=150,000$円

　　　⑵　所得基準額

　　　　　$(28,694,800+4,400,000)×\dfrac{2.5}{100}=827,370$円

　　　⑶　$(⑷+⑵)×\dfrac{1}{4}=244,342$円

　　②　特別損金算入限度額

　　　⑷　資本基準額

　　　　　$60,000,000×\dfrac{12}{12}×\dfrac{3.75}{1,000}=225,000$円

　　　⑵　所得基準額

　　　　　$(28,694,800+4,400,000)×\dfrac{6.25}{100}=2,068,425$円

　　　⑶　$(⑷+⑵)×\dfrac{1}{2}=1,146,712$円

⑶　損金不算入額

　　$4,400,000-600,000-{}^{※}1,146,712-244,342=2,408,946$円（仮計の下・加算）

　　※　1,800,000円＞1,146,712円　　∴　1,146,712円

解説

　　損金不算入額の計算は、支出寄附金の額から、指定寄附金等を控除し、次に、特定公益増進法人等に対する寄附金と特別損金算入限度額のいずれか少ない金額を控除します。最後に一般寄附金の損金算入限度額を控除して損金不算入額を求めます。

交際費等

交際費等は、得意先や仕入先等との取引を円滑にする目的で支出する費用です。本来は事業遂行上必要な費用であり、損金の額に算入されるべきものです。しかし、無駄な費用を抑制し、法人の資本充実を図る等の政策的な理由から、交際費等の額のうち一定の金額については損金不算入とする取扱いが設けられています。

このSectionでは、交際費等の取扱いを学習します。

1 交際費等の範囲（措法61の4①）

1．交際費等の意義

　　交際費等とは、交際費、接待費、機密費その他の費用で、法人が、その得意先、仕入先その他事業に関係のある者等に対する接待、供応、慰安、贈答その他これらに類する行為のために支出するもの*01)をいいます。

　　具体的には、次のような費用が交際費等に含まれます*02)。

具　体　例	
料亭・クラブ等での接待費用 旅行・観劇等への招待費用 中元・歳暮等の贈答費用 慶弔・禍福費 ゴルフ接待費用　等	得意先、仕入先等社外の者に対する接待、供応等に要した費用で広告宣伝費、福利厚生費、給与等の他の費用に該当しないすべてのものが交際費等に該当します。

2．交際費等から除かれる費用

　　原則として交際費等に該当する費用であっても、次のものは、交際費等から除かれます。

交際費等に該当しない費用	
従業員の慰安のための運動会、演芸会、旅行等の費用	福利厚生費
飲食費*03)で一人当たりの支出金額が10,000円以下のもの*04)	飲食費等
当社の社名、製品名入りのカレンダー、手帳、扇子等の贈与費用	広告宣伝費
会議に関連して支出した茶菓、弁当等の供与費用	会　議　費
出版物や放送番組の取材の費用	取　材　費

*01) 接待等の行為のために支出するものを指していることから、例えば、接待をするために要したタクシー代等も交際費等の範囲に含まれ、一般的な交際費の概念よりも広いものとなっています。

*02) 交際費等の支出は、直接支払ったか、間接的に支払ったかを問いません。したがって、同業者団体等が、組合費や会費の名目で費用を集め、共通の得意先等に接待等をすれば、その費用を負担した法人の交際費等に該当します。

*03) 飲食費とは、飲食その他これに類する行為のために要する費用をいいます。ただし、専らその法人の役員若しくは従業員又はこれらの親族に対する接待等のために支出するものは含まれません。

*04) 一人あたりの飲食費等の額が10,000円以下であるかどうかは、支出金額を参加者の人数で除し、単純に単価を求めて判定します。なお、この取扱いを受けるためには参加者等を記した一定の書類を保存しておく必要があります。

2 損金不算入額の計算

1．概　要

　　法人が支出する交際費等の額のうち、損金算入限度額を超える部分の金額は、その事業年度の損金の額に算入しないこととされています。

2．損金算入限度額

　　中小法人[*01]と中小法人以外の法人の区分に応じて、それぞれ次の金額が損金算入限度額となります。

区　　分	損金算入限度額
中小法人以外の法人 （期末資本金の額等が100億円以下の法人に限ります。）	接待飲食費[*02]×50%
中小法人	次の①と②のいずれか多い方 ①　接待飲食費[*02]×50% ②　定額控除限度額 （注）　定額控除限度額とは、次の金額をいいます。 $800万円 \times \dfrac{当期の月数}{12}$

　　原則として、交際費等の額のうち、接待飲食費の50%相当額が損金算入限度額とされることになりますが、中小法人については、接待飲食費の50%相当額と定額控除限度額のいずれか多い方（有利な方）を選択して、損金算入限度額とすることが認められています。

3．損金不算入額

　　交際費等の損金不算入額は、中小法人と中小法人以外の法人の区分に応じて、それぞれ次のように計算します。

(1)　中小法人以外の法人

基本算式
(1)　支出交際費等
　　①　接待飲食費
　　②　①以外
　　③　合　計　①＋②
(2)　損金算入限度額
　　(1)①×50%
(3)　損金不算入額
　　(1)−(2)＝×××　　　交際費等の損金不算入額（加算）

*01) 期末資本金１億円以下の法人のうち、大法人（資本金５億円以上の法人）による完全支配関係（100%の支配関係をいいます。）がない法人です。税率区分における中小法人と同じです。

*02) 飲食費のうち、一人当たりの支出金額が10,000円を超えるものをいいます。

<図解>

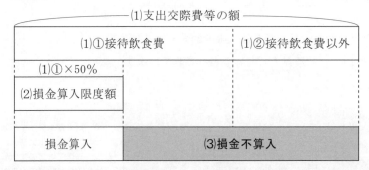

(2) 中小法人

基本算式

(1) 支出交際費等

　① 接待飲食費

　② ①以外

　③ 合　計　①＋②

(2) 損金算入限度額

　① 接待飲食費基準額

　　(1)①×50%

　② 定額控除限度額

　　支出交際費等の額と定額控除限度額（年800万円）のいずれか少ない方

　③ ①と②のいずれか多い方

(3) 損金不算入額

　　(1)－(2)＝×××　　交際費等の損金不算入額（加算）

<図解>

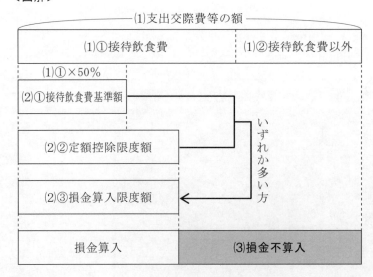

　次の各設問の場合において、当社の当期における支出交際費等の額が15,000,000円（接待飲食費に該当するもの5,000,000円と接待飲食費に該当しないもの10,000,000円の合計額である。）であるときの、交際費等の損金不算入額を計算しなさい。

［設問1］

当社の期末資本金の額が300,000,000円である場合

［設問2］

当社の期末資本金の額が30,000,000円（大法人よる完全支配関係はない。）である場合

解答 ［設問1］

　(1)　支出交際費等

　　　①　接待飲食費　　5,000,000円

　　　②　①以外　　　10,000,000円

　　　③　合　計　　　①＋②＝15,000,000円

　(2)　損金算入限度額

　　　(1)①×50％＝2,500,000円

　(3)　損金不算入額

　　　(1)－(2)＝12,500,000円

　［設問2］

　(1)　支出交際費等

　　　①　接待飲食費　　5,000,000円

　　　②　①以外　　　10,000,000円

　　　③　合　計　　　①＋②＝15,000,000円

　(2)　損金算入限度額

　　　①　接待飲食費基準額

　　　　(1)①×50％＝2,500,000円

　　　②　定額控除限度額

　　　　$15,000,000円 > 8,000,000 \times \dfrac{12}{12} = 8,000,000円$　　　∴　8,000,000円

　　　③　①＜②　　∴　8,000,000円

　(3)　損金不算入額

　　　(1)－(2)＝7,000,000円

解説

　交際費等の損金算入限度額は、中小法人と中小法人以外の法人の区分により異なります。原則として接待飲食費の50％相当額を損金算入限度額としますが、中小法人については定額控除限度額との選択が認められています。

Ch 1
Ch 2
Ch 3
Ch 4
Ch 5
Ch 6
Ch 7
Ch 8
Ch 9
Ch 10
Ch 11
Ch 12
Ch 13
総合計算問題

········ *Memorandum Sheet* ········

Chapter 10

資産評価等

資産を販売した場合には、その資産の帳簿価額が原価の額として損金の額に算入されます。この原価の額は、資産の種類によってその合理的な計算方法は異なるところです。公平な課税を行う観点からは、これらの額を法人が自由に計算できては困るわけです。法人税法では、取得価額や期末評価額についての規定をおいて課税の公平を図っています。

このChapterでは、法人税における資産評価について学習します。

Section 1 棚卸資産

法人税法では、損金の額に算入すべき売上原価の額は、「収益に係る」原価の額と規定されています。しかし、取引が複雑化した今日では、個々の取引ごとに売上原価を把握することは困難であり、当期の総売上に対する総売上原価として確定するという考え方を採っています。その売上原価の算定の基礎となるのが取得価額であり、期末評価額です。

このSectionでは、棚卸資産の期末評価を学習します。

1 棚卸資産の期末評価（法29、令28①）

▶▶問題集問題1

1. 評価方法

棚卸資産とは、商品、製品、半製品、仕掛品、原材料その他の資産で棚卸しをすべきものとして一定のもの（有価証券等を除く。）をいいます[*01]。

> *01) 企業会計における棚卸資産の概念とほぼ一致していますが、有価証券については、たとえ商品としての有価証券であっても含まれません。

棚卸資産の期末評価額は、次の方法のうち法人が選定した評価方法により評価した金額とされます。

(1) 原価法

期末棚卸資産につき次の方法のうちいずれかの方法によって算出した取得価額をもって期末棚卸資産の評価額とする方法をいいます。

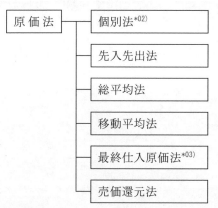

> *02) 個々の取得価額をそのまま期末評価額とする方法で、不動産販売業者の土地や宝石、書画、骨とう等に用いられます。

> *03) 期末に最も近い時に取得したものの単価をその一単位当たりの取得価額として評価する方法です。

(2) 低価法

期末棚卸資産をその種類等の異なるごとに区別し、その種類等の同じものについて、原価法評価額と期末時価[*04]とのうちいずれか低い価額をもって期末棚卸資産の評価額とする方法をいいます。

> *04) その棚卸資産を商品又は製品として売却するものとした場合の売却可能価額から見積販売直接経費等を控除した「正味売却価額」によります。

２．評価方法の選定と変更

⑴ 評価方法の選定

棚卸資産の評価方法は原価法と低価法があり、原価法はさらに６種類に分かれていますが、いずれの方法によるかは、法人が任意に選定することができます。選定した評価方法は、通常、設立事業年度の確定申告書の提出期限までに納税地の所轄税務署長に届け出ることとされています。

⑵ 評価方法の変更

評価方法を変更しようとするときは、新たな評価方法を採用しようとする事業年度開始日の前日までに「変更承認申請書」を納税地の所轄税務署長に提出し、承認を受けなければなりません[05]。

３．法定評価方法

法人が評価方法を選定しなかった場合又は選定した評価方法により評価しなかった場合には、最終仕入原価法により算出した取得価額による原価法（法定評価方法）で評価します。

2 棚卸資産の取得価額（令32）

▶▶問題集問題２

棚卸資産の取得価額は、期末評価額の計算の基礎となるものであるため、その取得形態に応じて規定が設けられています。

棚卸資産の取得価額は、原則として、次のそれぞれの金額とその資産を消費し又は販売の用に供するために直接要した費用の額の合計額となります。

取 得 形 態	取 得 価 額
購入した場合	購入代価＋購入費用
自己が製造等した場合	原材料費＋労務費＋経費の額
交換、贈与等により取得した場合	取得時における取得のために通常要する価額

*05）変更承認申請書を期限までに提出し、新たな評価方法を採用しようとする事業年度終了日までに処分の通知がないときは、その日に承認があったものとみなされ、評価方法の変更が認められます。

次の資料により、Ａ商品の期末評価額を求めなさい。

(1)　Ａ商品の当期における受払の状況は、次のとおりである。

摘　要	受　入			払　出	残　高
	数　量	単　価	金　額	数　量	数　量
前期繰越	500個	1,800円	900,000円		500個
仕　入	150個	1,600円	240,000円		650個
売　上				100個	550個
仕　入	250個	1,500円	375,000円		800個
売　上				200個	600個
仕　入	100個	1,750円	175,000円		700個
売　上				150個	550個

(2)　当期末におけるＡ商品１個当たりの時価は1,730円である。

(3)　当社は、棚卸資産の評価方法について、選定の届出を行っていない。

解答　　1,750×550＝962,500円

解説

　　当社は、評価方法を選定していないため、法定評価方法である最終仕入原価法により算出した取得価額による原価法で評価します。したがって、最終の仕入単価である1,750円で期末残高である550個を評価することになります。

Section 2 有価証券

有価証券の譲渡を行った場合には、その譲渡損益は、益金又は損金の額に算入されます。その際に、譲渡原価を算定することになりますが、その算定は法人の内部計算であり、課税の公平を図るため譲渡原価の算出方法やその基礎となる取得価額について規定が設けられています。

このSectionでは、有価証券の譲渡損益の取扱いを学習します。

1 有価証券の譲渡損益（法61の2①）

▶▶問題集問題3

1．譲渡損益の計算

有価証券とは、金融商品取引法に規定する有価証券その他これに準ずるもので一定のものをいいます[*01]。

有価証券の譲渡利益額又は譲渡損失額は、譲渡対価の額から譲渡原価の額を控除して計算し、原則として譲渡契約をした日の属する事業年度において益金の額又は損金の額に算入されます。

*01) 具体的には、国債証券、地方債証券、社債券、日銀等の発行する出資証券、株券、証券投資信託の受益証券、貸付信託の受益証券、抵当証券等をいい、企業会計における有価証券の範囲とほぼ同じです。

有価証券の譲渡損益		
譲渡対価の額－譲渡原価の額	＋ 譲渡利益額 → 益金算入	
	△ 譲渡損失額 → 損金算入	

この場合の有価証券の譲渡原価の額は、次の方法のうち法人が選定した算出方法により算出した金額とされます。

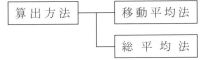

算出方法 ── 移動平均法

算出方法 ── 総平均法

2．算出方法の選定と変更

(1) 算出方法の選定

有価証券の帳簿価額の算出方法には、移動平均法と総平均法があり、いずれの方法によるかは、法人が任意に選定することができます。算出方法の選定は、有価証券の区分ごとに、かつ、その種類ごとにする必要があり、新しい区分又は種類の有価証券を取得した場合には、確定申告書の提出期限までに納税地の所轄税務署長に届け出ることとされています。

(2) 算出方法の変更

算出方法を変更しようとするときは、新たな算出方法を採用しようとする事業年度開始日の前日までに「変更承認申請書」を納税地の所轄税務署長に提出し、承認を受けなければなりません。

3．法定算出方法

算出方法を選定しなかった場合又は選定した方法により算出しなかった場合には、移動平均法によることになります。

2 有価証券の取得価額（令119①）

▶▶問題集問題4

有価証券の取得価額は、譲渡原価の額の計算の基礎となるものであるため、その取得形態に応じて規定が設けられています。

有価証券の取得価額は、原則として、次のそれぞれの金額となります。

取　得　形　態	取　得　価　額
購入した場合	購入代価＋購入費用
金銭の払込みによる場合	払込金額＋取得費用
交換、贈与等により取得した場合	取得時における取得のために通常要する価額

設例2－1
有価証券の譲渡損益

次の資料により、当社の当期における税務上の調整を示しなさい。

⑴　A株式の異動状況は次のとおりである。

日　付	摘　要	株　数	単　価	金　額
令和7年4月1日	繰　越	30,000株	960円	28,800,000円
令和7年6月18日	売　却	20,000株	940円	18,800,000円
令和7年7月12日	取　得	40,000株	915円	36,600,000円
令和7年9月23日	売　却	25,000株	950円	23,750,000円
令和8年2月10日	取　得	20,000株	918円	18,360,000円
令和8年3月31日	期末残高	45,000株	―	―

⑵　当社は当期末におけるA株式の帳簿価額として41,235,000円を計上している。

⑶　当社は有価証券の帳簿価額の算出方法について、所轄税務署長に選定の届出を行っていない。

⑷　有価証券の期末評価については、考慮する必要はない。

解答

(1) 会社計上の簿価

　41,235,000円

(2) 税務上の簿価

　① $\dfrac{960 \times (30,000 - 20,000) + 36,600,000}{(30,000 - 20,000) + 40,000} = 924$円

　② $924 \times {}^{※}25,000 + 18,360,000 = 41,460,000$円

　　※　$30,000 - 20,000 + 40,000 - 25,000 = 25,000$株

(3) 計上もれ

　$41,460,000 - 41,235,000 = 225,000$円　（加算）

（単位：円）

	区　　分	金　　額
加算	A株式計上もれ	225,000
減算		

解説

　当社は、帳簿価額の算出方法を選定していないため、法定算出方法である移動平均法により帳簿価額を計算します。

　規定上は、譲渡原価の額を移動平均法により計算することとされていますが、結果として、譲渡原価の額を計算すると、同時に期末帳簿価額も確定します。税務上は、この期末帳簿価額が正しく計算されていれば、譲渡原価の額も正しく計算されていると考えます。

　会社計上の期末帳簿価額と税務上の期末帳簿価額との差額は、譲渡原価の額の差額であることから、別表四で、正しい譲渡原価の額に修正する税務調整を行います。

3 資産の評価損益

法人税法は、資産評価について会社法と同様に取得原価主義を原則としています。したがって、評価損益の計上は、原則として認められません。しかし、災害などにより著しく価値の減少した資産について、取得価額で評価することは実態に合わないものであり、このような実態を反映させる必要が生じた場合に限って、評価損益の計上を認めています。

このSectionでは、資産の評価損益の取扱いを学習します。

1 原則的な取扱い

法人税法における評価損益の原則的な取扱いは、次のとおりです。

1．評価損益（法25①、33①）

資産の評価換えをしてその帳簿価額を増額又は減額した場合には、その増額又は減額した部分の金額は、各事業年度の益金の額又は損金の額に算入されません。

評価損益の原則的な取扱い
(1)　評価益 　　帳簿価額を増額した部分の金額　➡　益金不算入
(2)　評価損 　　帳簿価額を減額した部分の金額　➡　損金不算入

2．帳簿価額（法25⑤、33⑥）

1．の評価換えにより増額又は減額された金額を益金の額又は損金の額に算入されなかった資産については、その事業年度以後の帳簿価額は、その増額又は減額がされなかったものとみなされます。

したがって、評価換え後における帳簿価額は、次のようになります。

税務上の帳簿価額
(1)　評価益が益金不算入とされた場合 　　➡　会社計上の帳簿価額－評価益の益金不算入額
(2)　評価損が損金不算入とされた場合 　　➡　会社計上の帳簿価額＋評価損の損金不算入額

2 評価益が認められる場合（法25②）

　会社更生手続、民事再生手続等のための評価換えや、保険会社の株式評価換えというような特別な場合に限って、評価益の計上を認めています。

3 評価損が認められる場合（法33②、令68）

▶▶問題集問題5,6,7

　法人の有する資産につき、次の災害等の事実が生じた場合において、損金経理により帳簿価額を減額したときは、その減額した部分の金額のうち、損金算入限度額に達するまでの金額は、損金の額に算入されます。

1．災害等の事実

　資産の種類に応じて次の事実が該当します。

区　分	災害等の事実
(1)　棚卸資産	①　災害により著しく損傷したこと ②　著しく陳腐化したこと[*01] ③　①及び②に準ずる特別な事実[*02]
(2)　有価証券	①　上場有価証券等 　　時価が著しく低下[*03]したこと ②　非上場有価証券等 　　資産状態が著しく悪化[*04]したため、時価が著しく低下[*03]したこと
(3)　固定資産	①　災害により著しく損傷したこと ②　1年以上遊休状態にあること ③　本来の用途に使用できないため、他の用途に使用されたこと ④　所在場所の状況が著しく変化したこと ⑤　①～④までに準ずる特別な事実[*05]
(4)　繰延資産	支出の対象とした固定資産について、(3)に準ずる事実が生じたこと　等

2．損金算入限度額

　損金算入限度額は、次の算式により計算します。

損金算入限度額
評価換え直前の帳簿価額－その資産の期末時価

*01) 季節商品の売れ残りや、型式、性能、品質等が著しく異なる新製品が発売されたため、今後通常の価額又は通常の方法で販売できないことをいいます。

*02) 破損、型くずれ、たなざらし、品質変化等により通常の方法で販売できないこと等をいいます。なお、物価変動、過剰生産、建値の変更等による時価の低下は災害等の事実に該当しません。

*03) 期末時価が期末帳簿価額の50%を超えて低下し、かつ、近い将来に回復の見込みがないことをいいます。

*04) 有価証券の発行法人に法的整理（会社更生等）の事実があったことや、発行法人の期末純資産価額が取得時の純資産価額の50%を超えて低下していることをいいます。

*05) 過度の使用又は修理不十分等で著しく損耗していること、償却不足額が生じていること、旧式化等を理由とする評価損の計上は認められません。

次の資料により、当社の当期における税務上の調整を示しなさい。

⑴　当社は当期においてＡ土地（評価換え直前の帳簿価額30,000,000円）について、その地価の上昇に伴い帳簿価額を10,000,000円増額し、評価益を計上している。

⑵　当社は、当期においてＢ株式につき損金経理により評価損1,500,000円を計上している。なお、法人税法上の評価損の損金算入限度額は900,000円である。

⑶　Ｃ商品（評価換え直前の帳簿価額は7,000,000円、時価は4,000,000円である。）は、性能の著しく異なる新製品の発売により、通常の方法により販売することができなくなった。これに伴い、当社は帳簿価額の50％相当額である3,500,000円を損金経理により評価損として計上している。

解答　⑴①　地価の上昇　　∴　評価益計上不可

　　　　②　益金不算入額

　　　　　　10,000,000円

　　⑵　1,500,000－900,000＝600,000円

　　⑶①　損金算入限度額

　　　　　　7,000,000－4,000,000＝3,000,000円

　　　②　損金不算入額

　　　　　　3,500,000－3,000,000＝500,000円

（単位：円）

区　分		金　額
加算	Ｂ株式評価損損金不算入額	600,000
	Ｃ商品評価損損金不算入額	500,000
減算	Ａ土地評価益益金不算入額	10,000,000

解説

①　単に時価が上昇したことに伴う評価益の計上は、認められません。

②　評価損が計上できる場合であっても、評価損として損金の額に算入する金額は、損金経理をした金額のうち、損金算入限度額に達するまでの金額であり、損金算入限度額を超える部分の金額については、別表四で加算調整が必要です。

③　棚卸資産について、著しい陳腐化（本問では、新製品の発売により、通常の方法により販売することができなくなったことをいいます。）が生じた場合には、評価損の計上が認められます。損金算入限度額は、評価換え直前の帳簿価額と時価との差額になります。

Chapter 11

繰延資産・減価償却等

法人税でも、企業会計と同じく繰延資産や減価償却資産については、一時の費用とはせずに、償却費を計上して費用配分を行います。ただし、償却費の計上は、支出を伴わない法人の内部計算であり、法人がそれぞれ独自の方法により計算したのでは課税の公平が図れません。そこで、法人税法では、償却の方法を定めるなどして課税の公平を図ろうとしています。

このChapterでは、繰延資産と減価償却を中心に学習します。

Section 1 減価償却（普通償却）

法人税法における減価償却も費用配分を目的としていることは企業会計と同様です。

しかし、法人の内部計算である減価償却については、法人の意図的な操作が容易にできてしまうため、取得価額、耐用年数及び償却方法等を規定し、これらに基づいて計算される償却限度額の範囲内で損金算入を認め、課税の公平を図っています。

このSectionでは、減価償却（普通償却）の取扱いを学習します。

1 減価償却資産の意義及び範囲

1. 意　義（法2二十三）

法人税法上、減価償却の対象となる資産を減価償却資産といい、棚卸資産、有価証券及び繰延資産以外の資産のうち一定のもの（事業の用に供していないもの及び時の経過によりその価値の減少しないものを除きます。）で償却をすべきものをいいます。

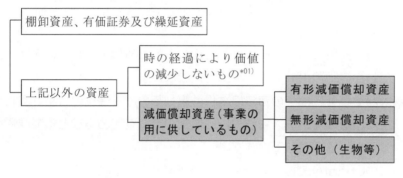

*01）土地や書画、古美術品等は時の経過（使用）に伴って価値が減少するものではありません。これらは、減価償却をする必要がないものです。借地権、電話加入権も同じ意味で償却の対象とはしません。

2. 具体的な範囲

具体的には、次のものが該当します。

区　分	具　体　例
有形減価償却資産	①　建物　②　構築物　③　機械及び装置　④　船舶　⑤　車両及び運搬具　⑥　工具　⑦　器具及び備品　等
無形減価償却資産	①　鉱業権　②　特許権　③　営業権　④　ソフトウエア　等
生　　物	①　牛馬等　②　果樹等

2 償却費の取扱い（法31）

　各事業年度終了時において有する減価償却資産につきその償却費として その事業年度の損金の額に算入する金額は、その事業年度においてその の償却費として損金経理をした金額のうち、償却限度額に達するまでの 金額とされています。

＜図解＞

(1)　会社計上償却費の方が多い場合

　損金算入額は、償却費として損金経理をした金額（150円）のうち、 償却限度額（100円）に達するまでの100円となります。

(2)　会社計上償却費の方が少ない場合

　損金算入額は、償却費として損金経理をした金額（150円）のうち、 償却限度額（180円）に達するまでの150円となります。償却不足額 （償却限度額の余裕額）は、原則として切捨てることになります。

　このように、規定上は会社計上償却費と償却限度額のいずれか少 ない金額を損金の額に算入することとされていますが、別表四にお いて加算調整が必要となるのは「償却超過額」が生じるケースです。
　具体的には次のように計算します。

基本算式
(1)　償却限度額
(2)　償却超過額
　　　会社計上償却費－償却限度額 $\begin{cases} ① & ＋の場合　償却超過額（加算） \\ ② & △の場合　償却不足額（切捨て） \end{cases}$

次の資料により、税務上の調整を示しなさい。

区　　分	会社計上償却費	償却限度額
A　建　物	5,300,000円	5,000,000円
B　車　両	1,200,000円	1,250,000円

解答 1．A建物

(1) 償却限度額

5,000,000円

(2) 償却超過額

5,300,000－5,000,000＝300,000円

2．B車両

(1) 償却限度額

1,250,000円

(2) 償却超過額

1,200,000－1,250,000＝△50,000　→　0　（切捨て）

（単位：円）

	区　　分	金　　額
加算	減価償却超過額（A建物）	300,000
減算		

解説

① A建物は、会社計上償却費の額が償却限度額を超えているため、償却超過額が生じます。償却超過額は、別表四で加算調整します。

② B車両は、会社計上償却費の額が償却限度額に満たないため、償却不足額が生じます。償却不足額は、切捨てられることになります（別表四の調整はありません。）。

3 償却方法の選定等

1．償却方法（令48、48の2）

　減価償却資産について選定できる主な償却方法は、その取得日の区分に応じて、次のように定められています。

⑴　平成19年3月31日以前に取得をされた減価償却資産

区　　　分		償　却　方　法
建物	平成10年3月31日以前取得	旧定額法又は旧定率法
	上記以外の建物	旧定額法
建物以外の有形減価償却資産		旧定額法又は旧定率法
無形減価償却資産		旧定額法

⑵　平成19年4月1日以後に取得をされた減価償却資産

区　　　分	償　却　方　法
建物、平成28年4月1日以後取得の建物附属設備及び構築物	定額法
上記以外の有形減価償却資産	定額法又は定率法[*01]
無形減価償却資産	定額法

*01）平成19年4月1日から平成24年3月31日までに取得したものについては「250％定率法」が適用され、平成24年4月1日以後に取得したものについては200％定率法が適用されることになります。計算方法は同様のものですが、適用する償却率等が異なることになります。

＜図解＞

① 建物の償却方法

　建物の償却方法は、取得日に応じて、次の3区分により選定できる償却方法が異なります。

② 建物以外の一定の有形減価償却資産の償却方法

　建物以外の有形減価償却資産（平成28年4月1日以後取得の建物附属設備及び構築物を除いたもの）の償却方法は、取得日に応じて、次の3区分により選定できる償却方法が異なります。

③ 無形減価償却資産の償却方法

　無形減価償却資産の償却方法は、取得日に応じて、次の2区分により償却方法が異なります。

2．償却方法の選定（令51①②③）

(1) 原 則

償却方法は、法人が任意に選定することができますが、減価償却資産の種類ごとに選定し、納税地の所轄税務署長に届け出ることとされています。

3．法定償却方法（令53）

償却方法を選択できる資産について、償却方法を選定しなかった場合の償却限度額の計算方法（法定償却方法）は、次のとおりです[*02]。

(1) 平成19年3月31日以前に取得をされた減価償却資産

区　　　分	法定償却方法
平成10年4月1日以後取得建物以外の有形減価償却資産	旧定率法

(2) 平成19年4月1日以後に取得をされた減価償却資産

区　　　分	法定償却方法
建物並びに平成28年4月1日以後取得建物附属設備及び構築物以外の有形減価償却資産	定率法

4．償却方法の変更（令52）

償却方法を変更しようとするときは、新たな償却方法を採用しようとする事業年度開始日の前日までに「変更承認申請書」を納税地の所轄税務署長に提出し、承認を受けなければなりません。

*02) 法定償却方法は、償却方法が選択できる資産について定められているため、選択が認められない（償却方法が一つしかない）資産についてはその定められている方法によることになります。なお、平成19年3月31日以前と同年4月1日以後の区分となっているところに要注意です。

設例1－2　　　　　　　　　　　　　　　　　　　　　　　　　　　償却方法

　　次の資料により、償却方法を示しなさい。

⑴　当社は償却方法について、選定の届出を行っていない。

⑵　当社が有する減価償却資産は次のとおりである。

区　　分	取得年月日	区　　分	取得年月日
建　物　　A	平成 9 年12月15日	機 械 及 び 装 置 D	平成18年 2 月16日
建　物　　B	平成16年 9 月 3 日	車両及び運搬具E	平成23年 3 月 7 日
建　物　　C	平成22年 4 月23日	商　標　権　　F	平成26年 6 月10日

解答

区　　分	償却方法	区　　分	償却方
建　　物　　A	旧定率法	機 械 及 び 装 置 D	旧定率法
建　　物　　B	旧定額法	車両及び運搬具E	定　率　法
建　　物　　C	定　額　法	商　標　権　　F	定　額　法

解説

①　当社は償却方法を選定していないため、償却方法が選定できるものについては法定償却方法によることになります。

②　建物A（平成10年 3 月31日以前取得のもの）は、法定償却方法である旧定率法、建物B（平成10年 4 月 1 日から平成19年 3 月31日までに取得したもの）は旧定額法、建物C（平成19年 4 月 1 日以後取得のもの）は定額法によることになります。

③　機械及び装置Dは、平成19年 3 月31日以前に取得したものであるため、法定償却方法は旧定率法となります。また、車両及び運搬具Eは、平成19年 4 月 1 日以後に取得したものであるため、法定償却方法は定率法となります。

④　商標権Fは、平成19年 4 月 1 日以後に取得した無形減価償却資産であり、定額法によることになります。

4 償却限度額の計算

1. 償却方法（令48、48の2）

　　償却方法として「旧定額法」「旧定率法」「定額法」及び「定率法」等が認められています。それぞれ、次の算式により償却限度額を計算することになります[*01]。

(1) 平成19年3月31日以前に取得をされた減価償却資産

> **基本算式**
> (1) 旧定額法
> 　　有形減価償却資産 ➡ 取得価額×0.9×旧定額法償却率
> 　　　　　　　　　　　 ［(取得価額－残存価額)×旧定額法償却率］
> 　　無形減価償却資産 ➡ 取得価額×旧定額法償却率
> (2) 旧定率法
> 　　期首帳簿価額×旧定率法償却率

（注）　取得価額と帳簿価額（(2)においても同じ取扱いとなります。）

　　　取得価額及び帳簿価額はすべて税務上の金額です。なお、期首帳簿価額は、繰越償却超過額がある場合には次の金額となります。

> 期首帳簿価額＝会社計上期首帳簿価額＋繰越償却超過額

　　　また、期首帳簿価額は、事業の用に供した事業年度（初回）は取得価額によることになります。

*01) 平成19年4月1日以後に取得をされた減価償却資産については、残存価額の規定の適用はなく、残存価額を考慮する償却方法を「旧定額法」「旧定率法」とし、残存価額を考慮しない償却方法を「定額法」「定率法」として規定されています。

＜償却限度額の計算要素＞

　　減価償却は、本来は法人の実態に応じた見積計算によるべきですが、見積計算を認めると、法人の意図的な利益操作につながる恐れがあるため、償却限度額の計算要素を定め、課税の公平を図っています。したがって、これらの項目は、法人が任意に見積もることは認められていません。

項　目	内　容
法定耐用年数	新品を前提とした耐用年数で「減価償却資産の耐用年数等に関する省令」に定められています。
償　却　率	法定耐用年数に応じて定められています。
残　存　価　額	使用可能期間を経過した時に見積もられる「処分可能価額」をいい、平成19年3月31日以前に取得をした減価償却資産の償却限度額の計算要素として、次のとおり規定されています。

区　分	残　存　価　額
有形減価償却資産	取得価額×10%
無形減価償却資産	零

(2) 平成19年4月1日以後に取得をされた減価償却資産

基本算式

(1) 定額法

　　取得価額×定額法償却率

(2) 定率法[*02]

　① 調整前償却額

　　　期首帳簿価額×定率法償却率

　② 償却保証額

　　　取得価額×保証率

　③ 償却限度額

　　　①≧②の場合 ➡ ①の金額

　　　①＜②の場合 ➡ 改定取得価額×改定償却率

<償却限度額の計算単位>

　償却限度額は、原則として個々の資産ごとに計算することになりますが、次の3つの区分が同一である資産については、1つのグループとして、その償却限度額をまとめて計算するという規定が設けられています。

　この計算をグルーピングといいます。

① 種類等の区分 ⎫
② 耐用年数　　 ⎬ 同一の資産 ➡ グルーピング
③ 償却方法　　 ⎭

　グルーピングを行うことにより、同一グループ内の資産について生じた償却超過額と償却不足額は通算されることになります。

[*02] 定率法の償却率は、耐用年数経過時点で償却が終了するようには規定されていません。そこで、調整前償却額が償却保証額に満たなくなった場合に、償却限度額の計算を切り換えて、その最初に満たないこととなった事業年度の期首帳簿価額を「法定耐用年数－経過年数」で均等償却する償却額（「改定取得価額×改定償却率」）をその事業年度以後の償却限度額として、耐用年数で償却が終了するように調整しています。

次の資料により、当社の当期における償却限度額を計算しなさい。

種　類	取　得　価　額	期首帳簿価額	耐用年数
建　　物	60,000,000円	24,000,000円	50年
機　　械	9,500,000円	2,300,000円	15年
車　　両	3,000,000円	1,200,000円	5年
器　　具	1,500,000円	1,000,000円	6年

（注1）　建物には前期において償却不足額が210,000円生じている。

（注2）　機械には前期から繰越された償却超過額が110,000円ある。

（注3）　償却方法として当社が選定し届け出た方法は、建物については旧定額法、機械については旧定率法、車両については定率法（250％）、器具については定額法である。

（注4）　償却率等は、次のとおりである。

耐用年数	定額法償却率	定率法（250％）			旧定額法償却率	旧定率法償却率
		償却率	改定償却率	保証率		
5	0.200	0.500	1.000	0.06249	0.200	0.369
6	0.167	0.417	0.500	0.05776	0.166	0.319
15	0.067	0.167	0.200	0.03217	0.066	0.142
50	0.020	0.050	0.053	0.01072	0.020	0.045

解答

1．建　物

　　$60,000,000 \times 0.9 \times 0.020 = 1,080,000$円

2．機　械

　　$(2,300,000 + 110,000) \times 0.142 = 342,220$円

3．車　両

　　$1,200,000 \times 0.500 = 600,000$円 $\geqq 3,000,000 \times 0.06249 = 187,470$円　　　∴　600,000円

4．器　具

　　$1,500,000 \times 0.167 = 250,500$円

解説

①　償却方法は選定し届け出ているため、その届け出た方法によることになります。

②　償却不足額は、切捨てられるため、償却限度額の計算には影響しません。

③　繰越償却超過額は、会社計上の期首帳簿価額（資料に与えられる期首帳簿価額は、会社計上の期首帳簿価額です。）に加えて税務上の期首帳簿価額を求めます。

④　定率法の計算では、償却保証額との比較が必要です。本問の車両については、通常の償却限度額（調整前償却額）が償却保証額（取得価額×保証率）以上であるため、通常の償却限度額が償却限度額となります。

2．期中供用資産の償却限度額の特例（令59）

償却率は、一事業年度の期間中、継続して事業供用していることを前提に規定されているため、事業年度の中途において事業供用した減価償却資産については、月割計算が必要となります。

基本算式

通常の償却限度額 × $\dfrac{\text{事業供用日から当期末までの月数}}{\text{当期の月数}}$ *03)

*03）分子の月数は、「事業供用日」から当期末までの月数であり、起算日は取得日ではありません。

（注）　月数に1月未満の端数があるときは、切り上げて1月とします。

設例1－4　　　　　　　　　　　　　　　　　　　　　　期中供用資産

次の資料により、当社の当期における償却限度額を計算しなさい。

種　類	取　得　価　額	耐用年数	取　得　年　月　日	事　業　供　用　日
建　物	142,000,000円	50年	令和7年9月30日	令和7年10月1日
機　械	9,000,000円	15年	令和7年11月10日	令和7年12月10日

（注1）　当社は償却方法について選定の届出をしていない。

（注2）　償却率等は次のとおりである。

耐用年数	定額法償却率	定率法（200%）		
		償却率	改定償却率	保証率
15	0.067	0.133	0.143	0.04565
50	0.020	0.040	0.042	0.01440

解答 　1．建　物

$142,000,000 × 0.020 × \dfrac{6}{12} = 1,420,000$円

2．機　械

$9,000,000 × 0.133 = 1,197,000$円 $\geqq 9,000,000 × 0.04565 = 410,850$円

∴　$1,197,000 × \dfrac{4}{12} = 399,000$円

解説

① 償却方法は、建物が定額法、機械は選定の届出をしていないため法定償却方法である定率法（200%）によることになります。

② 期中供用資産は、事業供用日から償却を始めます。月割計算の分子の起算日は取得日ではなく、事業供用日となります。

③ 定率法の計算における償却保証額と比較する通常の償却限度額は、月割計算をする前の金額になります。

3．償却費として損金経理をした金額（法31④）

　繰越償却超過額（前期以前に生じた償却超過額）は、当期に償却費として損金経理をした金額に含まれます。

償却費として損金経理をした金額	➡	前期以前の繰越償却超過額を含む

　償却費として損金経理をした金額は、基本的に法人が減価償却費として費用に計上した金額を指していますが、このように取り扱うことにより、減価償却資産について生じた償却超過額は、その後の事業年度において、償却不足額が生じた場合に別表四で減算調整を行うことで損金の額に算入することができるようになります。

＜例＞

	会社計上償却費	償却限度額
前　期	120円	100円
当　期	140円	150円

(1)　前期の計算

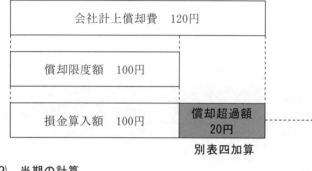

(2)　当期の計算

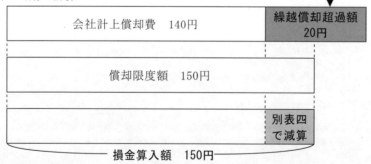

（実際の計算）

①　償却限度額

　　150円

②　償却超過額

　　140－150＝△10

　　10円＜20円　　∴　10円（認容）➡ **別表四で減算して損金算入**

　　繰越償却超過額20円については、当期の償却費として損金経理をした金額に含まれますが、まだ損金の額に算入されていないため、別表四で減算調整をして損金の額に算入します。

次の資料により、当社の当期における税務上の調整を示しなさい。

種　類	取得価額	期首帳簿価額	当期償却費	耐用年数	償却方法	償却率
機　械	9,000,000円	7,300,000円	800,000円	11年	定額法	0.091

(注)　前期以前の繰越償却超過額が62,000円ある。

解答

⑴　償却限度額

9,000,000×0.091＝819,000円

⑵　償却超過額

800,000−819,000＝△19,000

19,000円＜62,000円　　∴　19,000円（認容）

（単位：円）

区　分	金　額
加算	
減算　減価償却超過額認容（機械）	19,000

解説

　減価償却の計算を行う場合において、減価償却超過額認容の調整を考慮する必要があるのは、次の2つの要件のいずれも満たす場合です。

①　当期の計算で償却不足額（償却限度額の余裕額）が生じていること。

②　前期以前の繰越償却超過額があること。

　本問の場合、償却超過額の計算をすると償却不足額が生じており、かつ、前期以前の繰越償却超過額があるため、その償却不足額と繰越償却超過額のいずれか少ない金額を別表四で減算して損金の額に算入します。

＜償却可能限度額＞

　平成19年３月31日以前に取得した有形減価償却資産については、残存価額は取得価額の10％とされていますが、償却は取得価額の95％相当額まですることが認められています。このように「どこまで償却することができるかという金額」を償却可能限度額といいます。

　さらに、その後も事業供用している限り、備忘価額１円まで償却することができます[*05]。

　この償却可能限度額を考慮した償却限度額の計算は、具体的には次のように行います。

⑴　償却累計額が取得価額の95％相当額に達する事業年度

①　通常の償却限度額
②　期首帳簿価額－取得価額×５％
③　①と②のいずれか少ない方

⑵　⑴の事業年度の翌事業年度以後

$$（取得価額×５％－１円）×\frac{当期の月数}{60}$$

[*05] 平成19年４月１日以後に取得した有形減価償却資産についても、備忘価額１円まで償却することができます。また、無形減価償却資産については、取得価額の全額を償却することができます。

5　減価償却資産の取得価額（令54）

　減価償却資産の取得価額は、償却限度額の計算の基礎となるものであるため、その取得形態に応じて規定が設けられています。

　減価償却資産の取得価額は、原則として、次のそれぞれの金額とその資産を事業の用に供するために直接要した費用の額の合計額となります。

取　得　形　態	取　得　価　額
購入した場合	購入代価＋購入費用
自己が製造等した場合	原材料費＋労務費＋経費の額
交換、贈与等により取得した場合	取得時における取得のために通常要する価額

Section 2 資本的支出と修繕費

固定資産について修理、改良等のための支出を行った場合には、その支出が資本的支出に該当するか修繕費に該当するかにより税務上の取扱いが異なることになります。

「資本的支出」に該当するものは、その支出日の属する事業年度の損金の額に算入されませんが、「修繕費」に該当するものは、損金の額に算入されます。

このSectionでは、資本的支出と修繕費の取扱いを学習します。

1 資本的支出と修繕費の区分

1. 資本的支出の意義

資本的支出とは、固定資産の修理、改良等のために支出する金額のうち、固定資産の価値を高め又はその耐久性を増すこととなる金額をいいます[*01]。

*01) 税法上は建物の増築等は本来の新たな資産の取得とされ、資本的支出の範囲には含まれません。

具　体　例
⑴　建物の避難階段の取付費用の額
⑵　用途変更のための模様替え等の費用の額
⑶　機械の部分品を特に高品質又は高性能のものに取替えた場合のその取替費用の額のうち、通常の取替費用の額を超える部分の金額　等

2. 修繕費の意義

修繕費とは、固定資産の修理、改良等のために支出する金額のうち、固定資産の通常の維持管理のため、又は原状を回復するために要した金額をいいます。修繕費は費用であり、その事業年度の損金の額に算入されます。

具　体　例
⑴　建物の移えい又は移築費用の額
⑵　機械装置の移設費用の額
⑶　地盤沈下した土地を沈下前の状態に回復するために行う地盛り費用の額　等

2 資本的支出の取扱い（令55①②）

資本的支出は、取得価額を構成すべき支出であるため、原則として支出日の属する事業年度の損金の額には算入されません。

減価償却資産に係る資本的支出の取扱いは、次のとおりです*01)。

区　　分	資本的支出の取扱い
1．原　　則	減価償却資産本体と種類及び耐用年数を同じくする減価償却資産を新たに取得したものとされ、本体とは切り離して償却します。
2．旧定額法又は旧定率法の場合	資本的支出の額をその減価償却資産本体の取得価額に加算し、本体と一体的に償却することができます。

*01) 減価償却資産以外の固定資産に係る資本的支出の額は、その固定資産の取得価額に加算することになります。

1．原　則

資本的支出は、新たな資産の取得とされるため、本体と資本的支出のそれぞれについて償却限度額を計算し、減価償却超過額を計算することになります。

この取扱いによる場合には、平成24年4月1日以後の取得に当たるため、定額法又は200％定率法により償却限度額を計算することになります。

具体的には、次のように計算します。

> **基本算式**
>
> (1)　本　体
>
> ①　償却限度額 ➡ 通常どおりの計算
>
> ②　償却超過額
>
> 　　会社計上償却費－償却限度額　減価償却超過額（加算）
>
> (2)　資本的支出
>
> ①　償却限度額*02) ➡ 定額法又は200％定率法により計算
>
> ②　償却超過額
>
> 　　会社計上償却費*03)－償却限度額　減価償却超過額（加算）

*02) 資本的支出は、支出年度においては、期中供用資産に該当するため、償却限度額の計算は、月割計算が必要となります。

なお、本体と資本的支出の償却方法が同一である場合（本体を定額法又は200％定率法により償却している場合）には、グルーピングを行うことになります。

*03) 資本的支出の額を損金経理している場合には、その金額は、償却費として損金経理をした金額に含まれます。

2．取得価額に加算する場合（旧定額法又は旧定率法の場合）

旧定額法又は旧定率法を採用している減価償却資産に係る資本的支出は、本体の取得価額に加算され本体と一体的に償却することができます。この場合には、本体と資本的支出の償却限度額は合計され、一つの資産として減価償却超過額を計算することになります。

なお、この取扱いによる場合には、資本的支出についても本体と同じ旧定額法又は旧定率法により償却限度額を計算することになります[*04]。

[*04] 一旦、この取扱いを受けた減価償却資産については、翌事業年度以後において、資本的支出を新たに取得したものとする「原則」の適用を受けることはできません。

[*05] 資本的支出の額を損金経理している場合には、その金額は、償却費として損金経理をした金額に含まれます。

基本算式

(1) 償却限度額

① **本体** ➡ 通常どおりの計算

② **資本的支出** ➡ 本体と同じ償却方法により計算

③ ①＋②

(2) 償却超過額

会社計上償却費[*05] － 償却限度額　減価償却超過額（加算）

設例２－１　　　　　　　　　　　　　　　　　　　　　　　　　　　　　　　　　資本的支出の取扱い

次の資料により、各設問に答えなさい。

種　類	取得価額	期首帳簿価額	当期償却費	耐用年数
機　械	6,000,000円	4,000,000円	800,000円	10年

（注1）　平成19年3月31日以前に取得したものであり、償却方法の選定の届出はしていない。なお、令和7年6月10日に改良を行い、資本的支出となる改良費500,000円を支出しているが、修繕費として費用に計上している。

（注2）　償却率等は、次のとおりである。

耐用年数	定額法償却率	定率法（200％）			旧定額法償却率	旧定率法償却率
		償却率	改定償却率	保証率		
10	0.100	0.200	0.250	0.06552	0.100	0.206

設問1　資本的支出を新たな資産の取得として取り扱う場合の当社の当期における税務上の調整を示しなさい。

設問2　資本的支出を本体の取得価額に加算する場合の当社の当期における税務上の調整を示しなさい。

解答 設問 1

1. 機 械

⑴ 償却限度額

$4,000,000 \times 0.206 = 824,000$円

⑵ 償却超過額

$800,000 - 824,000 = \triangle 24,000 \rightarrow 0$ （切捨て）

2. 資本的支出

⑴ 償却限度額

$500,000 \times 0.200 = 100,000$円 $\geqq 500,000 \times 0.06552 = 32,760$円

$\therefore\ 100,000 \times \dfrac{10}{12} = 83,333$円

⑵ 償却超過額

$500,000 - 83,333 = 416,667$円

（単位：円）

	区　　　分	金　　　額
加算	減価償却超過額（資本的支出）	416,667
減算		

設問 2

⑴ 償却限度額

① 本 体

$4,000,000 \times 0.206 = 824,000$円

② 資本的支出

$500,000 \times 0.206 \times \dfrac{10}{12} = 85,833$円

③ 合 計

$824,000 + 85,833 = 909,833$円

⑵ 償却超過額

$(800,000 + 500,000) - 909,833 = 390,167$円

（単位：円）

	区　　　分	金　　　額
加算	減価償却超過額（機械）	390,167
減算		

解説

① 設問1のケースでは、資本的支出は、本体とは別に新たな資産を取得したものとして取り扱われます。したがって、本体とは別に200%定率法により償却限度額を計算し、税務調整します。

② 設問2のケースでは、資本的支出は、本体と一体的に償却することになります。

Section 3 少額の減価償却資産等

減価償却資産の費用配分は、減価償却によるべきですが、重要性の原則や実務上の簡便性から、減価償却資産の取得価額が一定金額よりも小さいときは、本来の減価償却の手続きによらず、①少額の減価償却資産の損金算入、②一括償却資産の損金算入、③中小企業者等の少額減価償却資産の損金算入のいずれかの規定により損金算入額を計算することが認められています。

基礎導入編のこのSectionでは、①少額の減価償却資産の取扱いを学習します。

1 少額の減価償却資産（令133）

▶▶問題集問題5

減価償却資産（一定の資産は除きます。）で、使用可能期間[01]が1年未満のもの又は取得価額[02]が10万円未満のものについて、その取得価額相当額をその事業供用日の属する事業年度において損金経理したときは、減価償却によらず、一時に損金の額に算入することが認められています。

> (1) **対象資産**
>
> 　　取得価額が10万円未満の減価償却資産であること
>
> 　　　　　　又は
>
> 　　使用可能期間が1年未満の減価償却資産であること
>
> (2) **経理要件**
>
> 　　取得価額相当額を事業供用事業年度に損金経理すること

なお、取得価額が10万円未満であるかどうかの判定は、通常一単位として取引されるその単位ごとに判定します。

＜例＞

① 機械及び装置 ➡ 一台又は一基ごと

② 工具、器具及び備品 ➡ 一個、一組又は一そろいごと

*01) 耐用年数ではなく、過去の実績に基づく平均的な使用状況や補充状況からみた使用可能期間をいいます。

*02) 判定の基礎となる取得価額は、税務上の取得価額であり、購入代価等に付随費用を加算した金額等で判定することとなります。

設例3−1　　　　　　　　　　　　　　　　　　少額の減価償却資産

次の資料により、当社の当期における税務上の調整を示しなさい。

当社が当期において取得した器具備品のうちには次のものが含まれており、当社は取得価額相当額を当期の費用に計上している。

種　類	取　得　価　額	事業供用年月日	耐用年数
器具備品	180,000円	令和8年2月10日	6年

（注）同一単価のものを2個取得したものである。

解答　　$\dfrac{180,000}{2}=90,000円 < 100,000円$　　∴　適　正（調整なし）

解説

少額の減価償却資産に該当するか否かの判定は、単価で行います。

Section 4 繰延資産

法人税法においても、企業会計と同様に、法人が支出する費用でその支出の効果が将来に及ぶものは、一時の損金とはせずに、繰延資産としてその支出の効果の及ぶ期間にわたって期間配分すべきこととされています。しかし、繰延資産の償却も減価償却と同様に法人の内部計算であるため、繰延資産の範囲や償却費の損金算入について規定を設け、課税の公平を図っています。

このSectionでは、繰延資産の取扱いを学習します。

1 繰延資産の範囲（法2二十四、令14）

1．繰延資産の意義

法人が支出する費用のうち支出の効果が支出日以後1年以上に及ぶもので一定ものをいいます。ただし、資産の取得に要した金額とされるべき費用及び前払費用[01]は除きます。

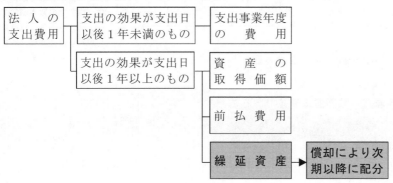

*01）一定の契約に基づき継続的に役務の提供を受けるために支出する費用のうち、その事業年度終了日においてまだ提供を受けていない役務に対応するものをいいます。

2．繰延資産の範囲

法人税法上の繰延資産には、企業会計上の繰延資産の他に税法固有のものも規定されています。

課税の公平を目的とする税法上の立場から、支出の効果に応じた厳密な期間損益計算を行うために、企業会計と比較して繰延資産の範囲を広くとらえています。

(1)　企業会計上の繰延資産

次の5項目に限定されています。

区　分	内　容
①　創　立　費	発起人に支払う報酬、設立登記のために支出する登録免許税その他法人の設立のために支出する費用
②　開　業　費	法人の設立後事業を開始するまでの間に開業準備のために特別に支出する費用
③　開　発　費	新技術若しくは新経営組織の採用、資源の開発又は市場の開拓のために特別に支出する費用
④　株式交付費	株券等の印刷費、資本金の増加の登記についての登録免許税その他自己の株式（出資を含みます。）の交付のために支出する費用
⑤　社債等発行費	社債券等の印刷費その他債券（新株予約権を含みます。）の発行のために支出する費用

(2)　税法固有の繰延資産

税法固有の繰延資産には、次のものがあります。

区　分
①　自己が便益を受ける公共的施設又は共同的施設の設置又は改良のために支出する費用
②　資産を賃借等するために支出する権利金、立ちのき料その他の費用
③　役務の提供を受けるために支出する権利金その他の費用
④　広告宣伝用資産を贈与したことにより生ずる費用
⑤　上記の他、自己が便益を受けるために支出する費用

2　償却費の取扱い（法32）

▶▶問題集問題6

1．損金算入

各事業年度終了時の繰延資産につきその償却費としてその事業年度の損金の額に算入する金額は、その事業年度においてその償却費として損金経理をした金額のうち、償却限度額に達するまでの金額とされています。

2．償却費として損金経理をした金額

繰越償却超過額（前期以前に生じた償却超過額）は、当期に償却費として損金経理をした金額に含まれます。

償却費として損金経理をした金額	→	前期以前の繰越償却超過額を含む

基本算式

(1) 償却限度額

(2) 償却超過額

　会社計上償却費－償却限度額

　　＝　＋の場合　償却超過額（加算）

　　＝　△の場合　償却不足額
　　　　　　　　　　　繰越償却超過額 ｝ いずれか少ない方（減算）

３．償却限度額の計算

　繰延資産の償却限度額は、次の区分に応じそれぞれの方法により計算します。

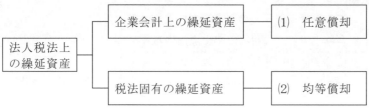

(1) 任意償却

　企業会計上の繰延資産については、企業会計において早期に償却することが要求されているため、法人税法においては任意に償却することを認めています。

基本算式

　償却限度額＝その繰延資産の額－既償却額（損金算入額）

　繰延資産の額のうち、まだ損金の額に算入されていない金額を償却限度額としています。

設例４－１　　　　　　　　　　　　　　　　　　　　　　　任意償却の繰延資産

次の資料により、当期の償却限度額を示しなさい。

　令和６年10月３日に支出した開業費1,000,000円については、前期において300,000円を償却費として費用に計上し、前期の損金の額に算入されている。

解答　1,000,000－300,000＝700,000円

解説

　開業費は、任意償却の繰延資産に該当します。任意償却の場合の償却限度額は、繰延資産の額から既に損金の額に算入された金額を控除して求めます。

(2)　均等償却

　　税法固有の繰延資産については、支出の効果の及ぶ期間（償却期間）に渡って、月割りで均等償却を行います。

> **基本算式**
>
> $$償却限度額＝繰延資産の額×\frac{当期の月数※}{支出の効果の及ぶ期間の月数}$$
>
> ※　支出事業年度は、償却開始時期（原則として支出日）から当期末までの月数

　　（注）月数に1月未満の端数があるときは、切り上げて1月とします。

設例4−2　　　　　　　　　　　　　　　　　　　　　均等償却の繰延資産

次の資料により、当社の当期における税務上の調整を示しなさい。

(1)　当社は令和7年6月10日に公共施設負担金1,500,000円を支出し、繰延資産として資産に計上するとともに、償却費として150,000円を当期の費用に計上している。この公共施設負担金は、当社の工場に通ずる市道の舗装費用を一部負担したものであり、A市に対して支出したものである。

(2)　(1)の公共施設負担金の償却期間は10年である。

解答　(1)　償却期間

　　　　　　10年

　　　　(2)　償却限度額

　　　　　　$1,500,000×\dfrac{10}{10×12}＝125,000$円

　　　　(3)　償却超過額

　　　　　　$150,000－125,000＝25,000$円

（単位：円）

区　　分	金　　額
加算　繰延資産償却超過額 　　　　　　　（公共施設負担金）	25,000
減算	

解説

　　公共施設負担金は、均等償却の繰延資産に該当します。均等償却は、償却期間に渡って月割りで償却を行うことになります。

········ *Memorandum Sheet* ········

Chapter 12

圧縮記帳

法人が資産の譲渡を行った場合、その資産の譲渡益には法人税が課税されます。しかし、その譲渡益に直ちに課税を行うことが適当でない場合も存在します。圧縮記帳は、資産の譲渡益等に対して法人税が一時に課税されないように、法人税の課税を繰り延べる課税上の技術をいいます。

このChapterでは、法人税法における圧縮記帳制度を学習します。

圧縮記帳制度の概要

国庫補助金収入や保険差益は、「資本等取引以外の取引に係るその事業年度の収益の額」に該当するため、法人税の課税の対象となります。しかし、これらの収益について、直ちに課税してしまうと、補助金の目的に合った資産の取得を困難にしてしまう等の不都合が生じてしまうことがあります。そこで、法人税においては、これらの収益に対する課税を繰り延べる「圧縮記帳」という制度を設けています。

このSectionでは、圧縮記帳制度の概要を学習します。

1 圧縮記帳とは

法人が固定資産を取得する場合に、国から補助金を受けられるケースがあります。国が政策として、特定の固定資産の取得を促進しているような場合です。圧縮記帳とは、例えば、国から補助金の交付を受けその国庫補助金収入を収益に計上した場合に、その補助金で取得した機械装置の帳簿価額を、その交付を受けた補助金の額だけ減額して、損金の額に算入することを認める制度です。

＜例＞

(1) 機械装置の取得に充てるための国庫補助金5,000,000円の交付を受けた。

仕　　訳	
（現 金 預 金） 5,000,000円	（国庫補助金収入） 5,000,000円 ← 相殺

(2) 国庫補助金に自己資金3,000,000円を加えて機械装置を8,000,000円で取得し、令和7年10月1日から事業の用に供した。

仕　　訳	
（機 械 装 置） 8,000,000円	（現 金 預 金） 8,000,000円

(3) 交付を受けた国庫補助金を全額機械装置の取得に充て、補助金の返還を要しないことが確定したため、国庫補助金収入に相当する圧縮損を計上する。

仕　　訳	
（機械装置圧縮損） 5,000,000円	（機 械 装 置） 5,000,000円

このように圧縮記帳制度は、「国庫補助金収入」と「機械装置圧縮損」が相殺されることにより、法人税が一時に課税されないようにする制度です。

2 圧縮記帳の効果

圧縮記帳は、法人税の課税を一切受けない「課税の免除」という制度ではなく、いずれ課税を受ける「課税の繰延べ」という制度です。

＜例＞

機械装置の取得価額	10,000
圧縮損	4,000
機械装置の耐用年数	5年（定額法償却率 0.200）

	1年目	2年目	3年目	4年目	5年目
圧縮記帳をしない場合	償却費 2,000	償却費 2,000	償却費 2,000	償却費 2,000	償却費 2,000
圧縮記帳をした場合	圧縮損 4,000	償却費 1,200 / 償却費 1,200 / 償却費 1,200 / 償却費 1,200 / 償却費 1,200

圧縮記帳をしない場合には、本来の取得価額である 10,000 を基礎に、減価償却をすることになりますが、圧縮記帳をした資産については、圧縮記帳後の取得価額 6,000（＝本来の取得価額 10,000−圧縮損 4,000）を基礎に減価償却をすることになります。

つまり、圧縮記帳をしない場合と比較して、圧縮記帳をした場合の方が、毎期の償却費が 800 ずつ少なくなり、損金の額が少なくなる分だけ所得金額が多く計算されることになります。このようにして、毎期、課税が取り戻されることになります[01]。

*01）土地等の非減価償却資産については、圧縮記帳後の取得価額が譲渡原価となるため、譲渡時に課税が取り戻されます。

3 圧縮記帳の経理処理と別表四上の調整

圧縮記帳の経理処理には、次のものがあります。

1．直接控除方式

直接控除方式は、損益計算書に圧縮損を計上し、圧縮記帳の対象とした固定資産の帳簿価額を直接減額する方法です。

仕 訳
（圧　　縮　　損）××× 　（固　定　資　産）×××

＜図解＞

補助金収入　　　　5,000

圧縮損　　　　　　5,000

P／L

補助金収入	5,000
圧　縮　損	5,000
当期純利益	0

別表四（所得金額の計算）

当　期　純　利　益		0
加算		
減算		
所　得　金　額		0

直接控除方式の場合には、圧縮損が損益計算書に計上されます。

2．積立金方式

積立金方式は、株主資本等変動計算書に圧縮積立金の積立額を計上し、損益計算書には計上しない方法です[*01]。

仕 訳
（繰越利益剰余金）××× 　（圧　縮　積　立　金）×××

＜図解＞

補助金収入　　　　　　5,000

圧縮積立金の積立額　　5,000

P／L

補助金収入	5,000
圧　縮　損	－
当期純利益	5,000

別表四（所得金額の計算）

当　期　純　利　益		5,000
加算		
減算	圧縮積立金認定損	5,000
所　得　金　額		0

*01) 交換の圧縮記帳は、直接控除方式のみであり、積立金方式の適用はありません。

積立金方式の場合には、その積立額が損益計算書に計上されず、当期純利益の計算では費用となっていないことから、別表四において「圧縮積立金認定損（減算）」の調整をして損金の額に算入することになります。

4　圧縮記帳後の取得価額等

1．圧縮記帳後の取得価額

　固定資産について圧縮記帳をした場合には、圧縮記帳による損金算入額は、その固定資産の取得価額に算入されません。なお、直接控除方式又は積立金方式のいずれの経理処理によっている場合であっても、この取扱いは共通して適用されます。

圧縮記帳後の取得価額
本来の取得価額－損金算入圧縮額※

※　会社計上圧縮額と圧縮限度額のいずれか少ない金額となります。

2．圧縮超過額の処理

　減価償却資産について直接控除方式により経理した場合の圧縮超過額は、「償却費として損金経理をした金額」に含まれます[*01]。

区　分	圧縮超過額の処理	税　務　調　整
(1)直接控除方式	償却費に含める	減価償却超過額として加算
(2)積立金方式	償却費に含めない	圧縮積立金積立超過額として加算

[*01] 非減価償却資産については、減価償却との関係はないため、会社計上圧縮額が圧縮限度額を超える部分の金額を別表四で加算します。

＜図解＞

(1)　直接控除方式の場合

① 圧縮記帳

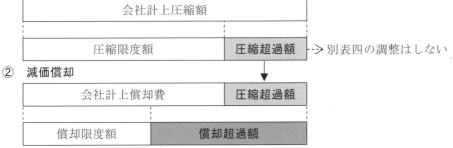

　圧縮超過額は、直ちに別表四で加算調整せず、会社計上償却費に加えて償却超過額として加算調整します。

(2)　積立金方式の場合

① 圧縮記帳

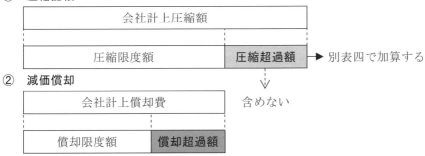

　圧縮超過額は、別表四で圧縮積立金積立超過額として加算調整します。償却費として損金経理をした金額に加える処理はありません。

Section 2 国庫補助金等

国庫補助金収入に対して、法人税を一時に課税してしまうと、せっかく交付を受けた補助金の一部が、税金として吸い上げられる結果となってしまいます。つまり、国庫補助金の交付を受けても十分な設備投資ができないという事態も起こりかねません。

そこで、国庫補助金収入に対して、法人税が一時に課税されないようにするため、課税の繰延べとしての「圧縮記帳」が認められています。

このSectionでは、国庫補助金等の圧縮記帳を学習します。

1 制度の概要（法42①）

内国法人（清算中のものは除きます。*01)）が、次の適用要件を満たす場合において、その固定資産につき、圧縮限度額の範囲内で一定の経理をしたときは、その経理した金額はその事業年度の損金の額に算入することとされています。

適用要件
① 固定資産の取得等に充てるための国庫補助金等*02)の交付を受けること。
② その事業年度においてその国庫補助金等をもってその交付目的に適合した固定資産を取得等したこと。
③ 国庫補助金等の返還不要*03)がその事業年度終了時までに確定したこと。

＜図解＞

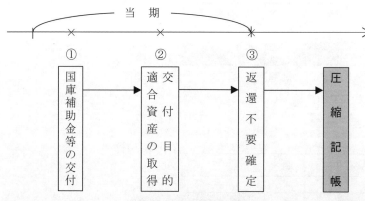

国や地方公共団体から①国庫補助金等の交付を受け、②その国庫補助金等をもって交付目的に適合する固定資産の取得等をした場合において、③その補助金等の返還不要が当期末までに確定した場合には、その固定資産につき圧縮記帳を行うことができます。

*01) 清算中の法人は、近い将来消滅することが予定されており、課税を繰り延べる意味がないため、圧縮記帳の適用対象から除かれています。

*02) 国庫補助金等とは、固定資産の取得又は改良に充てるための国又は地方公共団体から交付を受ける補助金をいいますが、金銭のみではなく土地等の固定資産の交付を受けた場合も含みます。

*03) 国庫補助金は、一般的には条件付国庫補助金と呼ばれ、「交付の目的に適合する資産を取得し、その製品の生産能力が一定割合に達したことが証明されれば、返還不要が確定する」というような返還不要となるための条件が付されています。

2　圧縮限度額の計算（法42①）

▶▶問題集問題1,2

　国庫補助金等の圧縮記帳における圧縮限度額は、次のように計算します。

基本算式

(1)　交付を受けた国庫補助金等の額（返還不要確定額）

(2)　固定資産の取得又は改良に要した金額

(3)　(1)と(2)のいずれか少ない金額

＜図解＞

国庫補助金等の 返還不要確定額 1,000	圧 縮 限 度 額 1,000	固 定 資 産 の 取 得 価 額 1,200

　(1)　国庫補助金等の返還不要確定額

　　　1,000

　(2)　固定資産の取得価額

　　　1,200

　(3)　圧縮限度額

　　　(1)＜(2)　∴　1,000

　圧縮限度額は、交付を受けた国庫補助金等（＝発生利益）の額のうち交付目的に適合した固定資産の取得又は改良に充てられた部分の金額となります。

設例2－1　　　　　　　　　　　　　　　　　　　　　国庫補助金等の圧縮記帳

　次の資料により、当社（期末資本金の額は3億円である。）の当期における税務上の調整を示しなさい。

(1)　当社は、令和7年6月1日に機械装置の取得を目的とした国庫補助金3,000,000円の交付を受け、令和7年6月10日に自己資金6,000,000円を加えて、交付の目的に適合した機械装置を9,000,000円で取得している（事業供用日は令和7年6月25日である。）。なお、この国庫補助金は、令和7年12月25日に、返還を要しないことが確定している。

(2)　当社は、交付を受けた国庫補助金について国庫補助金収入として収益に計上するとともに、圧縮損として5,000,000円を損失に計上し、その機械装置の帳簿価額から直接減額している。

　　　なお、機械装置に係る減価償却費として300,000円を費用に計上している。

(3)　当社は、機械装置の償却方法として定額法を選定しており、この機械装置の耐用年数は10年（定額法償却率0.100）である。

解答 1．圧縮記帳

　(1)　圧縮限度額

　　　　3,000,000円＜9,000,000円　　　∴　3,000,000円

　(2)　圧縮超過額

　　　　5,000,000－3,000,000＝2,000,000円（償却費）

　2．減価償却

　(1)　償却限度額

　　　　$(9,000,000-3,000,000)\times0.100\times\dfrac{10}{12}=500,000$円

　(2)　償却超過額

　　　　$(300,000+2,000,000)-500,000=1,800,000$円（加算）

(単位：円)

区　　分		金　　額
加算	減価償却超過額（機械装置）	1,800,000
減算		

解説

①　当期中の令和7年12月25日に、国庫補助金の返還不要が確定しているため、当期において圧縮記帳の適用があります。

②　圧縮限度額は、国庫補助金の返還不要確定額と固定資産の取得価額のいずれか少ない方の金額となります。

③　本問の場合、圧縮記帳の経理が直接控除方式によっているため、圧縮超過額は、直ちに別表四で加算せず、償却費として損金経理をした金額に含めて、償却超過額として調整することになります。

④　損金の額に算入された圧縮額は、その固定資産の取得価額に算入しません。つまり、償却限度額を計算する際には、本来の取得価額から損金の額に算入された圧縮額を控除して償却率を適用します。

^{Section}
3 保険差益

建物が火災により焼失した場合に、直ちに代わりの建物を取得することができるように、あらかじめ保険契約を結んでおくことがあります。実際に火災が生じた場合には、保険金の支払を受けることになりますが、保険差益に対して法人税を一時に課税してしまうと、代わりの建物の取得資金が不足する等、災害からのスムーズな復旧を困難にしてしまうことがあります。そこで、保険差益に対して、法人税が一時に課税されないようにするため、課税の繰延べとしての「圧縮記帳」が認められています。

このSectionでは、保険差益の圧縮記帳を学習します。

1 制度の概要（法47①）

　内国法人（清算中のものは除きます。）が、次の適用要件を満たす場合において、その代替資産につき、圧縮限度額の範囲内で一定の経理をしたときは、その経理した金額は、その事業年度の損金の額に算入することとされています。

> **適用要件**
> ① 所有固定資産が滅失又は損壊したこと。
> ② 保険金等[*01]の支払いを受けること。
> ③ その事業年度においてその保険金等をもって代替資産[*02]の取得等をしたこと。

＜図解＞

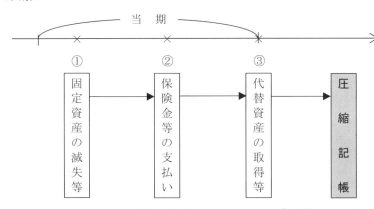

*01) 保険金、共済金又は損害賠償金で、滅失等のあった日から３年以内に支払いが確定したものをいいます。

*02) 滅失等した資産と同一種類の固定資産をいいます。なお、固定資産を対象とするため、棚卸資産等他の種類の資産については適用がありません。

　法人の有する固定資産が①火災等により滅失し、②保険金を取得した場合において、その保険金の交付事業年度において、その保険金により③代替資産を取得したときは、圧縮記帳を行うことができます。

2 圧縮限度額の計算

1. 圧縮限度額（令85）

保険差益の圧縮記帳における圧縮限度額は、次のように計算します。

> **基本算式**
>
> ⑴ 滅失経費の額
>
> ⑵ 差引保険金等の額
>
> 　　保険金等の額－滅失経費の額
>
> ⑶ 保険差益金の額
>
> 　　差引保険金等の額－被災資産の被災直前の帳簿価額
>
> ⑷ 圧縮限度額
>
> 　　保険差益金の額×$\dfrac{\text{代替資産の取得等に充てた保険金等の額（※）}}{\text{差引保険金等の額}}$
>
> 　　※ 代替資産の取得価額と差引保険金等の額のいずれか少ない金額

＜図解＞

保険金等の額	1,000
滅失経費の額	100
被災直前の帳簿価額	300
代替資産の取得価額	750

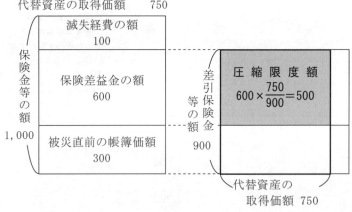

圧縮限度額は、保険差益金の額（＝発生利益）に差引保険金等の額のうち代替資産の取得に充てた金額（代替資産の取得価額）の割合を乗じて計算します。

2．滅失経費

(1)　範　囲（基通10－5－5）

滅失経費とは、固定資産の滅失等に直接関連して支出される経費をいいます。

滅失経費に含まれるもの	滅失経費に含まれないもの
固定資産の取壊し費	類焼者賠償金
焼跡の整理費	けが人見舞金
消防費等	被災者弔慰金
	新聞謝罪広告費　等

(2)　共通経費の按分（基通10－5－6）

滅失経費の額が、2以上の種類の資産の滅失等に共通して支出される場合には、保険金等の額の比により配賦します。

> **基本算式**
>
> $$共通経費の額 \times \frac{個々の資産に係る保険金等の額}{取得した保険金等の額の合計額}$$

＜図解＞

建物について取得した保険金　　1,000

商品について取得した保険金　　　250

滅失経費（共通経費）の額　　　　 75

滅失経費の額	保険金等の額	
共通経費　75	建物　1,000	→ $75 \times \dfrac{1,000}{1,000+250} = 60$
	商品　250	→ 圧縮記帳の対象外

共通経費の額は、保険金等の額の比により按分します。なお、商品（棚卸資産）は、圧縮記帳の対象とはなりませんが、滅失経費（共通経費）を按分する際の分母の金額には、商品に係る保険金等の額が含まれます。

次の資料により、当社の当期における税務上の調整を示しなさい。

(1) 当社は、令和7年5月8日に建物を火災により焼失し、次の保険金の支払いを受けている。なお、取得した保険金の額と焼失した建物の被災直前の帳簿価額との差額を保険差益として当期の収益に計上している。

種 類	保険金の額	被災直前の帳簿価額
建 物	30,000,000円	16,800,000円

(2) 上記の建物の焼失により支出した経費は次のとおりであり、当期の損失に計上している。

① 建物の取壊費 　　　　　1,200,000円

② 焼跡の整理費 　　　　　　800,000円

③ 被災者への弔慰金 　　　1,800,000円

(3) 当社は、令和7年7月28日に、焼失した建物に代替する次の建物を取得し、直ちに事業の用に供している。

種 類	取得価額	減価償却費	圧縮積立金
建 物	26,600,000円	300,000円	12,000,000円

（注）圧縮積立金は、剰余金の処分により積み立てたものである。

(4) 取得した建物の法定耐用年数は50年であり、定額法償却率は0.020である。

解答 1. 圧縮記帳

(1) 滅失経費の額

　　　$1,200,000 + 800,000 = 2,000,000$円

(2) 差引保険金等の額

　　　$30,000,000 - 2,000,000 = 28,000,000$円

(3) 保険差益金の額

　　　$28,000,000 - 16,800,000 = 11,200,000$円

(4) 圧縮限度額

　　　$11,200,000 \times \dfrac{{}^{※}26,600,000}{28,000,000} = 10,640,000$円

　　　※　$26,600,000円 < 28,000,000円$　　∴　$26,600,000$円

(5) 圧縮超過額

　　　$12,000,000 - 10,640,000 = 1,360,000$円 （加算）

2. 減価償却

(1) 償却限度額

　　　$(26,600,000 - 10,640,000) \times 0.020 \times \dfrac{9}{12} = 239,400$円

(2) 償却超過額

　　　$300,000 - 239,400 = 60,600$円 （加算）

（単位：円）

区　分		金　額
加算	圧縮積立金積立超過額（建物）	1,360,000
	減価償却超過額（建物）	60,600
減算	圧縮積立金認定損（建物）	12,000,000

解説

①　当期中に保険金の支払いを受け、代替資産の取得をしているため、当期において圧縮記帳の適用があります。

②　滅失経費の額は、固定資産の滅失等に直接関連して支出される経費をいうため、固定資産に係る支出ではない被災者への弔慰金は、滅失経費の額に含まれません。

③　本問の場合、圧縮記帳の経理が積立金方式によっているため、圧縮超過額は、直ちに別表四で加算します。なお、圧縮積立金積立超過額は、償却費として損金経理をした金額に含まれません。

④　損金の額に算入された圧縮額は、その固定資産の取得価額に算入しません。取得価額の改訂は、経理を問わず、本来の取得価額から損金の額に算入された圧縮額を控除することになります。

交　換

法人税では交換を譲渡取引と考えて、交換により譲渡した資産の交換時の時価と交換直前の帳簿価額との差額である交換差益に対して、法人税が課税されます。しかし、交換取引は通常金銭の授受を伴わないものであり、その譲渡益は計算上生じる名目的な利益にすぎません。そこで、交換差益に対して、法人税が一時に課税されないようにするため、課税の繰延べとしての「圧縮記帳」が認められています。

このSectionでは、交換の圧縮記帳を学習します。

1 制度の概要（法50①②）

内国法人（清算中のものは除きます。）が、次の適用要件を満たす固定資産の交換をした場合において、その取得資産につき、圧縮限度額の範囲内でその帳簿価額を損金経理により減額したとき*01)は、その減額した金額は、その事業年度の損金の額に算入することとされています。

*01) 交換の圧縮記帳の経理は、直接控除方式のみとなります。積立金方式はありません。

適用要件*02)

① 互いに1年以上有していた固定資産の交換であること。

② 譲渡資産と取得資産は次の区分において同一種類のものであること。

　(イ) 土地（建物又は構築物の所有を目的とする地上権等を含む。）

　(ロ) 建物（建物附属設備及び構築物を含む。）

　(ハ) 機械及び装置

　(ニ) 船　舶

　(ホ) 鉱業権

③ 取得資産は交換のために取得したと認められるものでないこと。

④ 取得資産を譲渡資産の譲渡の直前の用途と同一の用途に供したこと。

⑤ 交換時における取得資産の価額と譲渡資産の価額との差額が、これらのうちいずれか多い価額の20％相当額を超えないこと。

*02) この制度が対象としている交換は、同種資産の等価交換であり、実質的に同一資産を継続して所有しているのと変わらない状況を前提とする要件が付されています。

<図解>

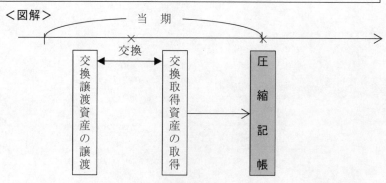

内国法人が適用要件を満たす交換をした場合には、交換取得資産につき、直接控除方式による圧縮記帳を行うことができます。

2 圧縮限度額の計算（令92）

▶▶問題集問題5,6

　交換の圧縮記帳における圧縮限度額は、次の区分に応じ、それぞれ次のように計算します。

1．交換差金等がない場合（等価交換）

> **基本算式**
>
> $$\text{取得資産の取得時の時価（A）} - \left[\text{譲渡資産の譲渡直前の帳簿価額（B）} + \text{譲渡経費（C）}\right]$$

＜図解＞

取得資産の時価	1,000
譲渡資産の時価	1,000
譲渡資産の譲渡直前の簿価	500
譲渡経費	100

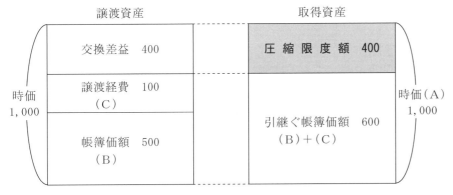

等価交換の場合の圧縮限度額は、交換差益の全額となります。

2．交換差金等を取得した場合

> **基本算式**
>
> $$\text{取得資産の取得時の時価（A）} - \left[\text{譲渡資産の譲渡直前の帳簿価額（B）} + \text{譲渡経費（C）}\right] \times \frac{(A)}{(A) + \text{交換差金等の額（D）}}$$

＜図解＞

取得資産の時価	1,200
譲渡資産の時価	1,500
交換差金等の額	300
譲渡資産の譲渡直前の簿価	500
譲渡経費	100

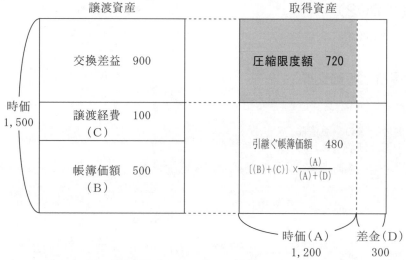

　　交換差金等を取得した場合の圧縮限度額は、交換差益のうち、取得
資産に係る部分の金額となります。

３．交換差金等を交付した場合

基本算式

$$\text{取得資産の取得時の時価（A）} - \left[\text{譲渡資産の譲渡直前の帳簿価額（B）} + \text{譲渡経費（C）} + \text{交換差金等の額（D）}\right]$$

＜図解＞

取得資産の時価	1,500
譲渡資産の時価	1,200
交換差金等の額	300
譲渡資産の譲渡直前の簿価	500
譲渡経費	100

譲渡資産　　　　　　　　　　取得資産

時価
1,200

交換差益　600	圧縮限度額　600
譲渡経費　100（C）	
帳簿価額　500（B）	引継ぐ帳簿価額　900（B）＋（C）＋（D）
交換差金等　300（D）	

時価（A）
1,500

　　交換差金等を交付した場合の圧縮限度額は、交換差益の全額となり
ます。

次の資料により、当社の当期における税務上の調整を示しなさい。

⑴ 当社は、令和7年8月16日にA社との間で当社所有の土地とA社所有の土地とを交換した。その交換資産の明細は次のとおりである。

区　分	交　換　譲　渡　資　産		交換取得資産の時価
	譲渡直前の帳簿価額	時　　価	
土　　地	7,000,000円	35,000,000円	30,000,000円
交換差金	—	—	5,000,000円
合　　計	7,000,000円	35,000,000円	35,000,000円

(注) 交換譲渡資産及び交換取得資産はいずれも両社が10年以上前に取得したものであり、交換のために取得したものではない。なお、交換取得資産は交換譲渡資産の譲渡直前の用途と同一の用途に供されている。

⑵ 当社は、交換取得資産の時価及び取得した現金の合計額と交換譲渡資産の譲渡直前の帳簿価額との差額を固定資産売却益として当期の収益に計上している。

⑶ 当社は、交換に当たり譲渡経費350,000円を支出し費用に計上している。

⑷ 当社は、この交換により取得した土地について、圧縮損として28,000,000円を当期の損失に計上している。

解答

⑴ 判　定

$35,000,000 - 30,000,000 = 5,000,000$円 $\leqq 35,000,000 \times 20\% = 7,000,000$円

∴ 適用あり

⑵ 圧縮限度額

$30,000,000 - (7,000,000 + 350,000) \times \dfrac{30,000,000}{30,000,000 + 5,000,000} = 23,700,000$円

⑶ 圧縮超過額

$28,000,000 - 23,700,000 = 4,300,000$円

(単位：円)

	区　　分	金　　額
加算	圧縮超過額（土地）	4,300,000
減算		

解説

① 同種資産の交換であり、当期において圧縮記帳の適用があります。

② 圧縮限度額の計算は、交換取得資産とあわせて交換差金を取得しているため、「交換差金等を取得した場合」の計算となります。

③ 本問の場合、対象資産が土地であるため、圧縮超過額は、別表四で加算調整します。

········ *Memorandum Sheet* ········

Chapter 13

引当金等

引当金は、将来の費用又は損失をあらかじめ見積もって費用に計上するものですから、債務の確定したものではありません。したがって、その繰入額は原則として損金の額に算入することはできません。
しかし、商慣習や会計慣行を尊重する立場から、法人税法では貸倒引当金等に限ってその繰入れを認めています。
このChapterでは、貸倒引当金の取扱いを中心に学習します。

貸倒損失

貸倒損失は、金銭債権の滅失損を意味するものです。当然、所得金額の計算上は損金の額に算入されます。しかし、実際上、貸倒れたかどうかの判定は、かなりむずかしい面もあることから、課税の公平を図る観点から、基本通達において3つの場合に限定してその判定基準を定めています。

このSectionでは、貸倒損失の取扱いを学習します。

1 法律上の貸倒れ（基通9−6−1）

1．貸倒れの事実と貸倒損失額

法人の有する金銭債権について次の事実が発生した場合には、その金銭債権の額のうち次の金額は、その事実の発生した日の属する事業年度において貸倒れとして損金の額に算入します。

発 生 事 実	貸倒損失額
法律による決定	切 捨 額
・更生計画認可の決定	
・再生計画認可の決定	
・特別清算に係る協定の認可の決定	
関係者の協議決定*01)	
・債権者集会の協議決定	
・金融機関等のあっ旋による当事者間の協議による契約	
債務者の債務超過状態が相当期間継続し、弁済を受けることができないと認められる場合に、書面により債務免除を通知*02)した場合	債 務 免 除 額

*01) 関係者の協議決定の場合には、合理的な基準によることが要求されています。合理的な基準とは、すべての債権者についておおむね同一の条件で切捨額が定められているようなことをいいます。

*02) 公正証書等の公証力のある書面による必要はありません。なお、債務免除した場合であっても、その債務者に弁済能力がある場合には贈与と認められ、寄附金や給与として取り扱われます。

法律上の貸倒れの事実が発生している場合には、法律の決定等により債権が消滅しているため、損金算入が強制されます。つまり、損金経理しているかどうかは問わず損金の額に算入されることになります。

2．経理処理と別表四上の調整

次の区分に応じて、別表四上の調整を行います。

区 分	経 理 処 理	別表四上の調整
貸倒れの事実に該当する	適正額を損金経理	調整なし（適正）
	損金経理していない	貸倒損失認定損（減算）
貸倒れの事実に該当しない	損金経理	貸倒損失否認（加算）
	損金経理していない	調整なし（適正）

設例1－1　　　　　　　　　　　　　　　　　　　　　　　　　　　　　法律上の貸倒れ

次の資料により、当社の当期における税務上の調整を示しなさい。

⑴　得意先A社は、令和7年4月20日に会社更生法の規定による更生手続開始の申立てを行い、令和7年11月10日に更生計画認可の決定を受けている。この決定により、当社がA社に対して有する売掛金5,000,000円が切捨てられることとなった。

　　なお、当社は、この取引に関して何ら経理処理を行っていない。

⑵　当社は、取引先B社に対し貸付金3,000,000円を有しているが、B社は、業績不振から債務超過の状態が相当期間継続しており、貸付金の弁済を受けることができないと認められるため、債務免除を行うこととした。当社は、債務免除を行う旨をB社に文書で通知するとともに、3,000,000円を貸倒損失として損金経理している。

解答　　　　　　　　　　　　　　　　　　　　　　　　　　　　　　　　　（単位：円）

	区　　分	金　　額
加算		
減算	貸倒損失認定損	5,000,000

解説

①　法律上の貸倒れは、法的に債権が消滅しているため、当社が経理をしていない場合であっても、貸倒損失を認識しなければなりません。本問の⑴では、売掛金について何ら経理を行っていないため、別表四で減算調整して、貸倒損失を認識します。

②　債務免除を通知した金額は、回収不能な限り、貸倒損失を認識しなければなりません。本問の⑵では、貸付金について貸倒損失が計上されているため、別表四上の調整はありません。

2 事実上の貸倒れ（基通9－6－2）

1．貸倒れの事実と貸倒損失額

法人の有する金銭債権につき、次の事実が発生した場合には、その明らかになった事業年度において貸倒れとして損金経理をすることができます。

発　生　事　実	貸倒損失額
債務者の資産状況、支払能力からみて、その全額が回収できないことが明らかになったこと	金銭債権の全額[*01]

*01) 担保があるときは、その担保を処分した後でなければ貸倒れとして損金経理をすることはできません。なお、担保の処分により受け入れた金額を控除した残額について適用することになります。

事実上の貸倒れは、法律上は債権が存在するにもかかわらず、事実上の回収不能を理由として、帳簿上の貸倒処理を認めるものです。したがって、債権の全額が回収不能であり、かつ、損金経理をしている場合に限って、この取扱いを受けることができます。

2．経理処理と別表四上の調整

次の区分に応じて、別表四上の調整を行います。

区　　分	経 理 処 理	別表四上の調整
貸倒れの事実に該　当　す　る	適正額を損金経理	調整なし（適正）
	損金経理していない	調整なし
貸倒れの事実に該　当　し　な　い	損金経理	貸倒損失否認（加算）
	損金経理していない	調整なし（適正）

設例1－2　　　　　　　　　　　　　　　　　　　　　　　　　　事実上の貸倒れ

次の資料により、当社の当期における税務上の調整を示しなさい。

(1) 当社は、得意先C社に対して売掛金10,000,000円を有しているが、C社の資産状況、支払能力からみて、売掛金うちの70％は回収不能であると認められる。

(2) 当社は、上記の売掛金のうち回収不能と認められる部分の7,000,000円について貸倒損失として損金経理している。なお、当社は、C社から担保の徴収はしていない。

解答　　　　　　　　　　　　　　　　　　　　　　　　　　　　　　　（単位：円）

	区　　分	金　　額
加算	貸倒損失否認	7,000,000
減算		

解説

「事実上の貸倒れ」は、金銭債権の全額が回収不能となった場合に、その全額を対象に貸倒れ処理を認めるものであり、部分的な貸倒処理は認められません。

Section 2 貸倒引当金

法人税法では、損金の額に算入する金額は、債務が確定しているものに限られているため、将来発生する貸倒損失の見積計上である貸倒引当金の繰り入れは、原則として認められません。しかし、売掛金や貸付金について、貸倒れは避けがたいという事実もあり、企業会計でも貸倒引当金の計上が慣行化しています。そこで、法人税法でも会計慣行を尊重する立場から、別段の定めによりその計上を認めています。

このSectionでは、貸倒引当金の取扱いを学習します。

1 概　要

税務上は、期末において有する金銭債権を、その回収可能性に応じて個別評価金銭債権と一括評価金銭債権とに区分します。その区分に応じて、個別評価金銭債権について個別貸倒引当金繰入限度額、一括評価金銭債権について一括貸倒引当金繰入限度額が定められています。

期末債権	貸倒れの 可能性が高い	個別評価 金銭債権	→	個別貸倒引当金 繰入限度額の計算
	貸倒れの 可能性が低い	一括評価 金銭債権	→	一括貸倒引当金 繰入限度額の計算

2 適用法人の範囲

貸倒引当金制度の適用法人は、次の法人に限定されています。

適用法人の範囲
(1)　中小法人[01]
(2)　リース取引等に係る金銭債権を有する内国法人（(1)を除く。）
(3)　その他一定の内国法人（銀行、保険会社等）

[01] 期末資本金1億円以下の法人のうち、大法人（資本金5億円以上の法人）による完全支配関係があるもの以外の法人のことです。

したがって、適用法人以外の法人（資本金の額が1億円を超える一般の法人等）が貸倒引当金の繰入れを行うことは、認められません。

3 個別貸倒引当金の繰入れ

1. 制度の概要（法52①）

　適用法人が、個別評価金銭債権の損失の見込額として、損金経理により貸倒引当金勘定に繰り入れた金額については、その金額のうち個別貸倒引当金繰入限度額に達するまでの金額は、その事業年度の損金の額に算入されます。

(1)　**対象債権** … 個別評価金銭債権を対象とします。

(2)　**適用要件** … 損金経理により貸倒引当金勘定に繰入れること。

（注）個別評価金銭債権の範囲

　　　個別評価金銭債権には、次のものが含まれます。

個 別 評 価 金 銭 債 権
①　売掛金、貸付金その他これらに準ずる金銭債権（売掛債権等）
②　保証金、前渡金等に係る返還請求債権（売掛債権等以外）*01)

なお、損金不算入額は、債務者ごとに次のように計算します。

> **基本算式**
>
> (1)　繰入限度額
>
> (2)　繰入超過額
>
> 　　　会社計上額－繰入限度額　　　個別貸倒引当金繰入超過額（加算）

*01) 保証金、前渡金等は、本来は金銭債権ではありませんが、これらに係る返還請求債権については、実質的に金銭債権に転化したと考えて個別評価金銭債権に含めます。

2. 実質基準（令96①二）

(1)　**設定事由**

　　次の事由に基づいて、金銭債権の一部につき取立て等の見込みがないと認められる場合には、個別貸倒引当金を設定することができます。

発 生 事 実
(1)　債務超過の状態が相当期間継続し、かつ、その営む事業に好転の見通しがないこと
(2)　災害、経済事情の急変等により多大な損害が生じたこと　　等

(2)　**繰入限度額**

　　実質基準による、個別貸倒引当金繰入限度額は、次の算式により計算します。

> **基本算式**
>
> 個別評価金銭債権の額－取立て等の見込額
>
> （取立て等の見込みがないと認められる金額）

＜図解＞

3．形式基準（令96①三）

⑴　設定事由

　　債務者に、次の事由が生じた場合には、個別貸倒引当金を設定することができます。

発　生　事　実
法律の申立て
・更生手続開始の申立て
・再生手続開始の申立て
・破産手続開始の申立て
・特別清算開始の申立て
手形交換所の取引停止処分

⑵　繰入限度額

　　形式基準による、個別貸倒引当金繰入限度額は、次の算式により計算します。

> **基本算式**
> （個別評価金銭債権の額－取立て等の見込額）×50％

＜図解＞

⑶　取立て等の見込額（基通11－2－9、10）

　　繰入限度額の計算上、個別評価金銭債権の額から控除する取立て等の見込額は、次の金額の合計額となります。

控　除　す　る　金　額
①　実質的に債権とみられない金額
②　質権等による担保部分の金額
③　金融機関等の保証部分の金額
④　第三者の振出手形の金額

＜図解＞－実質的に債権とみられない金額－

　　実質的に債権とみられない金額は、債権と債務が相殺可能な部分の金額です[02]。

[02] 裏書譲渡等をされている場合には、債権と相殺できないため、支払手形は除かれます。

次の資料により、当社の当期における個別貸倒引当金繰入限度額を計算しなさい。

⑴ 当社の取引先であるA社は、業績不振から令和7年11月15日に会社更生法に規定する更生手続開始の申立てを行っている。

⑵ 当社は、A社に対して売掛金23,000,000円を有していたが、買掛金も8,000,000円ある。

⑶ 当社の期末資本金の額は1億円であり、当社の株主に法人株主はいない。

解答　(23,000,000−8,000,000)×50%＝7,500,000円

解説

① A社は、会社更生法に規定する更生手続開始の申立てを行っているため、A社に対して有する売掛金は、個別評価金銭債権に該当します。

② A社に対する買掛金は、実質的に債権とみられない金額に該当します。

4 一括貸倒引当金の繰入れ

1. 制度の概要（法52②）

適用法人が、一括評価金銭債権の貸倒れによる損失の見込額として、損金経理により貸倒引当金勘定に繰り入れた金額については、その金額のうち一括貸倒引当金繰入限度額に達するまでの金額は、その事業年度の損金の額に算入されます。

(1) **対象債権** … 一括評価金銭債権

(2) **適用要件** … 損金経理により貸倒引当金勘定に繰り入れること。

なお、繰入限度額の計算方法には、実績率による場合と法定繰入率による場合の2つの方法がありますが、法人の区分に応じて、適用できる計算方法が異なります。

区　分	計　算　方　法	
下記以外の法　人	実績率による繰入限度額のみ	
中小法人[01]	実績率による繰入限度額 法定繰入率による限度額	いずれか多い方を選択して適用する

*01) 中小法人とは、期末資本金1億円以下、かつ、大法人（資本金5億円以上の法人）による完全支配関係がない法人をいいます。

なお、損金不算入額は、次のように計算します。

基本算式

(1) **期末一括評価金銭債権**

(2) **貸倒実績率**

(3) **実質的に債権とみられないものの額 → 中小法人のみ**

(4) **繰入限度額**

(5) **繰入超過額**

　　会社計上額－繰入限度額　　一括貸倒引当金繰入超過額（加算）

2. 一括評価金銭債権の範囲

(1) 一括評価金銭債権とは

一括評価金銭債権とは、売掛金、貸付金その他これらに準ずる金銭債権（売掛債権等）で個別評価金銭債権以外のものをいいます。

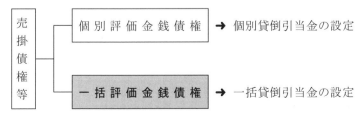

なお、一括評価金銭債権は、その取立て又は回収を金銭で行うことを目的とする債権（金銭債権）に限られているため、回収することを本来の目的としていない単なる預け金や将来費用への振替が予定されている債権等は含まれません。

(2) **具体例**

一括評価金銭債権の具体例は、次のとおりです。

含まれるもの	含まれないもの
売掛金、貸付金、受取手形	預貯金、保証金、敷金、預け金、手付金、前渡金[*02]
未　収　金	未　収　金[*03]
譲渡代金、地代家賃、貸付金利子、損害賠償金	預貯金の利子、公社債の利子、配当金、仕入割戻し
他人が負担すべき費用等の立替金、仮払金	当社の費用の前払としての立替金、仮払金[*04]

一括評価金銭債権に含まれる債権の帳簿価額は、すべて税務上の金額（貸倒損失等の調整後の金額）により集計することになります。なお、売掛金の回収等の取引の対価として受け取った手形の割引（裏書）手形は、一括評価金銭債権に含まれます。

*02) 回収を目的としていない単なる預け金や、将来他の資産に振替えられるものは一括評価金銭債権に含まれません。

*03) 未収利子等は、元本に付随するものであるため、元本が回収を目的とする債権に該当しないものは、一括評価金銭債権に含まれません。

*04) 回収を目的とせず、将来費用に振替えられる債権は一括評価金銭債権に含まれません。

3．実績率による繰入限度額

(1) **繰入限度額（法52②）**

実績率による繰入限度額は、次の算式により計算します。

> **基本算式**
> 期末一括評価金銭債権の額×貸倒実績率

＜図解＞

 ×貸倒実績率

(2) **貸倒実績率の計算（令96⑥）**

貸倒実績率は、直近の過去3年間の貸倒損失の発生割合で、次の算式により計算します。

> **基本算式**
> $$\dfrac{\text{分母の期間の貸倒損失の額の合計額}}{\substack{\text{当期首前3年以内に開始した}\\\text{各事業年度末の一括評価金銭}\\\text{債権の帳簿価額の合計額}}} \times \dfrac{12}{\substack{\text{分母の期間の月数}\\\text{当期首前3年以内に開}\\\text{始した各事業年度の数}}}$$　　小数点以下4位未満切上

次の資料により、貸倒実績率による繰入限度額を計算しなさい。

当社の当期末における一括評価金銭債権の帳簿価額は381,000,000円である。なお、当社の最近の事業年度における、期末一括評価金銭債権の額及び貸倒損失の額の発生状況は、次のとおりである。

事　業　年　度	期末一括評価金銭債権の額	貸倒損失の額
令和4年4月1日～令和5年3月31日	301,000,000円	3,140,000円
令和5年4月1日～令和6年3月31日	349,000,000円	2,250,000円
令和6年4月1日～令和7年3月31日	365,000,000円	3,350,000円

なお、当社の期末資本金の額は1億円であり、株主は全て個人である。

解答

(1)　期末一括評価金銭債権

381,000,000円

(2)　貸倒実績率

$$\frac{(3,140,000+2,250,000+3,350,000)\times\frac{12}{36}}{(301,000,000+349,000,000+365,000,000)\div 3}=0.00861\cdots\ \to\ 0.0087$$

(3)　繰入限度額

381,000,000×0.0087＝3,314,700円

解説

① 貸倒実績率の分子は、「当期首前3年以内に開始した各事業年度の貸倒損失の額の合計額」であり、分母は、「当期首前3年以内に開始した各事業年度末の一括評価金銭債権の帳簿価額の合計額」です。

② 貸倒実績率は、「小数点以下4位未満切上」の端数処理が必要です。

4．法定繰入率による繰入限度額

(1) 繰入限度額（措法57の9①）

法定繰入率による繰入限度額は、次の算式により計算します。

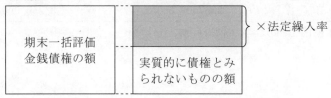

<図解>

(2) 実質的に債権とみられないものの額（措令33の7②③）

期末一括評価金銭債権の額から控除する実質的に債権とみられない金額の計算方法には、「原則法」と「簡便法」の2種類があり、いずれか少ない方の金額を選択します。

```
┌─────────────┐
│  ①  原 則 法  │
└─────────────┘  ┐
                 ├─ いずれか少ない方の金額を選択 ➡ 控除
┌─────────────┐  ┘
│  ②  簡 便 法  │
└─────────────┘
```

① 原則法

原則法は、債務者から受入れた金額があるため、金銭債権と相殺できるものを取引先ごとに計算する方法です。

```
┌──────────────────┐
│ 取引先ごとに債権の合計額と │   取引先ごとに計算
│ 債務の合計額のいずれか   │ ➡ した金額の合計額
│ 少ない金額を集計      │
└──────────────────┘
```

<例>

(単位：円)

取引先	債　権		債　務	
A 社	売　掛　金	8,000,000	買　掛　金	9,000,000
B 社	売　掛　金	5,000,000	営業保証金	3,000,000

実質的に債権とみられないものの額を原則法により計算すると次のようになります。

A社　8,000,000円＜9,000,000円　　∴　8,000,000円	
B社　5,000,000円＞3,000,000円　　∴　3,000,000円	
合計　8,000,000＋3,000,000＝11,000,000円	

② 簡便法

　　原則法により計算する場合には、事務処理が煩雑になるため、実務上の簡便性を考慮した簡便法によることも認められています。

　　簡便法の計算は、期末一括評価金銭債権に控除割合（小数点以下3位未満切捨）を乗じて算出します。

(3) 法定繰入率（措令33の7④、措通57の9-4）

　　法定繰入率は、法人の営む主たる事業の区分に応じて、次の率によることになります[05]。

*05) 法人が兼業している場合には、法定繰入率はその主たる事業により選択します。

業　　種	法定繰入率
卸　売　及　び　小　売　業	$\dfrac{10}{1,000}$
製　　　　造　　　　業	$\dfrac{8}{1,000}$
金　融　及　び　保　険　業	$\dfrac{3}{1,000}$
割　賦　販　売　小　売　業　等	$\dfrac{7}{1,000}$
その他の事業（建設業等）	$\dfrac{6}{1,000}$

次の資料により、当社（製造業を営む中小法人である。）の当期における法定繰入率による一括貸倒引当金繰入限度額を計算しなさい。

⑴ 当社の当期末における一括評価金銭債権の帳簿価額は、次のとおりである。

① 売掛金　21,300,000円

② 貸付金　60,000,000円

⑵ 売掛金のうち8,000,000円はA社に対するものであるが、同社に対しては買掛金が4,200,000円ある。

⑶ 実質的に債権とみられないものの額のいわゆる簡便法の計算の控除割合は、0.0408…である。

解答

⑴ 期末一括評価金銭債権

21,300,000＋60,000,000＝81,300,000円

⑵ 実質的に債権とみられないものの額

① 原則法

8,000,000円＞4,200,000円　∴　4,200,000円

② 簡便法

$81,300,000 \times {}^{※}0.040 = 3,252,000$円

※　0.0408… → 0.040

③ 4,200,000円＞3,252,000円　∴　3,252,000円

⑶ 繰入限度額

$(81,300,000 - 3,252,000) \times \dfrac{8}{1,000} = 624,384$円

解説

① 原則法により計算した実質的に債権とみられないものの額は、債務者ごとに債権・債務を比較して少ない金額を合計した金額になります。

② 簡便法により実質的に債権とみられないものの額を計算する際の控除割合は、「小数点以下3位未満切捨」の端数処理をします。

5 取崩し

1．取扱い（法52⑩）

　損金の額に算入された貸倒引当金勘定の金額は、その事業年度の翌事業年度の益金の額に算入します。つまり、法人税法においては、実際に貸倒損失が発生したか否かにかかわらず、貸倒引当金は毎期洗替えを行い、当期に損金の額に算入された繰入額の全額を翌期に戻し入れ、益金の額に算入することになります。

＜例＞

　前期の貸倒引当金繰入額　　10,000

　当期の貸倒損失発生額　　　　2,000

税務上の仕訳（考え方）			
（貸　倒　損　失）	2,000	（金　銭　債　権）	2,000
（貸　倒　引　当　金）	10,000	（貸倒引当金戻入）	10,000

　税務上は、貸倒損失と貸倒引当金を相殺するという考え方は採りません。貸倒損失は損金の額に算入され、貸倒引当金は毎期洗替えを行います。

2．繰入超過額の認容

　法人が前期の繰入超過額を含めて、当期に取崩しを行い、収益に計上している場合には、繰り入れた事業年度と戻し入れた事業年度との間で二重課税が生じないようにするため、前期の繰入超過額を別表四で減算調整することになります。

前期の繰入超過額を含めて取崩しを行い当期の収益に計上している場合　→　貸倒引当金繰入超過額認容（減算）

次の資料により、当期の当社における税務上の調整を示しなさい。

⑴　当社が、前期において損金経理により貸倒引当金勘定に繰り入れた金額は、2,368,000円である。
　　なお、前期における繰入限度額は2,195,000円であった。

⑵　当期においては、前期に繰り入れた貸倒引当金2,368,000円を全額取り崩して収益に計上している。

解答　繰入超過額認容

　　　2,368,000−2,195,000＝173,000円

（単位：円）

区　　　分		金　　　額
加算		
減算	貸倒引当金繰入超過額認容	173,000

解説

　　当社は、前期の繰入超過額を含めて取崩しを行い、当期の収益に計上しているため、前期の繰入超過額を別表四で減算する必要があります。

＜前期の処理＞

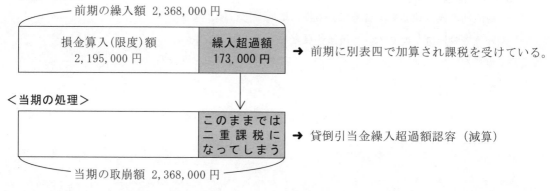

前期の繰入額　2,368,000円

損金算入(限度)額 2,195,000円	繰入超過額 173,000円

→　前期に別表四で加算され課税を受けている。

＜当期の処理＞

	このままでは二重課税になってしまう

→　貸倒引当金繰入超過額認容（減算）

当期の取崩額　2,368,000円

問題集編

Chapter 1

法人税の概要

No	内　　容	標準時間	重要度	難易度
問題1	税法入門(1)	3分	B	基本
問題2	税法入門(2)	5分	B	基本
問題3	税法入門(3)	4分	B	基本
問題4	法人の分類	3分	A	基本
問題5	納税義務者	3分	A	基本
問題6	課税所得の範囲	5分	A	基本
問題7	事業年度と納税地	5分	A	基本

問題1　税法入門(1)

基本　3分

次の各文章の空欄に適切な語句を埋め、文章を完成させなさい。

(1) 税金の分類には、国税と地方税に分類する方法があるが、法人税は ① に分類される。

(2) 税金の分類には、直接税と間接税に分類する方法があるが、法人税は ② に分類される。

(3) 国内に本店又は主たる事務所を有する法人のことを ③ という。

(4) 株式会社、合名会社、合資会社、合同会社などを ④ という。

(5) ＰＴＡ、同窓会などで法人格のないものを ⑤ という。

①	②	③	④	⑤

問題2　税法入門(2)

基本　5分

次の各文章について正しいものには○を、誤っているものには×を、それぞれ記入しなさい。

(1) 内国法人とは、国内に本店又は主たる事務所を有する法人のことである。

(2) 人格のない社団等には法人税法の規定は適用されない。

(3) 普通法人とは、公共法人、公益法人等、協同組合等以外の法人をいい、人格のない社団等は、普通法人に含まない。

(4) 公益法人等は、すべての所得に対して法人税を納める義務がある。

(5) 内国法人は、法人税を納める義務がある。ただし、公益法人等又は協同組合等については、収益事業を営む場合に限り納税義務がある。

(6) 事業年度とは、原則として、法人の財産及び損益の計算の単位となる期間(会計期間)で、法令で定めるもの又は定款等に定めるものをいう。

(7) 法人が定款等に定める会計期間を変更した場合には、遅滞なく、その変更前及び変更後の会計期間を納税地の所轄税務署長に届け出る必要がある。

(8) 内国法人の法人税の納税地は、その本店又は支店の所在地とされる。

(9) 法人は、法人税の納税地に異動があった場合には、その異動前の納税地の所轄税務署長にその旨を届け出る必要がある。

(10) 内国法人は、原則として、各事業年度終了の日の翌日から3月以内に、税務署長に対し、確定した決算に基づき一定の事項を記載した確定申告書を提出しなければならない。

(11) 事業年度の月数が6月の法人は、中間申告をする必要はない。

(12) 事業年度が6月を超える内国法人である普通法人は、中間申告をしなければならないが、前事業年度の確定法人税額が10万円以上である場合には中間申告をする必要はない。

(1)	(2)	(3)	(4)	(5)	(6)
(7)	(8)	(9)	(10)	(11)	(12)

→ 解答・解説 1-6

| 問題3 | 税法入門(3) | | 基本 | 4分 |

次の各文章の( )内の語句のうち、適切なものを選択し、記号で示しなさい。

⑴ 内国法人とは、(①イ.国内、ロ.国外)に本店又は主たる(②ハ.事業所、ニ.事務所)を有する法人をいう。

⑵ 人格のない社団等とは、法人でない(③ホ.団体、ヘ.社団)又は財団で管理人の定めがあるものをいう。

⑶ 普通法人とは、(④ト.外国法人、チ.公共法人)、公益法人等及び協同組合等以外の法人をいい人格のない社団等を(⑤リ.含む、ヌ.含まない)。

⑷ 外国法人は、(⑥ル.国外、ヲ.国内)源泉所得を有するときは、法人税を納める義務がある。

⑸ 内国法人である普通法人は、その事業年度が6月を超える場合には、その事業年度開始の日以後6月を経過した日から(⑦ワ.2月以内、カ.1月以内)に税務署長に対し、納付すべき法人税額等を記載した中間申告書を提出しなければならない。ただし、納付すべき法人税額が(⑧ヨ.10万円、タ.1万円)以下である場合は、中間申告書の提出する必要はない。

①		②		③		④		⑤		⑥	
⑦		⑧									

→ 解答・解説 1-6

| 問題4 | 法人の分類 | | 基本 | 3分 |

法人の分類に関する次の表の空欄を埋め、表を完成させなさい。

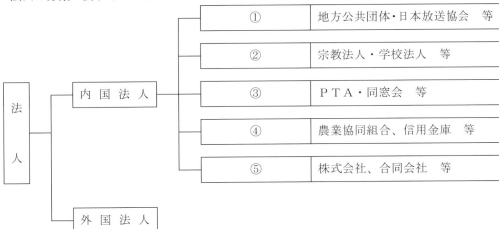

①		②		③		④		⑤	

問題5　納税義務者

基本　3分

内国法人の納税義務に関する次の表の空欄を埋め、表を完成させなさい。

法人の種類	納　税　義　務		
普通法人 協同組合等	法人税の納税義務が　①		
公益法人等 人格のない社団等	収益事業を行う場合	法人税の納税義務が　②	
	その他の場合	法人税の納税義務が　③	
公共法人	法人税の納税義務が　④		

①	②	③	④

問題6　課税所得の範囲

基本　5分

次の各文章の空欄に適切な語句を埋め、文章を完成させなさい。

⑴　国内に本店又は主たる事務所を有する法人を　①　といい、公共法人、　②　、　③　、　④　に分類される。

　　このうち、　②　については、各事業年度の所得のうち、収益事業から生ずる所得のみに法人税が課税されるため　⑤　と呼ばれ、全ての所得に対して法人税が課税される　③　、　④　については　⑥　と呼ばれている。

⑵　法人格は有しないが社団又は財団としての実体を備えており、かつ、代表者又は管理人の定めのある団体を　⑦　といい、法人税法上は　⑧　とみなされて、収益事業から生ずる所得に対して法人税が課税される。

①		②		③		④	
⑤		⑥		⑦		⑧	

問題7　事業年度と納税地　　　　　基本　5分

次の各文章は法人税法の規定を要約したものであるが、それぞれの空欄に適切な語句を埋め、文章を完成させなさい。

(1) 事業年度とは、法人の　①　の単位となる期間で、　②　で定めるもの又は法人の　③　等に定めるものをいう。

(2) 法人がその　③　等に定める会計期間を変更し、又はその　③　等において新たに会計期間を定めた場合には、　④　、その変更前及び変更後の会計期間又は定めた会計期間を納税地の所轄税務署長に　⑤　なければならない。

(3) 内国法人の納税地は、　⑥　の所在地とする。

①		②		③	
④		⑤		⑥	

①	国税	②	直接税	③	内国法人	④	普通法人	⑤	人格のない社団等

解 答　問題2　税法入門(2)

(1)	○	(2)	×	(3)	○	(4)	×	(5)	×	(6)	○
(7)	○	(8)	×	(9)	○	(10)	×	(11)	○	(12)	×

解 説

(2)　人格のない社団等は、法人とみなして法人税法の規定が適用されます。

(4)　公益法人等は、収益事業から生じた所得について法人税を納めます。

(5)　協同組合等については、普通法人とともに特に制限なく納税義務を負います。収益事業を営む場合に限って納税義務を負うのは、公益法人等と人格のない社団等です。

(8)　内国法人の法人税の納税地は、原則として、本店又は主たる事務所の所在地となります。

(10)　確定申告書の提出期限は、事業年度終了の日の翌日から2月以内となります。

(12)　中間申告をする必要がないのは、予定納税額（$\dfrac{\text{前期分の確定法人税額}}{\text{前期の月数}}$（1円未満切捨）×6）が10万円以下である場合です。

解 答　問題3　税法入門(3)

①	イ	②	ニ	③	ヘ	④	チ	⑤	ヌ	⑥	ヲ
⑦	ワ	⑧	ヨ								

解 答　問題4　法人の分類

①	公共法人	②	公益法人等	③	人格のない社団等	④	協同組合等	⑤	普通法人

解 答　問題5　納税義務者

①	ある	②	ある	③	ない	④	ない

解 答　問題6　課税所得の範囲

①	内国法人	②	公益法人等	③	協同組合等	④	普通法人
⑤	制限納税義務者	⑥	無制限納税義務者	⑦	人格のない社団等	⑧	法人

※　③④は順不同

解答 問題7 事業年度と納税地

①	財産及び損益の計算	②	法令	③	定款
④	遅滞なく	⑤	届け出	⑥	本店又は主たる事務所

········ *Memorandum Sheet* ········

Chapter 2

課税標準

問題1 各事業年度の所得の金額 　　基本　5分

次の各文章の空欄に適切な語句を埋め、文章を完成させなさい。

⑴　内国法人に対して課する各事業年度の所得に対する法人税の　イ　は、各事業年度の　ロ　とする。

⑵　内国法人の各事業年度の所得の金額は、その事業年度の　ハ　からその事業年度の　ニ　を控除した金額とする。

⑶　内国法人の各事業年度の所得の金額の計算上その事業年度の益金の額に算入すべき金額は、別段の定めがあるものを除き、　ホ　、有償又は無償による資産の譲渡又は　ヘ　、無償による資産の譲受けその他の取引で　ト　以外のものに係るその事業年度の収益の額とする。

⑷　内国法人の各事業年度の所得の金額の計算上その事業年度の損金の額に算入すべき金額は、別段の定めがあるものを除き、次に掲げる額とする。

　①　その事業年度の収益に係る　チ　、完成工事原価その他これらに準ずる原価の額

　②　①に掲げるもののほか、その事業年度の　リ　、一般管理費その他の費用の額

　③　その事業年度の損失の額で　ト　以外の取引に係るもの

⑸　上記⑶、⑷に掲げる額は、一般に　ヌ　と認められる　ル　にしたがって計算するものとする。

イ		ロ		ハ		ニ		ホ	
ヘ		ト		チ		リ		ヌ	
ル									

問題2　別表四の作成(1)　　　　　　　　　　　　基本　5分

次の資料により、当社の当期における所得金額を計算しなさい。

(1)　損益計算書に計上されている当期純利益の額は5,000,000円である。

(2)　所得の金額の計算上、加算又は減算の調整が必要な事項は次のとおりである。

①	損金経理した法人税額及び地方法人税	1,500,000円
②	損金経理した住民税額	130,000円
③	損金経理した納税充当金	800,000円
④	納税充当金から支出した事業税等の額	400,000円
⑤	法人税額から控除される所得税額	112,500円
⑥	受取配当等の益金不算入額	250,000円
⑦	交際費等の損金不算入額	370,000円

＜別表四＞　　　　　　　　　　　　　　　　　　　　（単位：円）

内　容		金　額
当 期 純 利 益		
加算	損 金 経 理 法 人 税 及 び 地 方 法 人 税	
	損 金 経 理 住 民 税	
	損 金 経 理 納 税 充 当 金	
	交 際 費 等 の 損 金 不 算 入 額	
	小　　計	
減算	納 税 充 当 金 支 出 事 業 税 等	
	受 取 配 当 等 の 益 金 不 算 入 額	
	小　　計	
仮　　計		
法 人 税 額 控 除 所 得 税 額		
合 計・差 引 計・総 計		
所 　 得 　 金 　 額		

問題3　別表四の作成(2)　　　　　基本　5分

次の資料により、当社の当期における別表四を作成しなさい。

1．確定した決算に基づく当期純利益の額　　　　　　　50,000,000円
2．損金経理により納税充当金として計上した金額　　　16,000,000円
3．損金経理法人税及び地方法人税（中間申告分）　　　12,000,000円
4．損金経理住民税（中間申告分）　　　　　　　　　　1,100,000円
5．納税充当金から支出した前期分確定事業税　　　　　7,400,000円
6．受取配当等の益金不算入額　　　　　　　　　　　　730,000円
7．繰延資産償却超過額　　　　　　　　　　　　　　　120,000円
8．役員給与の損金不算入額　　　　　　　　　　　　2,550,000円
9．評価益の益金不算入額　　　　　　　　　　　　　　450,000円
10．寄附金の損金不算入額　　　　　　　　　　　　　　578,000円
11．法人税額から控除される所得税額　　　　　　　　　109,500円

＜別表四＞　　　　　　　　　　　　　　　　　　　（単位：円）

内　　容		金　　額
当 期 純 利 益		
加算	損 金 経 理 法 人 税 及 び 地 方 法 人 税	
	損 金 経 理 住 民 税	
	損 金 経 理 納 税 充 当 金	
	役 員 給 与 の 損 金 不 算 入 額	
	繰 延 資 産 償 却 超 過 額	
	小　　計	
減算	納 税 充 当 金 支 出 事 業 税 等	
	受 取 配 当 等 の 益 金 不 算 入 額	
	評 価 益 の 益 金 不 算 入 額	
	小　　計	
仮　　計		
寄 附 金 の 損 金 不 算 入 額		
法 人 税 額 控 除 所 得 税 額		
合 計・差 引 計・総 計		
所　　得　　金　　額		

| 問題4 | 別表四の作成(3) | 基本 | 10分 |

次の資料により、当社の当期における別表四を作成しなさい。

(1) 損益計算書に計上されている当期純利益の額は67,230,000円である。

(2) 別表四において調整が必要な項目は次のとおりである。

①	損金経理法人税及び地方法人税（中間申告分）	32,500,000円
②	損金経理住民税（中間申告分）	3,000,000円
③	売上高計上もれ	2,000,000円
④	売上原価計上もれ	450,000円
⑤	交際費等の損金不算入額	16,480,000円
⑥	貸倒引当金繰入超過額	288,000円
⑦	法人税額から控除される所得税額	350,000円
⑧	受取配当等の益金不算入額	798,000円
⑨	減価償却超過額	530,689円
⑩	寄附金の損金不算入額	1,010,000円

＜別表四＞ （単位：円）

内　　容		金　　額
当 期 純 利 益		
加算		
	小　　計	
減算		
	小　　計	
仮　　計		
合 計・差引計・総 計		
所　　得　　金　　額		

解答 問題1 各事業年度の所得の金額

イ	課税標準	ロ	所得の金額	ハ	益金の額	ニ	損金の額	ホ	資産の販売
ヘ	役務の提供	ト	資本等取引	チ	売上原価	リ	販売費	ヌ	公正妥当
ル	会計処理の基準								

解答 問題2 別表四の作成(1)

<別表四>　　　　　　　　　　　　　　　　　　　　（単位：円）

内　容	金　額
当 期 純 利 益	5,000,000
加算　損 金 経 理 法 人 税 及 び 地 方 法 人 税	1,500,000
損 金 経 理 住 民 税	130,000
損 金 経 理 納 税 充 当 金	800,000
交 際 費 等 の 損 金 不 算 入 額	370,000
小 計	2,800,000
減算　納 税 充 当 金 支 出 事 業 税 等	400,000
受 取 配 当 等 の 益 金 不 算 入 額	250,000
小 計	650,000
仮 計	7,150,000
法 人 税 額 控 除 所 得 税 額	112,500
合 計・差引計・総 計	7,262,500
所 得 金 額	7,262,500

解答 問題3 別表四の作成(2)

<別表四>　　　　　　　　　　　　　　　　　　　　（単位：円）

内　容	金　額
当 期 純 利 益	50,000,000
加算　損 金 経 理 法 人 税 及 び 地 方 法 人 税	12,000,000
損 金 経 理 住 民 税	1,100,000
損 金 経 理 納 税 充 当 金	16,000,000
役 員 給 与 の 損 金 不 算 入 額	2,550,000
繰 延 資 産 償 却 超 過 額	120,000
小 計	31,770,000

Ch 1

Ch 2

Ch 3

Ch 4

Ch 5

Ch 6

Ch 7

Ch 8

Ch 9

Ch 10

Ch 11

Ch 12

Ch 13

総合計算問題

減算	納 税 充 当 金 支 出 事 業 税 等	7,400,000
	受 取 配 当 等 の 益 金 不 算 入 額	730,000
	評 価 益 の 益 金 不 算 入 額	450,000
	小　　計	8,580,000
	仮　　計	73,190,000
	寄 附 金 の 損 金 不 算 入 額	578,000
	法 人 税 額 控 除 所 得 税 額	109,500
	合 計・差 引 計・総 計	73,877,500
	所　　得　　金　　額	73,877,500

解答 問題4 別表四の作成(3)

＜別表四＞ (単位：円)

	内　　容	金　　額
当 期 純 利 益		67,230,000
加算	損 金 経 理 法 人 税 及 び 地 方 法 人 税	32,500,000
	損 金 経 理 住 民 税	3,000,000
	売 上 高 計 上 も れ	2,000,000
	交 際 費 等 の 損 金 不 算 入 額	16,480,000
	貸 倒 引 当 金 繰 入 超 過 額	288,000
	減 価 償 却 超 過 額	530,689
	小　　計	54,798,689
減算	売 上 原 価 計 上 も れ	450,000
	受 取 配 当 等 の 益 金 不 算 入 額	798,000
	小　　計	1,248,000
	仮　　計	120,780,689
	寄 附 金 の 損 金 不 算 入 額	1,010,000
	法 人 税 額 控 除 所 得 税 額	350,000
	合 計・差 引 計・総 計	122,140,689
	所　　得　　金　　額	122,140,689

········ *Memorandum Sheet* ········

Chapter 3

欠損金

問題1　青色申告 　基本　5分

次の各文章の空欄に適切な語句を埋め、文章を完成させなさい。

(1)　内国法人は、納税地の所轄税務署長の　①　を受けた場合には、　②　、確定申告書及びこれらに係る　③　を青色の申告書により提出することができる。

(2)　その事業年度以後の各事業年度について青色申告の　①　を受けようとする内国法人は、その事業年度　④　までに、一定の事項を記載した　⑤　を納税地の所轄税務署長に提出しなければならない。

(3)　新設法人の場合の　⑤　の提出期限は、その設立の日以後　⑥　と　⑦　とのいずれか早い日の　⑧　とする。

(4)　税務署長は、(2)の　⑤　の提出があった場合において、その　⑨　の処分をするときは、書面によりその旨を通知する。

(5)　青色申告法人は、青色申告書の提出をやめようとするときは、その事業年度終了の日の翌日から2月以内に、一定の事項を記載した　⑩　を納税地の所轄税務署長に提出しなければならない。

①		②		③		④		⑤	
⑥				⑦				⑧	
⑨		⑩							

問題2　欠損金の繰越し(1) 　基本　5分

次の資料により、当社の当期（第10期）における欠損金等の当期控除額を計算しなさい。

(1)　当社の最近の事業年度における所得金額又は欠損金額は次のとおりである。なお、第5期以前に欠損金額は生じていない。

事業年度	所得金額又は欠損金額
第6期	△ 1,800,000円
第7期	△ 2,100,000円
第8期	400,000円
第9期	1,500,000円
第10期	3,700,000円

（注）所得金額は、欠損金額控除前の金額である。

(2)　当社の事業年度は、設立以来1年であり、継続して青色申告書を提出している。なお、当社は欠損金の繰戻し還付の適用を受けたことはない。

(3)　当社の当期末における資本金の額は1億円（当社の株主に法人株主はいない。）である。

→ 解答・解説 3-5

Ch 1

Ch 2

Ch 3

Ch 4

Ch 5

Ch 6

Ch 7

Ch 8

Ch 9

Ch 10

Ch 11

Ch 12

Ch 13

総合計算問題

問題3 欠損金の繰越し(2)　　　　　　　　　　　基本　3分

次の資料により、当社の当期における欠損金等の当期控除額を計算しなさい。

⑴　前期及び前々期における税法上の所得金額又は欠損金額は次のとおりである。

事業年度	所得金額又は欠損金額
前 々 期	15,000,000円
前　　期	△ 40,000,000円

　　（注）　当社は設立以来連続して青色の申告書により確定申告書を提出しており、事業年度はいずれも1
　　　　年である。なお、前期において生じた欠損金額40,000,000円のうち15,000,000円については、前期
　　　　において法人税法第80条《欠損金の繰戻しによる還付》の規定の適用を受けている。

⑵　当社の当期における別表四差引計の金額は28,000,000円、当期末における資本金の額は1億円である。
　なお、当社の株主に法人株主はいない。

＜別表四＞　　　　　　　　　　　　　　　　　　（単位：円）

内　　容	金　　額
合　　計・差　引　計	28,000,000
総　　計	
所　得　金　額	

解答 問題1 青色申告

①	承認	②	中間申告書	③	修正申告書	④	開始の日の前日	⑤	申請書
⑥	3月を経過した日			⑦	その事業年度終了の日			⑧	前日
⑨	承認又は却下	⑩	届出書						

解答 問題2 欠損金の繰越し(1)

(1) 第8期

$400,000円 < 1,800,000円$ ∴ $400,000円$

(2) 第9期

① $1,500,000円 > 1,800,000 - 400,000 = 1,400,000円$ ∴ $1,400,000円$

② $1,500,000 - 1,400,000 = 100,000円 < 2,100,000円$ ∴ $100,000円$

(3) 当期

$3,700,000円 > 2,100,000 - 100,000 = 2,000,000円$ ∴ $2,000,000円$（欠損金等の当期控除額）

解説

欠損金等の当期控除額を求めるためには、過年度の控除の状況を確認し、当期に繰り越されている青色欠損金額を求める必要があります。

(1) 第8期

$\underline{400,000円} < \underline{1,800,000円}$ ∴ $\underline{400,000円}$
第8期所得金額　第6期欠損金額　　　　第8期控除額

(2) 第9期

① $\underline{1,500,000円} > \underline{1,800,000} - \underline{400,000} = \underline{1,400,000円}$ ∴ $\underline{1,400,000円}$
第9期所得金額　第6期欠損金額　第8期控除額　第6期欠損金額の残額　　　第6期欠損金額の第9期控除額

② $\underline{1,500,000} - \underline{1,400,000} = \underline{100,000円} < \underline{2,100,000円}$ ∴ $\underline{100,000円}$
第9期所得金額　第6期欠損金額の　第9期所得金額の残額　第7期欠損金額　　　第7期欠損金額の第9期控除額
　　　　　　　第9期控除額

(3) 当期

$\underline{3,700,000円} > \underline{2,100,000} - \underline{100,000} = \underline{2,000,000円}$ ∴ $\underline{2,000,000円}$（欠損金等の当期控除額）
当期所得金額　第7期欠損金額　第7期欠損金額の　第7期欠損金額の残額　　　当期控除額
　　　　　　　　　　　　　第9期控除額

解 答　問題3　欠損金の繰越し⑵

＜別表四＞　　　　　　　　　　　　　　　　　　　　　　（単位：円）

内　　　　容	金　　額
合　　計・差　引　計	28,000,000
欠　損　金　等　の　当　期　控　除　額	△　25,000,000
総　　　　計	3,000,000
所　　得　　金　　額	3,000,000

解 説

　控除対象欠損金額は、青色申告書を提出する事業年度において生じた欠損金額となりますが、その欠損金額からは、欠損金の繰戻し還付の計算の基礎となったものは除かれます。よって、欠損金等の当期控除額は次の金額となります。

⑴　控除対象欠損金額

40,000,000 － 15,000,000 ＝ 25,000,000円
前期欠損金額　　繰戻し還付の対象とした金額

⑵　別表四差引計

28,000,000円

⑶　⑴＜⑵　　∴　25,000,000円
当期控除額

········ *Memorandum Sheet* ········

Chapter 4

税額計算

No	内　　容	標準時間	重要度	難易度
問題1	法人税額の計算(1)	4分	A	基本
問題2	法人税額の計算(2)	5分	A	基本
問題3	別表一の作成	5分	A	基本
問題4	別表四と別表一の作成	8分	A	基本

問題1　法人税額の計算(1)　　　　基本　4分

　次の資料により、当社の当期における納付すべき法人税額（差引確定法人税額）を計算しなさい。

1．当期の所得金額　　　　　53,220,823円
2．控除所得税額　　　　　　　108,250円
3．中間申告分法人税　　　　8,000,000円
4．期末資本金の額　　　　300,000,000円

(1)　課税標準である所得金額

| | 円 → | | 円　（ | ） |

(2)　法人税額

| | 円× | | ％＝ | | 円 |

(3)　差引所得に対する法人税額

| | 円− | | 円＝ | | 円　→ | | 円 |

（ | | ）

(4)　差引確定法人税額

| | 円− | | 円＝ | | 円 |

問題2　法人税額の計算(2)　　　　基本　5分

　次の資料により、当社の当期における納付すべき法人税額（差引確定法人税額）を計算しなさい。

1．当期の所得金額　　　　　24,679,151円
2．控除所得税額　　　　　　　163,530円
3．中間申告分法人税額　　　2,900,000円
4．期末資本金の額　　　　50,000,000円（法人による完全支配関係はない。）

(1)　課税標準である所得金額

| | 円　→ | | 円　（ | ） |

(2)　年800万円以下の金額

| | 円× | | ＝ | | 円 |

(3)　年800万円超の金額

| | 円− | | 円＝ | | 円 |

(4)　法人税額

| | 円× | | ％＋ | | 円× | | ％＝ | | 円 |

(5)　差引所得に対する法人税額

| | 円− | | 円＝ | | 円　→ | | 円 |

（ | | ）

(6)　差引確定法人税額

| | 円− | | 円＝ | | 円 |

問題3　別表一の作成　　　　　　　　　　　　　　基本　5分

当社は期末資本金の額が2億円の製造業を営む内国法人であるが、次の資料により、当社の当期における別表一を完成させなさい。

1．所得金額　　　　　　　　　　　　　　　　　　　　　160,000,000円
2．試験研究費の特別控除額（租税特別措置法上の控除税額）　　2,000,000円
3．外国税額控除（法人税法上の控除税額）　　　　　　　　1,235,790円
4．中間申告分法人税額　　　　　　　　　　　　　　　28,545,000円

＜別表一＞　　　　　　　　　　　　　　　　　　　　　　　　　　（単位:円）

内　　容	金　　額	計　算　過　程
所　得　金　額		（　　　　　　　　　）
法　人　税　額		【法人税額の計算】
特　別　控　除　額		
差　引　法　人　税　額		
留保金に対する税額		
法　人　税　額　計		
控　除　税　額		
差引所得に対する法人税額		（　　　　　　　　　）
中間申告分の法人税額		
差引確定法人税額		

問題4 別表四と別表一の作成 　　基本 8分

次の資料により当社（法人による完全支配関係はない。）の当期における別表四及び別表一を作成しなさい。

1 当期の株主資本等変動計算書（利益剰余金の部分のみ）は次のとおりである。

（単位：円）

	株　　　主　　　資　　　本				
	資　本　金	資本剰余金 資本準備金	利　益　剰　余　金		
			利益準備金	その他利益剰余金	
				別途積立金	繰越利益剰余金
当期首残高	100,000,000	20,000,000	3,000,000	32,000,000	35,000,000
当期変動額					
剰　余　金　の　配　当					△15,000,000
剰余金の配当に伴う利益準備金の積立て			1,500,000		△　1,500,000
別途積立金の積立て				17,000,000	△17,000,000
当　期　純　利　益					55,000,000
当期変動額合計			1,500,000	17,000,000	21,500,000
当期末残高	100,000,000	20,000,000	4,500,000	49,000,000	56,500,000

2 別表四及び別表一の作成上、調整すべき金額は次のとおりである。

(1) 損金経理法人税（中間申告分）　　　　11,000,000円

(2) 損金経理住民税（中間申告分）　　　　 1,200,000円

(3) 損金経理納税充当金　　　　　　　　　23,000,000円

(4) 減価償却超過額　　　　　　　　　　　　 210,000円

(5) 交際費等の損金不算入額　　　　　　　 1,800,000円

(6) 納税充当金支出事業税等　　　　　　　 3,290,000円

(7) 受取配当等の益金不算入額　　　　　　　 820,000円

(8) 寄附金の損金不算入額　　　　　　　　　 380,000円

(9) 法人税額から控除される所得税額　　　　 128,421円

＜別表四＞ (単位：円)

内　　　容		金　　　額
当 期 純 利 益		
加算	損　金　経　理　法　人　税	
	損　金　経　理　住　民　税	
	損 金 経 理 納 税 充 当 金	
	減 価 償 却 超 過 額	
	交 際 費 等 の 損 金 不 算 入 額	
	小　　　計	
減算	納 税 充 当 金 支 出 事 業 税 等	
	受 取 配 当 等 の 益 金 不 算 入 額	
	小　　　計	
仮　　　計		
寄 附 金 の 損 金 不 算 入 額		
法 人 税 額 控 除 所 得 税 額		
合 計・差引計・総 計		
所　　得　　金　　額		

＜別表一＞ (単位：円)

内　　容	金　　額	計　算　過　程
所　得　金　額		(　　　　　　　　　)
法　人　税　額		【法人税額の計算】
特　別　控　除　額		⑴　年800万円以下の金額
差　引　法　人　税　額		⑵　年800万円超の金額
留 保 金 に 対 す る 税 額		⑶　法人税額
法　人　税　額　計		
控　除　税　額		
差引所得に対する法人税額		(　　　　　　　　　)
中 間 申 告 分 の 法 人 税 額		
差 引 確 定 法 人 税 額		

解答 | 問題1 法人税額の計算(1)

(1) 課税標準である所得金額

53,220,823 円 → 53,220,000 円 (千円未満切捨)

(2) 法人税額

53,220,000 円× 23.2 %= 12,347,040 円

(3) 差引所得に対する法人税額

12,347,040 円－ 108,250 円= 12,238,790 円 → 12,238,700 円

(百円未満切捨)

(4) 差引確定法人税額

12,238,700 円－ 8,000,000 円= 4,238,700 円

解説

　期末資本金の額が300,000,000円であり、100,000,000円を超えているため、税率を区分して適用する必要はありません。一律23.2%の税率を適用します。

　なお、課税標準である所得金額に千円未満の端数があるときはその千円未満の端数を切捨て、差引所得に対する法人税額に百円未満の端数があるときはその百円未満の端数を切捨てます。

解答 | 問題2 法人税額の計算(2)

(1) 課税標準である所得金額

24,679,151 円 → 24,679,000 円 (千円未満切捨)

(2) 年800万円以下の金額

8,000,000 円× $\dfrac{12}{12}$ = 8,000,000 円

(3) 年800万円超の金額

24,679,000 円－ 8,000,000 円= 16,679,000 円

(4) 法人税額

8,000,000 円× 15 %+ 16,679,000 円× 23.2 %= 5,069,528 円

(5) 差引所得に対する法人税額

5,069,528 円－ 163,530 円= 4,905,998 円 → 4,905,900 円

(百円未満切捨)

(6) 差引確定法人税額

4,905,900 円－ 2,900,000 円= 2,005,900 円

解説

　期末資本金の額が50,000,000円なので、100,000,000円以下であり、かつ、大法人による完全支配関係もないため、年800万円以下の所得金額に対しては15%、年800万円超の所得金額に対しては23.2%と税率を区分して適用します。

解 答　問題3　別表一の作成

<別表一> （単位：円）

内　　容	金　　額	計　算　過　程
所　得　金　額	160,000,000	（千円未満切捨）
法　人　税　額	37,120,000	【法人税額の計算】
特　別　控　除　額	2,000,000	160,000,000×23.2％＝37,120,000円
差　引　法　人　税　額	35,120,000	
留保金に対する税額		
法　人　税　額　計	35,120,000	
控　　除　　税　　額	1,235,790	
差引所得に対する法人税額	33,884,200	（百円未満切捨）
中間申告分の法人税額	28,545,000	
差引確定法人税額	5,339,200	

解 説

　期末資本金の額が2億円であり、100,000,000円を超えているため、税率は一律23.2％を適用します。

　なお、租税特別措置法上の控除税額は「特別控除額」の欄に、法人税法上の控除税額は「控除税額」の欄にそれぞれ記入します。

<別表四>　　　　　　　　　　　　　　　　　　　　　（単位：円）

内　容	金　額
当 期 純 利 益	55,000,000
加　算　損 金 経 理 法 人 税	11,000,000
損 金 経 理 住 民 税	1,200,000
損 金 経 理 納 税 充 当 金	23,000,000
減 価 償 却 超 過 額	210,000
交 際 費 等 の 損 金 不 算 入 額	1,800,000
小　　計	37,210,000
減　算　納 税 充 当 金 支 出 事 業 税 等	3,290,000
受 取 配 当 等 の 益 金 不 算 入 額	820,000
小　　計	4,110,000
仮　　計	88,100,000
寄 附 金 の 損 金 不 算 入 額	380,000
法 人 税 額 控 除 所 得 税 額	128,421
合 計・差引計・総 計	88,608,421
所　得　金　額	88,608,421

<別表一>　　　　　　　　　　　　　　　　　　　　　　　　　　　　（単位：円）

内　容	金　額	計　算　過　程
所　得　金　額	88,608,000	（千 円 未 満 切 捨）
法　人　税　額	19,901,056	【法人税額の計算】
特　別　控　除　額		(1)　年800万円以下の金額
差 引 法 人 税 額	19,901,056	$8,000,000 \times \dfrac{12}{12} = 8,000,000$円
留 保 金 に 対 す る 税 額		(2)　年800万円超の金額
法　人　税　額　計	19,901,056	$88,608,000 - 8,000,000 = 80,608,000$円
控　除　税　額	128,421	(3)　法人税額
差引所得に対する法人税額	19,772,600	$8,000,000 \times 15\% + 80,608,000 \times 23.2\%$ $= 19,901,056$円 （百 円 未 満 切 捨）
中 間 申 告 分 の 法 人 税 額	11,000,000	
差 引 確 定 法 人 税 額	8,772,600	

解　説

① 期末資本金の額（資本金の当期末残高の欄の金額）100,000,000円と当期純利益の額55,000,000円は株主資本等変動計算書から読み取ります。

(単位：円)

	株 主 資 本				
		資本剰余金	利　益　剰　余　金		
資　本　金		資本準備金	利益準備金	その他利益剰余金	
				別途積立金	繰越利益剰余金
当期首残高	100,000,000	20,000,000	3,000,000	32,000,000	35,000,000
当期変動額					
剰余金の配当					△15,000,000
剰余金の配当に伴う利益準備金の積立て			1,500,000		△1,500,000
別途積立金の積立て					17,000,000
当　期　純　利　益					55,000,000
当期変動額合計			1,500,000	17,000,000	21,500,000
当期末残高	100,000,000	20,000,000	4,500,000	49,000,000	56,500,000

期末資本金の額は100,000,000円なので、100,000,000円以下であり、かつ、大法人による完全支配関係もないため、軽減税率（15％）の適用ができます。

② 損金経理法人税（中間申告分）は、別表四で加算調整をするとともに、別表一の中間申告分の法人税額の欄に記入が必要です。

③ 法人税額から控除する所得税額は、別表四の仮計の下で加算調整をするとともに、別表一の控除税額の欄に記入が必要です。

········ *Memorandum Sheet* ········

Chapter 5

受取配当等の益金不算入

No	内　　容	標準時間	重要度	難易度
問題1	配当等の額の範囲(1)	4分	A	基本
問題2	配当等の額の範囲(2)	4分	A	基本
問題3	控除負債利子(1)	5分	A	基本
問題4	控除負債利子(2)	5分	A	基本
問題5	ミニテスト	5分	A	基本

問題1 　配当等の額の範囲(1) 　　　　　　基本　4分

　次の資料により、当社の当期における受取配当等の益金不算入額を計算しなさい。

(1) 当社が当期において収受した配当等の内訳は次のとおりであり、当期の収益に計上されている。

① 　A商事株式会社から支払いを受けた剰余金の配当の額　　2,000,000円（関連法人株式等に係る配当等の額に該当するものである。）

② 　B特定株式投資信託の収益分配金の額　　900,000円（源泉徴収税額控除前の金額である。）

(2) 配当等の額から控除する負債利子の額は80,000円である。

(1) 配当等の額

① 関連法人株式等

　　　　　　　　　円

② 非支配目的株式等

　　　　　　　　　円

(2) 控除負債利子

　　　　　　　　　円

(3) 益金不算入額

（　　　　　　　 － 　　　　　　　 ）＋ 　　　　　　　 ×20%＝ 　　　　　　　 円

| 問題2 | 配当等の額の範囲(2) | | 基本 | 4分 |

次の資料により、当社の当期における受取配当等の益金不算入額を計算しなさい。

(1) 当社は、当期において次の配当等の額を収受し、当期の収益に計上している。

銘　柄　等	内　　容	配当等の額
A　　株　　式	剰余金の配当	200,000円
B　　株　　式	剰余金の配当	140,000円
C　　株　　式	剰余金の配当	110,000円
D 証 券 投 資 信 託	収 益 分 配 金	130,000円
E　銀　行　預　金	利　　　　子	80,000円

(注1) A株式は、内国法人が発行する株式であり、関連法人株式等に該当する。

(注2) B株式は、外国法人が発行する株式である。

(注3) C株式は、内国法人が発行する株式であり、その他株式等に該当する。

(注4) D証券投資信託は、主として内国法人の株式に投資するものである。

(2) 受取配当等の益金不算入額の計算上、配当等の額から控除する負債利子の額は8,000円である。

　(1) 配当等の額

　　① 関連法人株式等

　　　　[　　　　　　] 円

　　② その他株式等

　　　　[　　　　　　] 円

　(2) 控除負債利子

　　　[　　　　　　] 円

　(3) 益金不算入額

　　([　　　　] － [　　　　]) + [　　　　] ×50% = [　　　　] 円

問題3　控除負債利子(1)　　　　　基本　5分

次の資料により、当社の当期における受取配当等の益金不算入額を計算しなさい。

(1)　当社は、当期において次の配当等の額を収受し、当期の収益に計上している。

銘　柄　等	区　　分	配当等の額
A　　株　　式	剰余金の配当	900,000円
B　　株　　式	剰余金の配当	450,000円
C証券投資信託	収益分配金	160,000円
D証券投資信託	収益分配金	200,000円
E　　社　　債　利　子		50,000円

（注1）　A株式の保有割合は40%であり、数年前に取得して以来異動はない。

（注2）　B株式の保有割合は15%であり、数年前に取得して以来異動はない。

（注3）　C証券投資信託は、主として内国法人の株式に運用することを指図できるものである。

（注4）　D証券投資信託は、特定株式投資信託に該当するものである。

（注5）　上記の株式等は、すべて内国法人が発行するものである。

(2)　当期において支払った負債利子の額は1,934,600円である。

⑴　配当等の額

①　関連法人株式等

　　　　　　　　　　　円

②　その他株式等

　　　　　　　　　　　円

③　非支配目的株式等

　　　　　　　　　　　円

⑵　控除負債利子

①　当期支払負債利子　　　　　　　　　　円

②　控除負債利子の額

イ　配当等の額基準額

　　　　　　　　　× 　　　　　% = 　　　　　　　　　円

ロ　支払負債利子基準額

　　　　　　　　　× 　　　　　% = 　　　　　　　　　円

ハ　イ　　　　　ロ　∴　　　　　　　　　円

⑶　益金不算入額

（　　　　　　　−　　　　　　　）+ 　　　　　　　×50%

+ 　　　　　　　×20% = 　　　　　　　　　円

問題4　控除負債利子⑵　　　　　　　　　　　　　基本　5分

次の資料により、当社の当期における受取配当等の益金不算入額を計算しなさい。

⑴　当社が当期において、収受し収益に計上した配当等の額は次のとおりである。

銘 柄 等	計 算 期 間	配当等の額	株 式 保有割合
A　株　式	令 6 . 5 . 1 ～令 7 . 4 . 30	570,000円	50%
B　株　式	令 6 . 4 . 1 ～令 7 . 3 . 31	360,000円	15%
C証券投資信託	令 7 . 1 . 1 ～令 7 . 12. 31	240,000円	―

（注 1 ）　C証券投資信託は、主として内国法人が発行する株式等に運用されるものである。

（注 2 ）　上記の株式等はすべて内国法人が発行したものである。なお、A株式及びB株式は数年前に取得してから株式保有割合に異動はない。

⑵　当社が当期において費用に計上した支払負債利子の額は1,200,000円である。

⑴　配当等の額

① 　関連法人株式等

　　　　　　　　　　　円

② 　その他株式等

　　　　　　　　　　　円

⑵　控除負債利子

① 　当期支払負債利子　　　　　　　　　　円

② 　控除負債利子の額

イ 　配当等の額基準額

　　　　　　　　　 × 　　　　　 % = 　　　　　　　　　円

ロ 　支払負債利子基準額

　　　　　　　　　 × 　　　　　 % = 　　　　　　　　　円

ハ 　イ 　　　　　 ロ 　　∴ 　　　　　　　　　円

⑶　益金不算入額

（　　　　　　　　 － 　　　　　　　　　） + 　　　　　　　　 ×50% = 　　　　　　　　　円

| 問題5 | ミニテスト | | 基本 | 5分 |

次の資料により、当社の当期に係る受取配当等の益金不算入額を計算しなさい。

(1) 当期に収受した配当等の額の内訳は以下のとおりであり、同額を当期の収益に計上している。

銘 柄 等	区 分	配当等の額	保 有 割 合
A 株 式	剰余金の配当	500,000 円	10%
B 株 式	剰余金の配当	1,000,000 円	35%
C 社 債	社 債 利 子	30,000 円	–
D 特定株式投資信託	収 益 分 配 金	400,000 円	–

(2) 上記の配当等の額は、源泉徴収税額控除前の金額である。

(3) 上記の株式等はすべて数年前から取得しており、その後元本に異動はない。

(4) 当期分の支払利子総額は 12,600,000 円である。

解答　問題1　配当等の額の範囲(1)

(1) 配当等の額

① 関連法人株式等

| 2,000,000 | 円

② 非支配目的株式等

| 900,000 | 円

(2) 控除負債利子

| 80,000 | 円

(3) 益金不算入額

(| 2,000,000 | − | 80,000 |) + | 900,000 | ×20% = | 2,100,000 | 円

解説

控除負債利子があるのは、関連法人株式等に係る配当等だけです。

解答　問題2　配当等の額の範囲(2)

(1) 配当等の額

① 関連法人株式等

| 200,000 | 円

② その他株式等

| 110,000 | 円

(2) 控除負債利子

| 8,000 | 円

(3) 益金不算入額

(| 200,000 | − | 8,000 |) + | 110,000 | ×50% = | 247,000 | 円

解説

① 外国法人が発行する株式に係る剰余金の配当は、受取配当等の益金不算入の対象となりません。

② 証券投資信託の収益分配金で配当等の額となるのは、特定株式投資信託の収益分配金だけです。

(1) 配当等の額

① 関連法人株式等

| 900,000 | 円

② その他株式等

| 450,000 | 円

③ 非支配目的株式等

| 200,000 | 円

(2) 控除負債利子

① 当期支払負債利子 | 1,934,600 | 円

② 控除負債利子の額

イ 配当等の額基準額

| 900,000 | × | 4 | % = | 36,000 | 円

ロ 支払負債利子基準額

| 1,934,600 | × | 10 | % = | 193,460 | 円

ハ イ | < | ロ ∴ | 36,000 | 円

(3) 益金不算入額

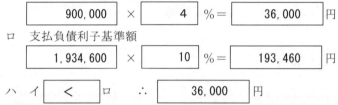

(| 900,000 | − | 36,000 |) + | 450,000 | ×50%

+ | 200,000 | ×20% = | 1,129,000 | 円

解 説

① A株式は、保有割合が3分の1超であることから関連法人株式等に該当します。

② B株式は、保有割合が5％超、かつ、3分の1以下であるため、その他株式等に該当します。

③ D証券投資信託は特定株式投資信託に該当することから、非支配目的株式等に係る配当等の額となります。

⑤ 社債利子は、配当等の額に含まれません。

⑥ 計算の過程で生ずる円未満の端数は切捨てます。＋、－、＝のところで切捨てます。

---

(1) 配当等の額

① 関連法人株式等

| 570,000 | 円

② その他株式等

| 360,000 | 円

⑵　控除負債利子

　　①　当期支払負債利子　　　1,200,000　円

　　②　控除負債利子の額

　　　イ　配当等の額基準額

　　　　　570,000　×　4　%＝　22,800　円

　　　ロ　支払負債利子基準額

　　　　　1,200,000　×　10　%＝　120,000　円

　　　ハ　イ　＜　ロ　∴　22,800　円

⑶　益金不算入額

　（　570,000　－　22,800　）＋　360,000　×50%＝　727,200　円

Ch 1　Ch 2　Ch 3　Ch 4　Ch 5　Ch 6　Ch 7　Ch 8　Ch 9　Ch 10　Ch 11　Ch 12　Ch 13　総合計算問題

解説

①　A株式は、保有割合が3分の1超であることから関連法人株式等に該当します。

②　B株式は、保有割合が5％超かつ3分の1以下であるためその他株式等に該当します。

③　C証券投資信託の収益分配金は、特定株式投資信託に該当しませんので、配当等の額になりません。

解答　問題5　ミニテスト

⑴　配当等の額

　　①　関連法人株式等

　　　1,000,000円

　　②　その他株式等

　　　500,000円

　　③　非支配目的株式等

　　　400,000円

⑵　控除負債利子

　　①　当期支払負債利子　　12,600,000円

　　②　控除負債利子の額

　　　イ　配当等の額基準額

　　　　1,000,000×4％＝40,000円

　　　ロ　支払負債利子基準額

　　　　12,600,000×10%＝1,260,000円

　　　ハ　イ＜ロ　　∴　40,000円

⑶　益金不算入額

　　((1)①－(2))＋(1)②×50%＋(1)③×20%＝1,290,000円

········ *Memorandum Sheet* ········

Chapter 6

所得税額控除

No	内　　容	標準時間	重要度	難易度
問題1	個別法	3分	A	基本
問題2	簡便法	3分	A	基本
問題3	個別法と簡便法	5分	A	基本
問題4	受取配当等の益金不算入との関係	10分	A	基本

問題1 個別法 | 基本 | 3分

　次の資料に基づいて、個別法により当社の当期における法人税額から控除される所得税額を計算しなさい。

(1) 当社は令和6年11月15日にA株式を20,000株取得している。

(2) 当社はA株式について、令和7年8月10日に剰余金の配当の額560,000円を収受し、源泉徴収税額85,764円を控除した差引手取額を収益に計上している。

(3) A株式に係る剰余金配当の計算期間は令和6年6月1日から令和7年5月31日までである。

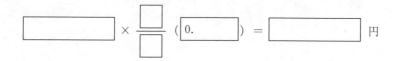

問題2 簡便法 | 基本 | 3分

　次の資料に基づいて、簡便法により当社の当期における法人税額から控除される所得税額を計算しなさい。

(1) 当社は令和6年5月7日にA株式を15,000株取得し、令和6年9月14日に5,000株を譲渡し、令和6年12月22日に12,000株を取得した。

(2) A株式について、令和7年9月10日に剰余金の配当の額770,000円を収受し、源泉徴収税額117,925円控除後の差引手取額を収益に計上した。

(3) A株式の配当等の計算期間は令和6年7月1日から令和7年6月30日までである。

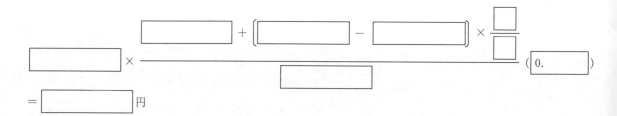

問題3 個別法と簡便法   基本 5分

次の資料により、当社の当期における法人税額から控除される所得税額を計算しなさい。

当社は、当期において次の配当等の額を収受し、源泉徴収税額を控除した差引手取額を当期の収益に計上している。

銘 柄 等	区 分	計 算 期 間	配当等の額	源泉徴収所得税額
A 株 式	剰余金の配当	令6.5.1～令7.4.30	280,000円	57,176円
B 株 式	剰余金の配当	令6.8.1～令7.7.31	252,000円	38,593円
C 社 債	利 子	令6.6.1～令7.5.31	60,000円	9,189円

（注1）　A株式は、令和6年10月16日に20,000株を取得したものである。

（注2）　B株式は、令和7年4月26日に9,000株を取得したものである。

（注3）　C社債は、令和6年8月10日に取得したものである。

（注4）　上記の株式等は、すべて内国法人が発行するものである。

(1)　株式出資

　①　個別法

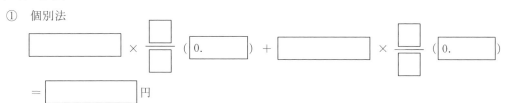

　②　簡便法

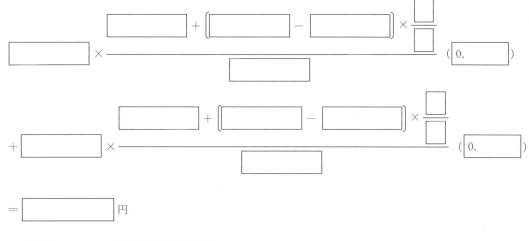

　③　①　☐　②　∴　☐☐☐円

(2)　その他

　円

(3)　合　計

　(1)＋(2)＝ ☐☐☐ 円

問題4　受取配当等の益金不算入との関係　　基本　10分

次の資料により、当社の当期における受取配当等の益金不算入額及び法人税額から控除される所得税額を計算しなさい。

(1) 当社が当期において、収受した配当等の額は次のとおりである。なお、配当等の額から源泉徴収税額を控除した差引手取額を収益に計上している。

銘　柄　等	内　容	計　算　期　間	配当等の額	源泉徴収所得税額
Ａ　株　式	剰余金の配当	令6.10.1〜令7.9.30	470,000円	－
Ｂ証券投資信託	収益分配金	令6.6.1〜令7.5.31	240,000円	36,756円
Ｃ銀行預金	預金利子	－	38,000円	5,819円

(注1) Ａ株式は、令和7年3月6日に取得したものであり、保有割合は40%である。

(注2) Ｂ証券投資信託は、令和7年1月22日に取得したものであり、主として内国法人が発行する株式等に運用されるものである。

(注3) 上記の株式等はすべて内国法人が発行したものである。

(2) 当社が当期において費用に計上した支払負債利子の額は1,768,000円である。

1．受取配当等の益金不算入

(1) 配当等の額

(2) 控除負債利子

① 当期支払負債利子

② 控除負債利子の額

イ 配当等の額基準額

ロ 支払負債利子基準額

ハ

(3) 益金不算入額

2．法人税額から控除される所得税額

　⑴　受益権

　⑵　その他

　⑶　合　計

Ch 1
Ch 2
Ch 3
Ch 4
Ch 5
Ch 6
Ch 7
Ch 8
Ch 9
Ch 10
Ch 11
Ch 12
Ch 13
総合計算問題

$$\boxed{85,764} \times \frac{\boxed{7}}{\boxed{12}} \left(\boxed{0.584}\right) = \boxed{50,086} \text{ 円}$$

解 説

① 個別法の計算では、実際の所有期間に応じて控除税額を計算します。所有期間は、令和6年11月15日から令和7年5月31日までの7月（1月未満の端数は切り上げます。）となります。

② 所有期間按分を行う場合の割合は、「小数点以下3位未満切上」の端数処理が必要です。

解 答 | 問題2 簡便法

$$\boxed{117,925} \times \frac{\boxed{15,000} + \left(\boxed{22,000} - \boxed{15,000}\right) \times \frac{\boxed{1}}{\boxed{2}}}{\boxed{22,000}} \left(\boxed{0.841}\right)$$

$$= \boxed{99,174} \text{ 円}$$

解 説

① 簡便法の計算は、実際の所有期間とは関係なく、計算期間中に増加した元本はすべて計算期間の期央で取得したものとして控除税額を計算します。

② 計算期間中に増加した元本は、計算期間終了時の所有元本数と計算期間開始時の所有元本数の差として求めます。

解 答 | 問題3 個別法と簡便法

(1) 株式出資

① 個別法

$$\boxed{57,176} \times \frac{\boxed{7}}{\boxed{12}} \left(\boxed{0.584}\right) + \boxed{38,593} \times \frac{\boxed{4}}{\boxed{12}} \left(\boxed{0.334}\right)$$

$$= \boxed{46,280} \text{ 円}$$

② 簡便法

$$\boxed{57,176} \times \frac{\boxed{0} + \left(\boxed{20,000} - \boxed{0}\right) \times \frac{\boxed{1}}{\boxed{2}}}{\boxed{20,000}} \left(\boxed{0.500}\right)$$

Ch 1

Ch 2

Ch 3

Ch 4

Ch 5

Ch 7

Ch 8

Ch 9

Ch 10

Ch 11

Ch 12

Ch 13

総合計算問題

$$+ \boxed{38,593} \times \frac{\boxed{0} + \left(\boxed{9,000} - \boxed{0}\right) \times \frac{\boxed{1}}{\boxed{2}}}{\boxed{9,000}} \left(\boxed{0.500}\right)$$

$$= \boxed{47,884} \ 円$$

③ ① $\boxed{<}$ ② ∴ $\boxed{47,884}$ 円

(2) その他

$\boxed{9,189}$ 円

(3) 合 計

(1)+(2)= $\boxed{57,073}$ 円

解 説

　本問では、株式出資グループ（A株式及びB株式）とその他（C社債）に区分することになります。

解 答 問題4 受取配当等の益金不算入との関係

1. 受取配当等の益金不算入

(1) 配当等の額

470,000円

(2) 控除負債利子

　① 当期支払負債利子

　　1,768,000円

　② 控除負債利子の額

　　イ 配当等の額基準額

　　　470,000× 4 ％＝18,800円

　　ロ 支払負債利子基準額

　　　①×10%＝176,800円

　　ハ イ＜ロ ∴ 18,800円

(3) 益金不算入額

　470,000－18,800＝451,200円

2. 法人税額から控除される所得税額

(1) 受益権（$\frac{5}{12} < \frac{1}{2}$ ∴ 簡便法有利）

$$36,756 \times \frac{0 + (1 - 0) \times \frac{1}{2}}{1} (0.500) = 18,378 \ 円$$

⑵　その他

　　5,819 円

⑶　合　計

　　18,378＋5,819＝24,197 円

解　説

①　受取配当等の益金不算入額と所得税額控除額は、いずれも配当等に係る資料から計算するため、1つの資料の中から各計算要素を読み取ります。

②　B証券投資信託は、令和7年1月22日に取得したものであり、所有期間は5月となります。よって、簡便法が明らかに有利になります。

Chapter 7

同族会社

問題1　同族会社の判定(1)

基本　3分

次の資料により、当社の同族会社の判定を示しなさい。

当社の株主は次のとおりである。

株　主	持株割合	備　　　　　考
A	20%	代表取締役社長
B	15%	Aの同族関係者
C	8%	Aの知人
D	7%	Cの同族関係者
E	5%	Aの知人
F	10%	Aの知人
その他の株主	35%	持株割合は5%未満で、上記株主と特殊な関係はない。

(1)　Aグループ

　　　　　　　　% ＋ 　　　　　　　% ＝ 　　　　　　　%

(2)　Cグループ

　　　　　　　　% ＋ 　　　　　　　% ＝ 　　　　　　　%

(3)　Fグループ

　　　　　　　　%

(4)　判　定

　　(1)＋(2)＋(3)　＝ 　　　　　　% 　　　　　　　　% 　　　∴ 　　　　　　　　　

問題2　同族会社の判定(2)

基本　3分

次の資料により、当社の同族会社の判定を示しなさい。

当社の株主は次のとおりである。

株　主	持株割合	備　　　　　考
A	20%	代表取締役
B	15%	Aの友人
C	4%	Bの親族
D株式会社	5%	D㈱の発行済株式総数の60%をAが保有している。
E	15%	Aの友人
その他の株主	41%	持株割合は5%未満で、上記株主と特殊な関係はない。

(1) Aグループ

$\boxed{}$ % + $\boxed{}$ % = $\boxed{}$ %

(2) Bグループ

$\boxed{}$ % + $\boxed{}$ % = $\boxed{}$ %

(3) Eグループ

$\boxed{}$ %

(4) 判　定

(1)＋(2)＋(3)　＝ $\boxed{}$ % $\boxed{}$ $\boxed{}$ %　　∴ $\boxed{}$

→ 解答・解説　7−7

| 問題3 | 特定同族会社の判定 | 基本 | 5分 |

次の資料により、当社（資本金2億円）の同族会社及び特定同族会社の判定を示しなさい。

当社の株主は次のとおりである。

株　　主	持株割合	備　　　　　考
A	30％	代表取締役
B	20％	Aの長男
C	5％	Bの妻
D	10％	Aの友人
E	8％	Dの弟
F	5％	Aの友人
その他少数株主	22％	各株主グループはいずれも持株割合4％以下である。
合　　　計	100％	

1．同族会社の判定

(1) Aグループ

$\boxed{}$ % + $\boxed{}$ % + $\boxed{}$ %＝ $\boxed{}$ %

(2) Dグループ

$\boxed{}$ % + $\boxed{}$ % = $\boxed{}$ %

(3) Fグループ

$\boxed{}$ %

(4) 判　定

(1)＋(2)＋(3)　＝ $\boxed{}$ % $\boxed{}$ $\boxed{}$ %　　∴ $\boxed{}$

2．特定同族会社の判定

$\boxed{}$ % $\boxed{}$ $\boxed{}$ %　　∴ $\boxed{}$

問題4　留保金課税　　　　　　　　　　　　　　　基本　10分

次の資料により、(1)から(4)の場合ごとに特定同族会社の特別税率の規定による特別税額を計算しなさい。

(1)　課税留保金額が、25,000,000円である場合

(2)　課税留保金額が、60,000,000円である場合

(3)　課税留保金額が、130,000,000円である場合

(4)　留保金額が70,000,000円であり、留保控除額が45,000,000円である場合

(1)

　　　　　　　　　　円 ×　　　　　　% =　　　　　　　　　　円

(2)　①

　　　　　　　　　　円 ×　　　　　% =　　　　　　　　　　円

　②

　　　　　　　　　　　　　×　　　　% =　　　　　　　　　円

　③

　　①＋② = 　　　　　　　　　円

(3)　①

　　　　　　　　　　円 ×　　　　% =　　　　　　　　　円

　②

　　　　　　　　　　　　　×　　　% =　　　　　　　　　円

　③

　　　　　　　　　　　　　×　　　% =　　　　　　　　　円

　④

　　①＋②＋③ = 　　　　　　　　　円

(4)

　　　　　　　　　　　　　　　　×　　　% =　　　　　　　　　円

問題5　ミニテスト　　　　　　　　　　　　　基本　10分

次の資料により、当社の当期における同族会社の判定を行いなさい。

氏名・役職名	続　柄	持株割合
A代表取締役社長	―	32%
B専務取締役	A　の　長　男	13%
C取締役営業部長	―	7%
D取締役工場長	A　の　弟	6%
E経理部長	―	4%
F総務部長	B　の　妻	3%
G監査役	―	3%
その他少数株主	―	32%
合　　計		100%

解答 問題1 同族会社の判定(1)

(1)　Aグループ

| 20 | ％ ＋ | 15 | ％ ＝ | 35 | ％ |

(2)　Cグループ

| 8 | ％ ＋ | 7 | ％ ＝ | 15 | ％ |

(3)　Fグループ

| 10 | ％ |

(4)　判　定

(1)＋(2)＋(3)　＝　| 60 | ％ | ＞ | 50 | ％ | ∴ | 同族会社 |

解 説

　　株主を、中心的な株主とその同族関係者でグループ分けし、そのグループの持株割合を集計します。

3グループで50％超を保有している場合に同族会社に該当します。

解答 問題2 同族会社の判定(2)

(1)　Aグループ

| 20 | ％ ＋ | 5 | ％ ＝ | 25 | ％ |

(2)　Bグループ

| 15 | ％ ＋ | 4 | ％ ＝ | 19 | ％ |

(3)　Eグループ

| 15 | ％ |

(4)　判　定

(1)＋(2)＋(3)　＝　| 59 | ％ | ＞ | 50 | ％ | ∴ | 同族会社 |

解 説

　　同族関係者の範囲は、次のようになります。

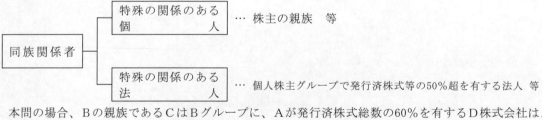

　　本問の場合、Bの親族であるCはBグループに、Aが発行済株式総数の60％を有するD株式会社はA

グループに集計されます。

解 答 | 問題3　特定同族会社の判定

1．同族会社の判定

(1)　Aグループ

| 30 | ％ ＋ | 20 | ％ ＋ | 5 | ％ ＝ | 55 | ％ |

(2)　Dグループ

| 10 | ％ ＋ | 8 | ％ ＝ | 18 | ％ |

(3)　Fグループ

| 5 | ％ |

(4)　判　定

(1)＋(2)＋(3)　＝ | 78 | ％ | ＞ | 50 | ％ | ∴ | 同族会社 |

2．特定同族会社の判定

| 55 | ％ | ＞ | 50 | ％ | ∴ | 特定同族会社 |

解 説

　　特定同族会社は、1つの株主グループ（被支配会社に該当しない法人株主はグループから除きます。）で所有割合が50％を超える会社をいいます。本問の場合、Aグループの持株割合が50％を超えているため特定同族会社に該当することになります。

解 答 | 問題4　留保金課税

(1)

| 25,000,000 | 円 × | 10 | ％ ＝ | 2,500,000 | 円 |

(2)　①

| 30,000,000 | 円 × | 10 | ％ ＝ | 3,000,000 | 円 |

②

| (60,000,000－30,000,000) | × | 15 | ％ ＝ | 4,500,000 | 円 |

③

①＋②　＝ | 7,500,000 | 円 |

(3)　①

| 30,000,000 | 円 × | 10 | ％ ＝ | 3,000,000 | 円 |

②

| (100,000,000－30,000,000) | × | 15 | ％ ＝ | 10,500,000 | 円 |

③

| (130,000,000－100,000,000) | × | 20 | ％ ＝ | 6,000,000 | 円 |

④

$$①+②+③ \quad = \quad \boxed{19,500,000} \quad 円$$

(4)

$$\boxed{(70,000,000-45,000,000)} \quad \times \quad \boxed{10} \quad \% \quad = \quad \boxed{2,500,000} \quad 円$$

解 説

　留保金課税に係る特別税額は、課税留保金額（留保金額－留保控除額）を次の金額に区分し、それぞれの金額にそれぞれの特別税率を乗じた金額を合計した金額となります。

課税留保金額の区分	特別税率
年3,000万円以下の金額	10%
年3,000万円を超え、年1億円以下の金額	15%
年1億円を超える金額	20%

解 答　問題5　ミニテスト

同族会社の判定

(1)　Aグループ

　　32％＋13％＋6％＋3％＝54％

(2)　Cグループ

　　7％

(3)　Eグループ

　　4％

(4)　判　定

　　54％＋7％＋4％＝65％＞50％　　∴同族会社

Chapter 8

給与等

No	内　　容	標準時間	重要度	難易度
問題1	役員等の範囲	5分	A	基本
問題2	役員給与の損金不算入	5分	A	基本
問題3	役員給与の損金不算入額	7分	A	基本

問題1 役員等の範囲 | 基本 | 5分

次の各文章の空欄に適切な語句を埋め、文章を完成させなさい。

1．役員とは、法人の　①　、執行役、　②　、　③　、理事、監事及び清算人並びにこれら以外の者で　④　のうち次のものをいう。

(1)　法人の　⑤　以外の者

(2)　⑥　の使用人のうち、一定の要件を満たしている者

2．使用人兼務役員とは、　⑦　のうち、部長、課長その他法人の使用人としての　⑧　を有し、かつ、常時　⑨　に従事するものをいう。

①		②		③		④	
⑤		⑥		⑦		⑧	
⑨							

問題2 役員給与の損金不算入 | 基本 | 5分

次の各文章について正しいものには○を、誤っているものには×を、それぞれ記入しなさい。

(1)　定期同額給与とは、支給時期が6月以下の一定期間ごとである給与でその事業年度の各支給時期における支給額が同額であるものをいう。

(2)　事前確定届出給与とは、その役員の職務につき所定の時期に確定額を支給する旨の定めに基づいて支給する給与で、納税地の所轄税務署長に届出をしているものをいう。

(3)　同族会社がその業務執行役員に対して支給する業績連動給与で一定のものは、損金の額に算入される。

(4)　内国法人がその役員に対して支給する給与のうち、定期同額給与に該当するものについては、その全額が損金の額に算入される。

(5)　内国法人が事実を隠ぺいし、又は仮装経理することによりその役員に対して支給する給与の額であっても、損金経理をしているものについては損金の額に算入される。

(1)		(2)		(3)		(4)		(5)	

問題3 役員給与の損金不算入額 基本 7分

次の資料により役員給与の損金不算入額を計算しなさい。

(1) 当期に当社の役員に対して支給し、費用に計上した給与の額は次のとおりである。

役職・氏名	報酬・賞与の額	備 考
取締役A	20,000,000円	月額1,500,000円の報酬の12か月分と6月及び12月に支給した賞与の合計2,000,000円の合計額である。
監査役B	4,500,000円	月額375,000円の報酬の12か月分である。

(2) 取締役Aに対する賞与については、事前確定届出給与に関する届出書を届出期限までに納税地の所轄税務署長に提出している。

(3) 各人の職務に対する対価として相当と認められる給与の額は、取締役Aについて年額15,000,000円、監査役Bについて年額3,000,000円である。

(4) 上記の他、取締役Aの負担すべき一時的な経済的利益の額が120,000円あるが、当社で負担し当期の費用に計上している。

(1) 損金不算入給与

	円

(2) 過大役員給与

① 取締役A

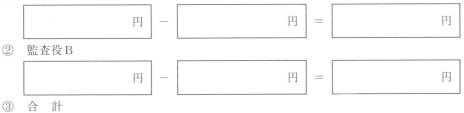

	円	－		円	＝	円

② 監査役B

	円	－		円	＝	円

③ 合 計

	円	＋		円	＝	円

(3) 役員給与の損金不算入額

	円	＋		円	＝	円

①	取締役	②	会計参与	③	監査役	④	法人の経営に従事している者
⑤	使用人	⑥	同族会社	⑦	役員	⑧	職制上の地位
⑨	使用人としての職務						

解 答 問題2 役員給与の損金不算入

(1)	×	(2)	○	(3)	×	(4)	×	(5)	×

解 説

(1) 1月以下の期間を単位として支給しなければ、定期同額給与に該当しません。

(2) 業績連動給与の損金算入が認められるのは、非同族会社に限られます。

(3) 定期同額給与に該当するものであっても、過大な給与は損金の額に算入することはできません。

(4) 事実を隠ぺいし、又は仮装経理することにより支給した役員給与は、一切損金の額に算入することはできません。

解 答 問題3 役員給与の損金不算入額

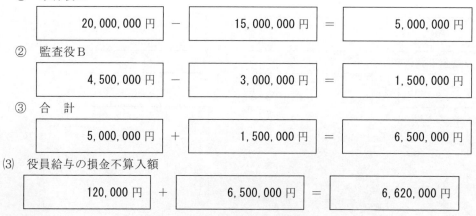

(1) 損金不算入給与

120,000 円

(2) 過大役員給与

① 取締役A

20,000,000 円	−	15,000,000 円	=	5,000,000 円

② 監査役B

4,500,000 円	−	3,000,000 円	=	1,500,000 円

③ 合 計

5,000,000 円	+	1,500,000 円	=	6,500,000 円

(3) 役員給与の損金不算入額

120,000 円	+	6,500,000 円	=	6,620,000 円

解 説

　　経済的利益の額は、給与の額に含まれますが、本問の経済的利益の額は、定期同額給与、事前確定届出給与及び業績連動給与のいずれにも該当しないため、損金不算入となります。また、取締役Aと監査役Bに対する報酬・賞与の額は、定期同額給与又は事前確定届出給与に該当するため、原則として損金の額に算入されますが、職務対価相当額を超える過大分については損金不算入となります。

Chapter 9

営業経費

No	内　容	標準時間	重要度	難易度
問題1	租税公課の取扱い	5分	A	基本
問題2	租税公課の損金算入時期	5分	A	基本
問題3	納税充当金の取扱い	5分	A	基本
問題4	還付金等の取扱い	5分	A	基本
問題5	寄附金の損金不算入額⑴	10分	A	基本
問題6	寄附金の損金不算入額⑵	10分	A	基本
問題7	交際費等の損金不算入額⑴	3分	A	基本
問題8	交際費等の損金不算入額⑵	7分	A	基本
問題9	ミニテスト	7分	A	基本
問題10	ミニテスト	7分	A	基本

問題1　租税公課の取扱い

基本　5分

次の資料により、当社の当期における税務上の調整を示しなさい。

当社が当期において納付し、租税公課として費用に計上した金額には、次のものが含まれている。

⑴ 前期確定申告分法人税	12,500,000円
⑵ 前期確定申告分地方法人税	1,288,000円
⑶ 前期確定申告分住民税	1,300,000円
⑷ 前期確定申告分事業税	4,500,000円
⑸ 当期確定申告分法人税、住民税及び事業税等の納税充当金繰入額	45,000,000円
⑹ ⑴の法人税に係る利子税	250,000円
⑺ 商品運搬中に使用人の交通違反に対して課せられた交通反則金	50,000円
⑻ 自動車税	85,000円
⑼ 固定資産税	18,000円

（単位：円）

	区　　分	金　　額
加算		
減算		

問題2　租税公課の損金算入時期

基本　5分

次の資料により、当社の当期における税務上の調整を示しなさい。

⑴ 当期の確定申告により納付することとなる法人税、地方法人税、住民税及び事業税の見込額の合計額は45,200,000円であり、納税充当金として当期の費用に計上している。

⑵ 当期中に納付した税額のうち、次のものについては、前期の費用に計上した納税充当金40,000,000円を取り崩している。

①	前期確定申告分法人税	25,500,000円
②	前期確定申告分地方法人税	2,628,000円
③	前期確定申告分事業税	9,220,000円
④	前期確定申告分住民税	2,652,000円

⑶ 当期中に租税公課として費用に計上した金額には、次のものが含まれている。

①	当期中間申告分法人税	20,000,000円
②	前期確定申告分地方法人税	2,060,000円
③	当期中間申告分住民税	2,080,000円
④	固定資産税	1,040,000円
⑤	印紙税	75,000円　（うち過怠税8,000円）

（注）上記の他、当期中間申告分事業税5,460,000円については、当期末現在未払であるため、何ら経理を行っていない。

（単位：円）

区　分		金　額
加算		
減算		

→ 解答・解説　9-13

問題3	納税充当金の取扱い	基本	5分

次の資料により、当社の当期における税務上の調整を示しなさい。

(1)　当期における納税充当金の異動状況は次のとおりである。

区　分	期首現在額	当期減少額	当期増加額	期末現在額
法　人　税	8,898,000円	8,898,000円	7,639,000円	7,639,000円
地方法人税	917,000円	917,000円	787,000円	787,000円
住　民　税	925,000円	925,000円	794,000円	794,000円
事　業　税	2,910,000円	2,910,000円	2,520,000円	2,520,000円

(2)　期首現在額及び当期増加額は、それぞれ前期末及び当期末において損金経理により繰り入れた金額であり、当期減少額は、前期分に係る法人税等を納付するため取り崩したものである。

(3)　上記のほか、当期中において租税公課勘定に費用計上した金額は次のとおりである。

①　当期中間申告分法人税額　　　　　　7,800,000円
②　当期中間申告分地方法人税額　　　　　803,000円
③　当期中間申告分住民税額　　　　　　　811,000円
④　当期中間申告分事業税額　　　　　　2,600,000円
⑤　印紙税（うち過怠税70,000円）　　　　442,000円

区　分	金　額
加算	
減算	

→ 解答・解説　9-13

問題4　還付金等の取扱い　　基本　5分

次の資料により、当社の当期における税務上の調整を示しなさい。

(1) 当期分の確定申告により納付することとなる法人税、地方法人税、住民税及び事業税の見込額の合計額12,200,000円を納税充当金として損金経理している。

(2) 当期において損金経理により租税公課勘定に計上した金額には、次のものが含まれている。

① 当期中間申告分の法人税（本税）　　　　　3,280,000円

② 当期中間申告分の地方法人税（本税）　　　　338,000円

③ 当期中間申告分の事業税（本税）　　　　　1,100,000円

④ 当期中間申告分の住民税（本税）　　　　　　341,000円

⑤ ①の税額に係る延滞税　　　　　　　　　　　 36,000円

(3) 当期において雑収入勘定に計上した金額には、次のものが含まれている。

① 前期中間申告分の法人税（本税）の還付額　　2,520,000円

② 前期中間申告分の事業税（本税）の還付額　　　442,000円

③ 前期中間申告分の住民税（本税）の還付額　　　327,400円

④ 上記に係る還付加算金　　　　　　　　　　　225,000円

（単位：円）

区　分	金　額
加算	
減算	

→ 解答・解説 9-14

| 問題5 | 寄附金の損金不算入額(1) | 基本 | 10分 |

次の資料により、寄附金の損金不算入額を計算しなさい。

(1) 当社が当期において寄附金として損金経理をした金額4,500,000円の内訳は次のとおりである。

① 指定寄附金等　　　　　　　　　　　　　　　1,000,000円

② 特定公益増進法人等に対する寄附金　　　　　1,500,000円

③ その他一般の寄附金　　　　　　　　　　　　2,000,000円

(2) 別表四の所得金額（仮計の金額）は33,200,000円である。

(3) 当期末の資本金の額は50,000,000円、資本準備金は20,000,000円でその合計額は70,000,000円である。

(1) 支出寄附金

① 指定寄附金等 　　　　　　　　　　　　円

② 特定公益増進法人等 　　　　　　　　　円

③ 一般寄附金 　　　　　　　　　　　　　円

④ 合　計

①＋②＋③＝ 　　　　　　　　　円

(2) 損金算入限度額

① 一般寄附金の損金算入限度額

(イ) 資本基準額

(ロ) 所得基準額

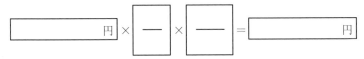

(ハ) ((イ)＋(ロ))× ── ＝ 　　　　　　　　円

② 特別損金算入限度額

(イ) 資本基準額

(ロ) 所得基準額

(　　　　　円 ＋ 　　　　　円)× ── ＝ 　　　　　円

(ハ) $((イ)+(ロ)) \times \boxed{}\dfrac{}{} = \boxed{}$ 円

(3) 損金不算入額

$\boxed{}$ 円 $- \boxed{}$ 円 $-※\boxed{}$ 円 $- \boxed{}$ 円

$= \boxed{}$ 円

※ $\boxed{}$ 円 $> \boxed{}$ 円 $\quad \therefore \boxed{}$ 円

→ 解答・解説　9-15

問題6　寄附金の損金不算入額(2)　　　　基本　10分

次の資料により、寄附金の損金不算入額を計算しなさい。

(1) 当期において寄附金として支出し、費用に計上した金額の内訳は次のとおりである。

寄附先	使　　　途	金　　額
日本赤十字社	経常経費に充てるためのものであり、特定公益増進法人等に対する寄附金に該当する。	800,000円
日本学生支援機構	学資の貸与資金に充てるためのものであり、指定寄附金等に該当する。	600,000円
X政治団体	経常経費に充てるためのものであり、一般寄附金に該当する	2,000,000円

(2) 当社の当期末における資本金の額及び資本準備金の額の合計額は30,000,000円である。

(3) 当期の別表四仮計の金額は63,000,000円である。

(1) 支出寄附金

① 指定寄附金等　$\boxed{}$ 円

② 特定公益増進法人等　$\boxed{}$ 円

③ 一般寄附金　$\boxed{}$ 円

④ 合　計

①+②+③＝$\boxed{}$ 円

(2) 損金算入限度額

① 一般寄附金の損金算入限度額

(イ) 資本基準額

$\boxed{}$ 円 $\times \dfrac{}{} \times \dfrac{}{} = \boxed{}$ 円

（ロ）　所得基準額

$$\left(\boxed{} 円 + \boxed{} 円 \right) \times \boxed{} = \boxed{} 円$$

（ハ）　$\left((イ) + (ロ) \right) \times \boxed{} = \boxed{} 円$

② 特別損金算入限度額

（イ）　資本基準額

$$\boxed{} 円 \times \boxed{} \times \boxed{} = \boxed{} 円$$

（ロ）　所得基準額

$$\left(\boxed{} 円 + \boxed{} 円 \right) \times \boxed{} = \boxed{} 円$$

（ハ）　$\left((イ) + (ロ) \right) \times \boxed{} = \boxed{} 円$

(3)　損金不算入額

$$\boxed{} 円 - \boxed{} 円 -^{※} \boxed{} 円 - \boxed{} 円$$

$$= \boxed{} 円$$

※　$\boxed{} 円 < \boxed{} 円 \qquad \therefore \boxed{} 円$

問題7　交際費等の損金不算入額(1)　　　　　基本　3分

次の資料により、交際費等の損金不算入額を計算しなさい。

(1)　当期において交際費として費用に計上した金額の内訳は次のとおりである。

① 社内会議に関連して支出した弁当代 　　　　　　　　　　　　　　503,300円

② 従業員の慰安旅行に要した費用 　　　　　　　　　　　　　　　　929,000円

③ 得意先及び仕入先に対する慶弔・禍福費 　　　　　　　　　　　　430,000円

④ 得意先を料亭で接待した際に要した飲食費(注) 　　　　　　　2,360,000円

　　(注)　1人当たり10,000円以下の飲食費は含まれていない。

⑤ 得意先などに配布したカレンダー及び手帳の制作費 　　　　　　　411,700円

⑥ 上記の他、租税特別措置法第61条の4に規定する交際費等に該当する費用　3,172,000円

(2)　福利厚生費として計上した金額には、租税特別措置法第61条の4に規定する交際費等に該当するものが352,000円含まれている。

(3)　当社の期末資本金の額は200,000,000円である。

交際費等の損金不算入額

(1)　支出交際費等

①　接待飲食費

　　　[　　　　　]円

②　①以外

　　　[　　　　　]円 ＋ [　　　　　]円 ＋ [　　　　　]円 ＝ [　　　　　]円

③　合　計

　　　①＋②＝[　　　　　]円

(2)　損金算入限度額

　　　[　　　　　]円 × [　　]％ ＝ [　　　　　]円

(3)　損金不算入額

　　　[　　　　　]円 － [　　　　　]円 ＝ [　　　　　]円

→ 解答・解説 9-17

問題8　交際費等の損金不算入額(2)　基本　7分

次の資料により、交際費等の損金不算入額を計算しなさい。

(1) 当社の当期末における資本金の額は50,000,000円（中小法人に該当する。）である。

(2) 当期において交際費として費用に計上した金額の内訳は次のとおりである。

① 取引先を接待するために支出した飲食代　3,840,000円

（1人当たりの支出額が10,000円以下のものが340,000円含まれている。）

② 取引先を旅行に招待した費用　1,324,000円

③ 取引先のゴルフ接待に要した費用　562,000円

④ 当社の従業員慰安のための旅行費用　886,000円

⑤ 会議に際し支出した茶菓、弁当代　216,000円

⑥ 取引先に対する中元、歳暮の贈答費用　992,000円

⑦ 上記の他、租税特別措置法第61条の4に規定する交際費等に該当する費用　1,998,000円

(3) 当期において雑費として費用に計上した金額の内訳は次のとおりである。

① 取引先の慶弔・禍福に要した費用　406,000円

② 当社の従業員の慶弔・禍福に要した費用　174,000円

③ 当社社名入りの手帳の作成費用　241,000円

(1) 支出交際費等

① 接待飲食費

　円 － 　円 ＝ 　円

② ①以外

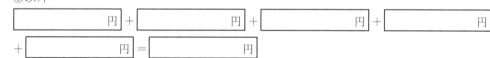　円 ＋ 　円 ＋ 　円 ＋ 　円

＋ 　円 ＝ 　円

③ 合　計

①＋② ＝ 　円

(2) 損金算入限度額

① 接待飲食費基準額

　円 × 　% ＝ 　円

② 定額控除限度額

　円 ＞ 　円 × ── ＝ 　円

∴ 　円

③ ①＜② 　∴ 　円

(3) 損金不算入額

　円 － 　円 ＝ 　円

| 問題9 | ミニテスト | 基本 | 7分 |

次の資料により、寄附金の損金不算額を計算しなさい。

(1) 当期において支出し、寄附金として費用に計上した金額の内訳は、次のとおりである。

寄附金の内容	金　額
国に対するもの	2,000,000 円
社会福祉法人（特定公益増進法人）に対するもの	500,000 円
政治団体に対するもの	4,000,000 円

(2) 当社の当期末現在の資本金の額及び資本準備金の額の合計額は、150,000,000 円である。

(3) 当期の別表四仮計の金額（調整不要）は 52,357,000 円である。

問題10 | ミニテスト | 基本 | 7分

次の資料により、当社（資本金1億円）の交際費等の損金不算入額を計算しなさい。

当期において損金経理により交際費勘定に計上した金額は 14,700,000 円であり、そのうちには次のものが含まれている。なお、残額は接待飲食費に該当しない税務上の交際費等に該当するものである。

① 当社の部長に当期の4月に支払った渡切交際費（経済的利益の供与に該当）　　　　300,000 円

　　（使途の報告は受けないこととされている。）

② 当社の社名入りのカレンダーの配布費用　　　　　　　　　　　　　　　　　　　　38,000 円

③ 取引先の従業員に対する慶弔費用　　　　　　　　　　　　　　　　　　　　　　200,000 円

④ 当社の従業員に対する慶弔費用　　　　　　　　　　　　　　　　　　　　　　　750,000 円

⑤ 接待飲食費　　　　　　　　　　　　　　　　　　　　　　　　　　　　　　7,470,000 円

（単位：円）

区　　分		金　　額
加算	損金経理法人税	12,500,000
	損金経理地方法人税	1,288,000
	損金経理住民税	1,300,000
	損金経理納税充当金	45,000,000
	損金経理罰科金等	50,000
減算		

解 説

① 当期の費用に計上されているため、損金不算入の租税公課について別表四で加算調整をします。

② 納税充当金繰入額は、当期確定申告分について繰り入れられていることから、期末現在債務未確定であるため、その全額を加算調整します。

③ 利子税は、正当な手続きに基づく利息としての性格の租税であるため、損金の額に算入されます。

④ 交通反則金は、罰科金等として加算調整が必要です。

⑤ 自動車税及び固定資産税は、損金の額に算入されます。

解 答 問題2 租税公課の損金算入時期

（単位：円）

区　　分		金　　額
加算	損金経理法人税	20,000,000
	損金経理地方法人税	2,060,000
	損金経理住民税	2,080,000
	損金経理納税充当金	45,200,000
	損金経理過怠税	8,000
減算	納税充当金支出事業税等	9,220,000
	未払事業税認定損	5,460,000

解 説

① 印紙税の過怠税は、損金の額に算入できません。他の附帯税と区分し「損金経理過怠税」として加算調整します。

② 中間申告分の事業税は、当期の損金の額に算入されますが、本問では、未払であるため経理が行われていません。したがって、別表四で減算調整を行って損金の額に算入することになります。

解答 問題3 納税充当金の取扱い

(単位：円)

区 分		金 額
加算	損金経理法人税	7,800,000
	損金経理地方法人税	803,000
	損金経理住民税	811,000
	損金経理納税充当金	11,740,000
	損金経理過怠税	70,000
減算	納税充当金支出事業税等	2,910,000

解説

　納税充当金を取り崩して納付した金額のうち、法人税本税、地方法人税及び住民税本税以外の金額を減算調整します。法人税本税、地方法人税及び住民税本税については、減算調整したとしても、同時に損金不算入となるため、加算調整されることになります。そのため、減算と加算を相殺し、それ以外の金額を減算調整することとされています。

解答 問題4 還付金等の取扱い

(単位：円)

区 分		金 額
加算	損金経理法人税	3,280,000
	損金経理地方法人税	338,000
	損金経理住民税	341,000
	損金経理納税充当金	12,200,000
	損金経理附帯税等	36,000
減算	法人税等還付金等の益金不算入額	2,847,400

解説

　還付金等の取扱いの概要は、次のとおりです。

　本問では、前期中間申告分の法人税及び前期中間申告分の住民税の還付額が、納付時に損金不算入のものであり、還付を受けた当期においては益金不算入となります。なお、還付加算金は当期の益金の額に算入されるため、減算調整をする必要はありません。

(1) 支出寄附金

① 指定寄附金等 $\boxed{1,000,000}$ 円

② 特定公益増進法人等 $\boxed{1,500,000}$ 円

③ 一般寄附金 $\boxed{2,000,000}$ 円

④ 合 計

①＋②＋③＝ $\boxed{4,500,000}$ 円

(2) 損金算入限度額

① 一般寄附金の損金算入限度額

(イ) 資本基準額

$$\boxed{70,000,000}\text{ 円} \times \boxed{\frac{12}{12}} \times \boxed{\frac{2.5}{1,000}} = \boxed{175,000}\text{ 円}$$

(ロ) 所得基準額

$$(\boxed{33,200,000}\text{ 円} + \boxed{4,500,000}\text{ 円}) \times \boxed{\frac{2.5}{100}} = \boxed{942,500}\text{ 円}$$

(ハ) $((イ)+(ロ)) \times \boxed{\frac{1}{4}} = \boxed{279,375}\text{ 円}$

② 特別損金算入限度額

(イ) 資本基準額

$$\boxed{70,000,000}\text{ 円} \times \boxed{\frac{12}{12}} \times \boxed{\frac{3.75}{1,000}} = \boxed{262,500}\text{ 円}$$

(ロ) 所得基準額

$$(\boxed{33,200,000}\text{ 円} + \boxed{4,500,000}\text{ 円}) \times \boxed{\frac{6.25}{100}} = \boxed{2,356,250}\text{ 円}$$

(ハ) $((イ)+(ロ)) \times \boxed{\frac{1}{2}} = \boxed{1,309,375}\text{ 円}$

(3) 損金不算入額

$\boxed{4,500,000}$ 円 － $\boxed{1,000,000}$ 円 －※ $\boxed{1,309,375}$ 円 － $\boxed{279,375}$ 円

＝ $\boxed{1,911,250}$ 円

※ $\boxed{1,500,000}$ 円 ＞ $\boxed{1,309,375}$ 円 ∴ $\boxed{1,309,375}$ 円

解　説

　損金不算入額は、支出寄附金の額から、まず、全額損金算入される指定寄附金等を控除し、次に、特定公益増進法人等に対する寄附金を、特別損金算入限度額の範囲内で控除します。最後に残った寄附金の額の合計額が一般寄附金の損金算入限度額を控除して損金不算入額を求めます。

解　答　問題6　寄附金の損金不算入額(2)

(1)　支出寄附金

　　①　指定寄附金等　　　　　　　　600,000　円

　　②　特定公益増進法人等　　　　　800,000　円

　　③　一般寄附金　　　　　　　　2,000,000　円

　　④　合　計

　　　　①＋②＋③＝　3,400,000　円

(2)　損金算入限度額

　　①　一般寄附金の損金算入限度額

　　　(イ)　資本基準額

$$30,000,000 \text{ 円} \times \frac{12}{12} \times \frac{2.5}{1,000} = 75,000 \text{ 円}$$

　　　(ロ)　所得基準額

$$(63,000,000 \text{ 円} + 3,400,000 \text{ 円}) \times \frac{2.5}{100} = 1,660,000 \text{ 円}$$

　　　(ハ)　((イ)＋(ロ)) $\times \dfrac{1}{4}$ = 433,750 円

　　②　特別損金算入限度額

　　　(イ)　資本基準額

$$30,000,000 \text{ 円} \times \frac{12}{12} \times \frac{3.75}{1,000} = 112,500 \text{ 円}$$

　　　(ロ)　所得基準額

$$(63,000,000 \text{ 円} + 3,400,000 \text{ 円}) \times \frac{6.25}{100} = 4,150,000 \text{ 円}$$

　　　(ハ)　((イ)＋(ロ)) $\times \dfrac{1}{2}$ = 2,131,250 円

⑶　損金不算入額

| 3,400,000　円 | − | 600,000　円 | −※ | 800,000　円 | − | 433,750　円 |

| = | 1,566,250　円 |

※　| 800,000　円 | < | 2,131,250　円 | ∴ | 800,000　円 |

解 説

　　特定公益増進法人等に対する寄附金は、損金算入限度額の範囲で損金の額に算入されます。損金不算入額の計算上控除する金額は、特定公益増進法人等に対する寄附金の額と特別損金算入限度額のいずれか少ない金額（損金算入額）であり、特別損金算入限度額を控除するのではありません。

解 答　問題7　交際費等の損金不算入額⑴

交際費等の損金不算入額

⑴　支出交際費等

①　接待飲食費

| 2,360,000　円 |

②　①以外

| 430,000　円 | + | 3,172,000　円 | + | 352,000　円 | = | 3,954,000　円 |

③　合　計

①＋②＝| 6,314,000　円 |

⑵　損金算入限度額

| 2,360,000　円 | × | 50　% | = | 1,180,000　円 |

⑶　損金不算入額

| 6,314,000　円 | − | 1,180,000　円 | = | 5,134,000　円 |

解 説

　　当社は、期末資本金の額が1億円を超えるため中小法人には該当せず、支出交際費等の額のうち接待飲食費の額の50%を超える金額が損金不算入となります。なお、税務上の交際費等に該当するものは、経理上の費目に関係なく集計しなければなりません。

解　答　問題8　交際費等の損金不算入額(2)

(1)　支出交際費等

①　接待飲食費

$$\boxed{3,840,000 \text{ 円}} - \boxed{340,000 \text{ 円}} = \boxed{3,500,000 \text{ 円}}$$

②　①以外

$$\boxed{1,324,000 \text{ 円}} + \boxed{562,000 \text{ 円}} + \boxed{992,000 \text{ 円}} + \boxed{1,998,000 \text{ 円}}$$

$$+ \boxed{406,000 \text{ 円}} = \boxed{5,282,000 \text{ 円}}$$

③　合　計

$$① + ② = \boxed{8,782,000 \text{ 円}}$$

(2)　損金算入限度額

①　接待飲食費基準額

$$\boxed{3,500,000 \text{ 円}} \times \boxed{50 \text{ %}} = \boxed{1,750,000 \text{ 円}}$$

②　定額控除限度額

$$\boxed{8,782,000 \text{ 円}} > \boxed{8,000,000 \text{ 円}} \times \boxed{\dfrac{12}{12}} = \boxed{8,000,000 \text{ 円}}$$

$$\therefore \boxed{8,000,000 \text{ 円}}$$

③　① < ②　　∴　$\boxed{8,000,000 \text{ 円}}$

(3)　損金不算入額

$$\boxed{8,782,000 \text{ 円}} - \boxed{8,000,000 \text{ 円}} = \boxed{782,000 \text{ 円}}$$

解　説

　当社は、中小法人に該当するため、損金算入限度額は、接待飲食費基準額と定額控除限度額との選択が認められます。なお、飲食費で1人当たりの支出額が1万円以下のものは交際費等の額から除かれます。

(1) 支出寄附金

① 指定寄附金等 2,000,000円

② 特定公益増進法人等 500,000円

③ 一般寄附金 4,000,000円

④ 合 計 ①+②+③=6,500,000円

(2) 損金算入限度額

① 一般寄附金の損金算入限度額

(イ) 資本基準額

$$150,000,000 \times \frac{12}{12} \times \frac{2.5}{1,000} = 375,000円$$

(ロ) 所得基準額

$$(52,357,000 + 6,500,000) \times \frac{2.5}{100} = 1,471,425円$$

(ハ) $((イ) + (ロ)) \times \frac{1}{4} = 461,606円$

② 特別損金算入限度額

(イ) 資本基準額

$$150,000,000 \times \frac{12}{12} \times \frac{3.75}{1,000} = 562,500円$$

(ロ) 所得基準額

$$(52,357,000 + 6,500,000) \times \frac{6.25}{100} = 3,678,562円$$

(ハ) $((イ) + (ロ)) \times \frac{1}{2} = 2,120,531円$

(3) 損金不算入額

6,500,000 − 2,000,000 − ※500,000 − 461,606 = 3,538,394円

※ 500,000円 < 2,120,531円 ∴ 500,000円

(1) 支出交際費等

① 接待飲食費　7,470,000円

② ①以外

14,700,000－300,000－38,000－750,000－7,470,000＝6,142,000円

③ 合 計

①＋②＝13,612,000円

(2) 損金算入限度額

① 接待飲食費基準額

7,470,000×50%＝3,735,000円

② 定額控除限度額

$13,612,000円＞8,000,000×\dfrac{12}{12}＝8,000,000円$　　　∴　8,000,000円

③ ①＜②　　∴　8,000,000円

(3) 損金不算入額

(1)－(2)＝5,612,000円

········ *Memorandum Sheet* ········

Chapter 10

資産評価等

No	内　　容	標準時間	重要度	難易度
問題1	棚卸資産の期末評価	5分	A	基本
問題2	棚卸資産の取得価額	3分	A	基本
問題3	有価証券の譲渡損益	5分	A	基本
問題4	有価証券の取得価額	3分	A	基本
問題5	資産の評価損益（棚卸資産）	7分	A	基本
問題6	資産の評価損益（固定資産⑴）	3分	A	基本
問題7	資産の評価損益（固定資産⑵）	3分	A	基本

問題1　棚卸資産の期末評価　　　基本　5分

次の資料により、当社の当期における棚卸資産の期末評価額を計算しなさい。

(1)　当社の当期中におけるA商品の受払の状況は、次のとおりである。

年　月　日	受　　入			払　出	残　高
前 期 繰 越	4,800個	@　990円	4,752,000円		4,800個
令和7年4月6日	3,600個	860円	3,096,000円		8,400個
令和7年5月18日				5,000個	3,400個
令和7年9月20日	2,400個	900円	2,160,000円		5,800個
令和7年11月24日				5,000個	800個
令和8年3月27日	1,800個	950円	1,710,000円		2,600個

(2)　上記A商品の期末における時価は@920円である。

(3)　当社は、棚卸資産の評価方法として総平均法による原価法を採用し、選定の届出を行っている。

(1)　平均単価

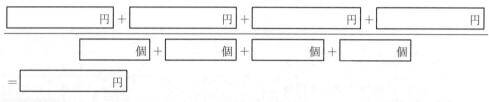

(2)　期末評価額

$$\boxed{} 円 \times \boxed{} 個 = \boxed{} 円$$

問題2　棚卸資産の取得価額　　　・　基本　3分

次の資料により、当社の当期における税務上の調整を示しなさい。

(1)　当社は当期において、取引先から棚卸資産に該当する土地（時価は3,000,000円であり、取引先における帳簿価額は5,000,000円であった。）の贈与を受けている。

(2)　当社は(1)の取引に関して、何ら経理処理を行っていない。

(3)　当社は不動産販売業を営む内国法人である。

（単位：円）

	区　　分	金　　額
加算	棚卸資産計上もれ	
減算		

問題3	有価証券の譲渡損益	基本	5分

次の資料により、当社の当期における税務上の調整を示しなさい。

(1) 当社の当期中のA株式（売買目的有価証券に該当しない。）の異動状況は、次のとおりである。

日　付	摘要	取　　得		譲　　渡 （売却価額）		残　　高
令和7年4月1日	繰越	30,000株	27,000,000円			30,000株
令和7年6月6日	購入	20,000株	17,600,000円			50,000株
令和7年10月4日	譲渡			10,000株	9,500,000円	40,000株
令和8年1月15日	購入	30,000株	26,040,000円			70,000株

(2) 当社は有価証券の帳簿価額の算出方法について、総平均法を選定し届け出ている。

(3) 当社の当期末におけるA株式の帳簿価額は60,760,000円である。

⑴　会社計上の簿価

円

⑵　税務上の簿価

①　平均単価

$$\frac{\boxed{}円 + \boxed{}円 + \boxed{}円}{\boxed{}株 + \boxed{}株 + \boxed{}株}$$

＝ \boxed{}　円

②　帳簿価額

\boxed{}　円 × \boxed{}株 ＝ \boxed{}　円

⑶　計上もれ

\boxed{}　円 － \boxed{}　円 ＝ \boxed{}　円

（単位：円）

区　　分		金　　額
加算	A株式計上もれ	
減算		

問題4　有価証券の取得価額　　　　基本　3分

次の資料により、当社の当期における税務上の調整を示しなさい。

(1) 当社は当期において、A株式を1株当たり800円で20,000株取得し、16,000,000円を取得価額として付している。A株式の取得に当たり、購入手数料30,000円を支払い、当期の費用に計上している。

(2) 当社は当期において、取引先からB株式（時価は10,000,000円であり、取引先における帳簿価額は8,000,000円であった。）の贈与を受けている。当社は、この取引に関して、何ら経理処理を行っていない。

(3) 当社は製造業を営む内国法人である。

（単位：円）

	区　　分	金　　額
加算	A株式計上もれ	
	B株式計上もれ	
減算		

| 問題5 | 資産の評価損益（棚卸資産） | 基本 | 7分 |

　次の資料により、評価損として損金の額に算入できる場合には、損金算入限度額を示しなさい（損金の額に算入できない場合には、損金算入限度額の欄に「—」を付しなさい。）。

(1)　当社が当期末において有する棚卸資産は、次のとおりである。

区分	評価換え直前簿価	期末時価	備考
A 商品	9,000,000円	3,940,000円	火災により著しく損傷している。
B 商品	3,360,000円	2,230,000円	季節商品の売れ残りで、過去の実績からみて今後通常の価額で販売できないと認められる。
C 商品	18,490,000円	17,950,000円	物価の変動により時価が下落している。
D 商品	11,680,000円	10,870,000円	長期間倉庫に保管したため品質変化が生じ、通常の方法で販売できないと認められる。
E 商品	15,160,000円	12,770,000円	過剰生産のため時価が下落している。
F 商品	26,230,000円	22,980,000円	品質が著しく異なる新製品の発売により今後、通常の方法で販売できないと認められる。

(2)　当社は、棚卸資産の期末評価については原価法を採用しており、適正に処理されている。

（単位：円）

区分	計算過程	損金算入限度額
A 商品		
B 商品		
C 商品		
D 商品		
E 商品		
F 商品		

問題6　資産の評価損益（固定資産(1)）　　基本　3分

　次の各資産について、評価損が計上できる場合に該当するものには〇を、評価損が計上できない場合に該当するものには×を、それぞれ記入しなさい。なお、それぞれに掲げる事由により時価が低下しているものとする。

(1)　A建物は、火災による類焼のため著しく損傷している。

(2)　B建物は、前期まで事務所として使用していたが、使用不能となり当期より倉庫に転用している。

(3)　C機械は、過度の使用により著しく損傷している。

(4)　D機械は、生産調整のため前期より2年間、遊休状態にある。

(5)　E機械は、型式が旧式化している。

(1)		(2)		(3)		(4)		(5)	

問題7　資産の評価損益（固定資産(2)）　　基本　3分

　次の資料により、当社の当期における税務上の調整を示しなさい。

(1)　当社が当期にA土地につき計上した評価益の額は1,000,000円であるが、この評価益の計上は時価の上昇に伴うものである。

(2)　当社が当期にB土地につき計上した評価損の額は4,500,000円であるが、この評価損の計上は地盤沈下に伴い時価が下落したために計上したものである。B土地の評価換え直前の帳簿価額は9,000,000円であり、当期末における時価は5,000,000円である。

（単位：円）

	区　　分	金　　額
加算	B土地評価損損金不算入額	
減算	A土地評価益益金不算入額	

| 解　答 | 問題1　棚卸資産の期末評価 |

(1)　平均単価

$$\frac{\boxed{4,752,000} \ 円 + \boxed{3,096,000} \ 円 + \boxed{2,160,000} \ 円 + \boxed{1,710,000} \ 円}{\boxed{4,800} \ 個 + \boxed{3,600} \ 個 + \boxed{2,400} \ 個 + \boxed{1,800} \ 個}$$

$$= \boxed{930} \ 円$$

(2)　期末評価額

$$\boxed{930} \ 円 \times \boxed{2,600} \ 個 = \boxed{2,418,000} \ 円$$

解　説

　当社は、総平均法による原価法を選定しているため、総平均単価（930円）に期末残高数量（2,600個）を乗じた金額が期末評価額になります。

| 解　答 | 問題2　棚卸資産の取得価額 |

（単位：円）

区　分		金　額
加算	棚卸資産計上もれ	3,000,000
減算		

解　説

　当社は、不動産販売業を営む内国法人であるため、販売用の土地は棚卸資産に該当します（本問では、棚卸資産であることが明示されています。）。贈与により取得した棚卸資産の取得価額は、取得時における取得のために通常要する価額（時価）とされているため、本問の土地の取得価額は3,000,000円となります。

<税務上の仕訳>

（棚卸資産）3,000,000円　　（受　贈　益）3,000,000円

　しかし、当社は経理処理を行っていないことから、受贈益が認識されていないことになり、別表四で加算調整が必要になります。

(1)　会社計上の簿価

| 60,760,000 円 |

(2)　税務上の簿価

①　平均単価

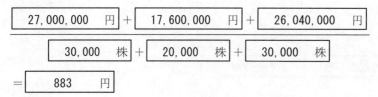

| 27,000,000 円 | ＋ | 17,600,000 円 | ＋ | 26,040,000 円 |

| 30,000 株 | ＋ | 20,000 株 | ＋ | 30,000 株 |

＝ | 883 円 |

②　帳簿価額

| 883 円 | × | 70,000 株 | ＝ | 61,810,000 円 |

(3)　計上もれ

| 61,810,000 円 | － | 60,760,000 円 | ＝ | 1,050,000 円 |

（単位：円）

区　分	金　額
加算 A株式計上もれ	1,050,000
減算	

解 説

　当社は、帳簿価額の算出方法について、総平均法を選定しているため、総平均単価（883円）に期末残高数量（70,000株）を乗じた金額が期末帳簿価額になります。当社が計上している帳簿価額との差額は、譲渡原価の額の過大計上額であり、別表四で加算調整します。

解 答　問題4　有価証券の取得価額

（単位：円）

区　分	金　額
加算 A株式計上もれ	30,000
加算 B株式計上もれ	10,000,000
減算	

解 説

①　購入手数料は、有価証券の購入のために要した費用であり、取得価額に含めます。
②　贈与により取得した有価証券の取得価額は、取得時における取得のために通常要する価額（時価）となります。

（単位：円）

区分	計 算 過 程	損金算入限度額
A 商 品	$9,000,000 - 3,940,000 = 5,060,000$	5,060,000
B 商 品	$3,360,000 - 2,230,000 = 1,130,000$	1,130,000
C 商 品		―
D 商 品	$11,680,000 - 10,870,000 = 810,000$	810,000
E 商 品		―
F 商 品	$26,230,000 - 22,980,000 = 3,250,000$	3,250,000

解 説

① A商品

火災により著しく損傷した場合には、評価損を計上することができます。

② B商品、F商品

季節商品の売れ残りや品質が著しく異なる新製品の発売により、通常の価額又は方法により販売できない場合には、評価損を計上することができます。

③ C商品、E商品

物価の変動や過剰生産による時価の下落は、評価損を計上する事由には該当しません。

④ D商品

品質変化等により通常の方法で販売できない場合は、評価損を計上することができます。

解 答 問題6 資産の評価損益（固定資産⑴）

⑴	○	⑵	○	⑶	×	⑷	○	⑸	×

解 説

① B建物

本来の用途に使用できないため、他の用途に使用された場合には、評価損を計上することができます。

② D機械

1年以上遊休状態にある場合には、評価損を計上することができます。

③ C機械、E機械

過度の使用や陳腐化は、評価損を計上する事由に該当しません。

（単位：円）

区　分		金　額
加算	Ｂ土地評価損損金不算入額	500,000
減算	Ａ土地評価益益金不算入額	1,000,000

解 説

　Ｂ土地は、所在場所の状況が著しく変化しているため、評価損を計上することができます。なお、評価損の損金算入限度額は、評価換え直前の帳簿価額と期末時価との差額（9,000,000 − 5,000,000 ＝ 4,000,000円）です。会社が計上した評価損（4,500,000円）のうち、損金算入限度額を超える部分の金額（500,000円）は、損金不算入となり、別表四で加算調整が必要になります。

Chapter 11

繰延資産・減価償却等

No	内　容	標準時間	重要度	難易度
問題1	償却限度額の計算（旧定額法と定額法）	6分	A	基本
問題2	償却限度額の計算（旧定率法と定率法）	6分	A	基本
問題3	償却限度額の計算（期中供用資産）	6分	A	基本
問題4	資本的支出と修繕費	5分	A	基本
問題5	少額の減価償却資産等	5分	A	基本
問題6	繰延資産	6分	A	基本

問題1　償却限度額の計算（旧定額法と定額法）　　基本　6分

次の資料により、当社の当期における税務上の調整を示しなさい。

(1) 当社が当期末に有する建物の内訳は、次のとおりである。

種　類	取　得　価　額	期首帳簿価額	会社計上償却費	耐用年数	取得年月日
建物A	132,000,000円	131,780,000円	3,000,000円	50年	令7.3.16
建物B	89,000,000円	73,800,000円	2,000,000円	40年	平18.6.18

(2) 当社は減価償却の方法について選定の届出をしていない。

(3) 償却率等は、次のとおりである。

耐用年数	定額法償却率	定率法（200%）			旧定額法償却率	旧定率法償却率
		償却率	改定償却率	保証率		
40	0.025	0.050	0.053	0.01791	0.025	0.056
50	0.020	0.040	0.042	0.01440	0.020	0.045

1．建物A

(1) 償却限度額

　　　　　　　　円 × 0.　　　　 ＝ 　　　　　　　円

(2) 償却超過額

　　　　　　　　円 － 　　　　　　　円 ＝ 　　　　　　　円

2．建物B

(1) 償却限度額

　　　　　　　　円 × 0.　　　　 × 0.　　　　 ＝ 　　　　　　　円

(2) 償却超過額

　　　　　　　　円 － 　　　　　　　円 ＝ 　　　　　　　　 → 　　　　　　

（単位：円）

区　　分		金　　額
加算	減価償却超過額（建物A）	
減算		

→ 解答・解説 11-8

Ch 1 Ch 2 Ch 3 Ch 4 Ch 5 Ch 6 Ch 7 Ch 8 Ch 9 Ch 10 **Ch 11** Ch 12 Ch 13 総合計算問題

| 問題2 | 償却限度額の計算（旧定率法と定率法） | 基本 | 6分 |

次の資料により、当社の当期における税務上の調整を示しなさい。

(1) 当期における減価償却の資料は、次のとおりである。

種　類	取得価額	当期償却費	期首帳簿価額	耐用年数	取　得　日
機 械 装 置	4,200,000円	270,000円	1,610,000円	12年	平成18年7月9日
器 具 備 品	1,250,000円	250,000円	1,150,000円	15年	令和6年8月16日

（注1）　機械装置については、前期以前の償却超過額が90,000円ある。

（注2）　器具備品については、前期の償却不足額が10,833円ある。

（注3）　いずれの資産も取得日の翌日から事業の用に供している。

(2) 当社は減価償却の方法について、選定の届出をしていない。

(3) 償却率等は次のとおりである。

耐用年数	定額法償却率	定率法（200%）			旧定額法償却率	旧定率法償却率
		償却率	改定償却率	保証率		
12	0.084	0.167	0.200	0.05566	0.083	0.175
15	0.067	0.133	0.143	0.04565	0.066	0.142

1．機械装置

(1) 償却限度額

$$(\boxed{\qquad} 円 + \boxed{\qquad} 円) \times 0.\boxed{\qquad} = \boxed{\qquad} 円$$

(2) 償却超過額

$$\boxed{\qquad} 円 - \boxed{\qquad} 円 = \boxed{\qquad}$$

$$\boxed{\qquad} 円 < \boxed{\qquad} 円 \quad \therefore \boxed{\qquad} 円$$

2．器具備品

(1) 償却限度額

$$= \boxed{\qquad} 円 \quad \therefore \boxed{\qquad} 円$$

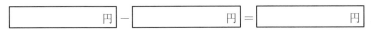

(2) 償却超過額

$$\boxed{\qquad} 円 - \boxed{\qquad} 円 = \boxed{\qquad} 円$$

（単位：円）

区　分	金　額
加算 減価償却超過額（器具備品）	
減算 減価償却超過額認容（機械装置）	

問題3　償却限度額の計算（期中供用資産）　　　　　基本　6分

次の資料により、当社の当期における税務上の調整を示しなさい。

(1) 当社が当期において取得した減価償却資産の内訳は次のとおりである。

構造細目等	取 得 価 額	当期償却費	耐用年数	取　得　日
建　物　A	26,000,000円	1,800,000円	24年	令和7年5月20日
器具備品B	1,200,000円	400,000円	5年	令和7年9月30日

(2) 期中に取得した資産は、取得日の翌日から事業の用に供している。

(3) 当社が償却方法として届け出た方法は、定率法である。

(4) 償却率等は次のとおりである。

耐用年数	定額法償却率	定率法（200%）償却率	改定償却率	保証率
5	0.200	0.400	0.500	0.10800
24	0.042	0.083	0.084	0.02969

1．建物A

(1) 償却限度額

$$\boxed{}円 \times 0.\boxed{} \times \dfrac{\boxed{}}{\boxed{}} = \boxed{}円$$

(2) 償却超過額

$$\boxed{}円 - \boxed{}円 = \boxed{}円$$

2．器具備品B

(1) 償却限度額

$$\boxed{}円 \times 0.\boxed{} = \boxed{}円 \geqq \boxed{}円 \times 0.\boxed{}$$

$$= \boxed{}円 \quad \therefore \quad \boxed{}円 \times \dfrac{\boxed{}}{\boxed{}} = \boxed{}円$$

(2) 償却超過額

$$\boxed{}円 - \boxed{}円 = \boxed{}円$$

（単位：円）

区　　分		金　　額
加算	減価償却超過額（建物A）	
	（器具備品B）	
減算		

問題4　資本的支出と修繕費　基本　5分

次の資料により、当社の当期における税務上の調整を示しなさい。

(1) 当期に減価償却費として費用に計上した金額の内訳及び償却限度額の計算に関する事項は次のとおりである。

種　類	取得価額	期首帳簿価額	当期償却費	耐用年数	取得年月日
建　物	70,000,000円	67,060,000円	1,000,000円	24年	平成18年5月1日

(注)　建物について、当期の8月20日に避難階段の取付費用（資本的支出に該当する。）3,000,000円を支出し、当期の費用に計上している。なお、資本的支出については、本体の取得価額に加算し、本体と一体的に減価償却を行うこととしている。

(2) 当社は減価償却資産の償却方法につき、何ら選定の届出を行っていない。なお、償却率等は次のとおりである。

耐用年数	定額法償却率	定率法（200%） 償却率	改定償却率	保証率	旧定額法償却率	旧定率法償却率
24	0.042	0.083	0.084	0.02969	0.042	0.092

建　物

(1) 償却限度額

① 本　体

| | 円 | × | 0. | | × | 0. | | = | | 円 |

② 資本的支出

| | 円 | × | 0. | | × | 0. | | × | ▢/▢ | = | | 円 |

③ 合　計

| | 円 | + | | 円 | = | | 円 |

(2) 償却超過額

(| | 円 | + | | 円 |) − | | 円 | = | | 円 |

（単位：円）

区　分		金　額
加算	減価償却超過額（建物）	
減算		

問題5 　少額の減価償却資産等　　　　　　　　　　　　　基本　5分

次の資料により、当社（資本金2億円）の当期における税務上の調整を示しなさい。

(1) 当社が当期に取得した減価償却資産は、次のとおりである。

種　類	取　得　価　額	耐用年数	取得年月日
器具備品A	90,000円（1台）	6年	令8.1.20
器具備品B	100,000円（1台）	5年	令7.5.20

(2) 当社は、上記(1)の資産について、その取得価額相当額を当期の費用に計上している。

(3) 当社が選定し、届け出た償却方法は定率法であり、上記(1)の資産はすべて取得後、直ちに事業の用に供している。

(4) 償却率等は、次のとおりである。

耐用年数	定額法償却率	定率法（200%）		
		償却率	改定償却率	保証率
5	0.200	0.400	0.500	0.10800
6	0.167	0.333	0.334	0.09911

1．器具備品A

　　　　　　　　　　円 ＜ 　　　　　　　　円　　∴　　　　　　　　　　　　　　

2．器具備品B

　(1) 償却限度額

　　　　　　　　　円 × 0.　　　　＝　　　　　　　円 ≧ 　　　　　　　円 × 0.　　

　　＝ 　　　　　　　円　　∴　　　　　　　　円 × □／□ ＝ 　　　　　　　円

　(2) 償却超過額

　　　　　　　　円 － 　　　　　　　円 ＝ 　　　　　　　円

（単位：円）

区　　分		金　　額
加算	減価償却超過額（器具備品B）	
減算		

問題6　繰延資産　　　　　　　　　　基本　6分

次の資料により、当社の当期における税務上の調整を示しなさい。

(1) 当社は、令和6年5月20日に増資を行っているが、その際に新株の交付に要した費用（資本金増加の登記に係る登録免許税の額を含む。）2,000,000円を支出し、繰延資産として資産に計上している。
　　なお、前期及び当期において、それぞれ800,000円を償却費として費用に計上している。

(2) 当社は、令和7年10月16日に建物を賃借し、権利金として6,000,000円を支出し、繰延資産として資産に計上している。なお、借家権利金の償却期間は5年であり、当社は1,000,000円を償却費として当期の費用に計上している。

1．株式交付費

	∴

2．借家権利金

(1) 償却期間

　　5年

(2) 償却限度額

$$\boxed{}\text{円} \times \frac{\boxed{}}{\boxed{}} = \boxed{}\text{円}$$

(3) 償却超過額

$$\boxed{}\text{円} - \boxed{}\text{円} = \boxed{}\text{円}$$

（単位：円）

	区　　分	金　　額
加算	繰延資産償却超過額（借家権利金）	
減算		

解 答 | 問題 1 償却限度額の計算（旧定額法と定額法）

1．建物 A

(1) 償却限度額

$$\boxed{132,000,000 \ \text{円}} \times \boxed{0.020} = \boxed{2,640,000 \ \text{円}}$$

(2) 償却超過額

$$\boxed{3,000,000 \ \text{円}} - \boxed{2,640,000 \ \text{円}} = \boxed{360,000 \ \text{円}}$$

2．建物 B

(1) 償却限度額

$$\boxed{89,000,000 \ \text{円}} \times \boxed{0.9} \times \boxed{0.025} = \boxed{2,002,500 \ \text{円}}$$

(2) 償却超過額

$$\boxed{2,000,000 \ \text{円}} - \boxed{2,002,500 \ \text{円}} = \boxed{\triangle 2,500} \rightarrow \boxed{0}$$

（単位：円）

	区　分	金　額
加算	減価償却超過額（建物A）	360,000
減算		

解 説

　建物Aは、平成19年4月1日以後に取得したものであり、償却方法は定額法となります。また、建物Bは、平成10年4月1日以後、かつ、平成19年3月31日以前に取得したものであり、償却方法は旧定額法となります。

解 答 | 問題 2 償却限度額の計算（旧定率法と定率法）

1．機械装置

(1) 償却限度額

$$\left(\boxed{1,610,000 \ \text{円}} + \boxed{90,000 \ \text{円}} \right) \times \boxed{0.175} = \boxed{297,500 \ \text{円}}$$

(2) 償却超過額

$$\boxed{270,000 \ \text{円}} - \boxed{297,500 \ \text{円}} = \boxed{\triangle 27,500}$$

$$\boxed{27,500 \ \text{円}} < \boxed{90,000 \ \text{円}} \quad \therefore \quad \boxed{27,500 \ \text{円}}$$

２．器具備品

⑴　償却限度額

$$\boxed{1,150,000\ \text{円}} \times \boxed{0.133} = \boxed{152,950\ \text{円}} \geqq \boxed{1,250,000\ \text{円}} \times \boxed{0.04565}$$

$$= \boxed{57,062\ \text{円}} \qquad \therefore \boxed{152,950\ \text{円}}$$

⑵　償却超過額

$$\boxed{250,000\ \text{円}} - \boxed{152,950\ \text{円}} = \boxed{97,050\ \text{円}}$$

（単位：円）

区　分	金　額
加算　減価償却超過額（器具備品）	97,050
減算　減価償却超過額認容（機械装置）	27,500

解説

①　当社は、償却方法について選定の届出を行っていないため、償却方法は法定償却方法となります。

②　機械装置については、平成19年３月31日以前に取得したものであり、償却方法は旧定率法となります。また、繰越償却超過額があるため、期首帳簿価額は、会社計上の期首帳簿価額に繰越償却超過額を加えた金額となります。なお、償却不足額が生じるため、その償却不足額と繰越償却超過額のいずれか少ない金額を別表四で減算して損金の額に算入することになります。

③　器具備品については、平成19年４月１日以後に取得したものであり、償却方法は定率法となります。定率法の計算においては、償却保証額（取得価額×保証率）との比較による判定が必要となります。なお、前期以前の償却不足額は、当期の償却限度額の計算には影響しません。

解答　問題３　償却限度額の計算（期中供用資産）

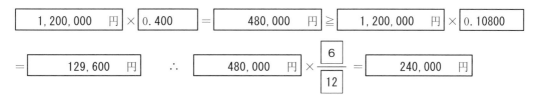

１．建物A

⑴　償却限度額

$$\boxed{26,000,000\ \text{円}} \times \boxed{0.042} \times \frac{\boxed{11}}{\boxed{12}} = \boxed{1,001,000\ \text{円}}$$

⑵　償却超過額

$$\boxed{1,800,000\ \text{円}} - \boxed{1,001,000\ \text{円}} = \boxed{799,000\ \text{円}}$$

２．器具備品B

⑴　償却限度額

$$\boxed{1,200,000\ \text{円}} \times \boxed{0.400} = \boxed{480,000\ \text{円}} \geqq \boxed{1,200,000\ \text{円}} \times \boxed{0.10800}$$

$$= \boxed{129,600\ \text{円}} \qquad \therefore \boxed{480,000\ \text{円}} \times \frac{\boxed{6}}{\boxed{12}} = \boxed{240,000\ \text{円}}$$

(2) 償却超過額

| 400,000 円 | − | 240,000 円 | = | 160,000 円 |

(単位：円)

区　分		金　額
加算	減価償却超過額（建物A）	799,000
	（器具備品B）	160,000
減算		

解　説

① いずれの資産も、期中供用資産に該当するため、月割計算が必要です。

② 償却の開始時期は、事業供用日からとなります。本問の場合、(2)の資料より取得日の翌日から事業の用に供しているため、特に器具備品Bについては、事業供用日が10月1日となることに注意が必要です。

③ 定率法における月割計算は、償却保証額との比較を行った後に行うことになります。

解　答　問題4 資本的支出と修繕費

建　物

(1) 償却限度額

① 本　体

| 70,000,000 円 | × | 0.9 | × | 0.042 | = | 2,646,000 円 |

② 資本的支出

$$70,000,000 \text{ 円で...}$$

| 3,000,000 円 | × | 0.9 | × | 0.042 | × | $\dfrac{8}{12}$ | = | 75,600 円 |

③ 合　計

| 2,646,000 円 | + | 75,600 円 | = | 2,721,600 円 |

(2) 償却超過額

| (1,000,000 円 | + | 3,000,000 円 |) − | 2,721,600 円 | = | 1,278,400 円 |

(単位：円)

区　分		金　額
加算	減価償却超過額（建物）	1,278,400
減算		

　建物は、平成10年4月1日以後、かつ、平成19年3月31日以前に取得したものであることから、本体の償却方法は、旧定額法となります。したがって、資本的支出の取扱いとして、新たに取得したものとして償却する方法と本体の取得価額に加算し一体的に償却する方法のいずれも認められていますが、本問の場合、問題の指示から、本体の取得価額に加算し一体的に償却する方法を採用することになります。

解 答　問題5　少額の減価償却資産等

1．器具備品A

90,000　円 ＜　100,000　円　　∴　適正（調整なし）

2．器具備品B

⑴　償却限度額

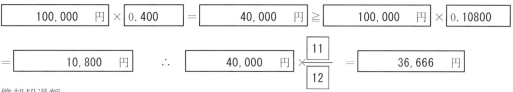

100,000　円 × 0.400 ＝　40,000　円 ≧　100,000　円 × 0.10800

＝　10,800　円　　∴　40,000　円 × $\dfrac{11}{12}$ ＝　36,666　円

⑵　償却超過額

100,000　円 －　36,666　円 ＝　63,334　円

（単位：円）

区　　分		金　　額
加算	減価償却超過額（器具備品B）	63,334
減算		

①　器具備品Aは、取得価額が10万円未満であるため、少額の減価償却資産の損金算入の適用を受けることになります。

②　器具備品Bは、1台当たりの取得価額が10万円以上のため、少額の減価償却資産の損金算入の適用を受けることができません。

1．株式交付費

| 任意償却 | ∴ | 適正（調整なし） |

2．借家権利金

(1) 償却期間

5年

(2) 償却限度額

$$6,000,000 \text{ 円} \times \frac{6}{5 \times 12} = 600,000 \text{ 円}$$

(3) 償却超過額

$$1,000,000 \text{ 円} - 600,000 \text{ 円} = 400,000 \text{ 円}$$

（単位：円）

	区　分	金　額
加算	繰延資産償却超過額（借家権利金）	400,000
減算		

解 説

① 株式交付費は、企業会計上の繰延資産であり、法人税法では任意償却とされています。なお、会社が計上した償却費の全額が損金の額に算入されることとなるため、別表四における調整はありません。

② 借家権利金は、均等償却の繰延資産に該当します。したがって、償却期間に渡って月割均等償却を行うこととなります。

Chapter 12

圧縮記帳

問題1　国庫補助金等の圧縮記帳(1)　基本　3分

次の資料により、当社の当期における税務上の調整を示しなさい。

(1)　当社は、令和7年8月1日に国庫補助金6,000,000円の交付を受け、その交付の目的に適合した土地を令和7年8月16日に自己資金3,000,000円を加え9,000,000円で取得し、直ちに事業の用に供している。

　　なお、この国庫補助金については、当期末までに返還不要が確定している。

(2)　当社は、取得した土地について、9,000,000円を取得価額として付すとともに、損金経理により土地圧縮損7,000,000円を計上し、同額を土地の帳簿価額から直接減額している。

(1)　圧縮限度額

|　　　　　　　　円 | < |　　　　　　　　円 |　∴ |　　　　　　　　円 |

(2)　圧縮超過額

|　　　　　　　円 | － |　　　　　　　円 | = |　　　　　　　円 |

（単位：円）

区　　分	金　　額
加算　圧縮超過額（土地）	
減算	

問題2 国庫補助金等の圧縮記帳(2) 　基本　5分

次の資料により、当社の当期における税務上の調整を示しなさい。

(1) 当社は、令和7年5月1日に国から25,000,000円の国庫補助金の交付を受け、当期の収益に計上している。

(2) 令和7年6月25日に交付の目的に適合した建物を60,000,000円で取得し、翌月より事業の用に供している。

(3) 令和7年12月25日に国庫補助金の返還不要が確定したため、建物の帳簿価額を減額し損金経理により建物圧縮損30,000,000円を計上している。

(4) 当社が建物について計上した減価償却費は1,800,000円であり、建物の耐用年数は24年(定額法償却率0.042)である。

1．圧縮記帳

(1) 圧縮限度額

$$\boxed{} 円 < \boxed{} 円 \quad \therefore \quad \boxed{} 円$$

(2) 圧縮超過額

$$\boxed{} 円 - \boxed{} 円 = \boxed{} 円$$

2．減価償却

(1) 償却限度額

$$\left(\boxed{} 円 - \boxed{} 円 \right) \times 0.\boxed{} \times \frac{\boxed{}}{\boxed{}} = \boxed{} 円$$

(2) 償却超過額

$$\left(\boxed{} 円 + \boxed{} 円 \right) - \boxed{} 円 = \boxed{} 円$$

(単位：円)

区　分		金　額
加算	減価償却超過額（建物）	
減算		

問題3　保険差益の圧縮記帳(1)　　　　　　　　　　基本　10分

次の資料により、当社の当期における税務上の調整を示しなさい。

(1)　当社は、当期中に火災により建物を全焼している。当社は、この火災により保険会社から受け取った保険金35,000,000円で焼失前と用途を同じくする建物を令和7年10月12日に30,000,000円で取得し、直ちに事業の用に供している。なお、当社は、受け取った保険金の額から焼失した建物の消失直前の帳簿価額10,500,000円を控除した金額を保険差益として当期の収益に計上している。

(2)　滅失経費として支出し、当期の費用に計上した金額の内訳は、次のとおりである。

① 消防に要した費用　　　　　　　　670,000円
② 建物の取り壊し費用　　　　　　1,550,000円
③ けが人への見舞い費用　　　　　　400,000円
④ 新聞に謝罪広告を掲載した費用　　500,000円

(3)　当社は、取得した建物について、損金経理により圧縮損24,500,000円を計上するとともに、減価償却費として200,000円を計上している。なお、建物の耐用年数は24年(定額法償却率0.042)である。

1．圧縮記帳

(1)　滅失経費の額

□　円 ＋ □　円 ＝ □　円

(2)　差引保険金等の額

□　円 － □　円 ＝ □　円

(3)　保険差益金の額

□　円 － □　円 ＝ □　円

(4)　圧縮限度額

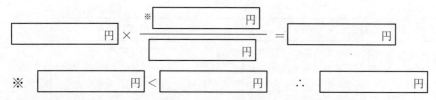

※ □　円 ＜ □　円 ∴ □　円

(5)　圧縮超過額

□　円 － □　円 ＝ □　円

2．減価償却

(1)　償却限度額

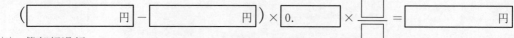

(2)　償却超過額

（単位：円）

区　　分		金　　額
加算		
減算		

問題4　保険差益の圧縮記帳(2)　　　　　　　　　基本　12分

次の資料により、当社の当期における税務上の調整を示しなさい。

(1) 当社は、令和7年9月18日に倉庫用建物が火災により全焼した。なお、焼失した資産の焼失直前の帳簿価額は次のとおりであり、当期の費用に計上している。

　① 倉庫用建物　　　2,800,000円

　② 商品　　　　　　15,000,000円

(2) 火災に伴い滅失経費として支出し、当期の費用に計上した金額の内訳は次のとおりである。なお、共通経費の各資産への配賦は、受取保険金の比によるのが合理的であると認められる。

　① 消防に要した費用　　　　　　　　350,000円

　② けが人への見舞い費用　　　　　　600,000円

　③ 焼跡整理費用　　　　　　　　2,450,000円

　④ 新聞に謝罪広告を掲載した費用　　300,000円

(3) 当社は、令和7年11月16日に保険会社から保険金として建物分26,000,000円、商品分14,000,000円を受け取った。なお、受け取った保険金で焼失前と用途を同じくする建物を令和8年2月20日に20,000,000円で取得し、直ちに事業の用に供している。

(4) 当社は、取得した建物について、剰余金の処分により圧縮積立金18,000,000円を積み立てるとともに、損金経理により減価償却費として120,000円を計上している。なお、建物の耐用年数は24年(定額法償却率0.042)である。

1．圧縮記帳

　(1) 滅失経費の額

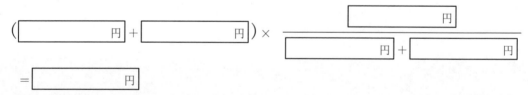

$$
\left(\boxed{} 円 + \boxed{} 円 \right) \times \frac{\boxed{} 円}{\boxed{} 円 + \boxed{} 円}
$$

$$
= \boxed{} 円
$$

　(2) 差引保険金等の額

$$
\boxed{} 円 - \boxed{} 円 = \boxed{} 円
$$

　(3) 保険差益金の額

$$
\boxed{} 円 - \boxed{} 円 = \boxed{} 円
$$

　(4) 圧縮限度額

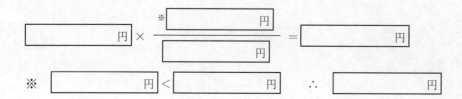

$$
\boxed{} 円 \times \frac{\overset{※}{\boxed{} 円}}{\boxed{} 円} = \boxed{} 円
$$

$$
※ \boxed{} 円 < \boxed{} 円 \quad \therefore \boxed{} 円
$$

(5) 圧縮超過額

$$\boxed{} 円 - \boxed{} 円 = \boxed{} 円$$

2．減価償却

(1) 償却限度額

$$\left(\boxed{} 円 - \boxed{} 円\right) \times 0.\boxed{} \times \frac{\boxed{}}{\boxed{}} = \boxed{} 円$$

(2) 償却超過額

$$\boxed{} 円 - \boxed{} 円 = \boxed{} 円$$

（単位：円）

区　　分	金　　額
加算	
減算	

Ch 1　Ch 2　Ch 3　Ch 4　Ch 5　Ch 6　Ch 7　Ch 8　Ch 9　Ch 10　Ch 11　**Ch 12**　Ch 13　総合計算問題

問題5 交換の圧縮記帳(1)

基本 5分

次の資料により、当社の当期における税務上の調整を示しなさい。

(1) 当社は、令和7年7月23日に当社所有の土地とA社所有の土地を交換したが、その内容は次のとおりである。

区 分	交換譲渡資産		交換取得資産
	譲渡時の時価	譲渡直前の帳簿価額	時 価
土 地	50,000,000円	35,950,000円	46,000,000円
現 金	—	—	4,000,000円
合 計	50,000,000円	35,950,000円	50,000,000円

(注) 交換取得資産と交換譲渡資産は、それぞれ数年前より保有しているものであり、交換のために取得したものではない。また、交換取得資産は、交換譲渡資産の譲渡直前の用途と同一の用途に供している。

(2) 当社は、交換取得資産の時価及び取得した現金の合計額と交換譲渡資産の譲渡直前の帳簿価額との差額を固定資産売却益として当期の収益に計上している。

(3) 当社は、この交換に際して、譲渡経費1,250,000円を支払っており、当期の費用に計上している。

(4) 当社は、交換取得資産について、損金経理により土地圧縮損14,000,000円を計上し、同額を帳簿価額から直接減額している。

(1) 適用可否の判定

① [　　　　　円] − [　　　　　円] = [　　　　　円]

② [　　　　　円] × [　　%] = [　　　　　円]

③ 判 定

①　{ > ≦ }　②　∴　[　　　　　　]

(いずれか多い方を○で囲む)

(2) 圧縮限度額

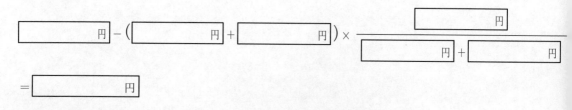

[　　　　　円] − ([　　　　　円] + [　　　　　円]) × $\dfrac{[　　　　円]}{[　　　円] + [　　　円]}$

= [　　　　　円]

(3) 圧縮超過額

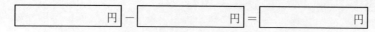

[　　　　　円] − [　　　　　円] = [　　　　　円]

（単位：円）

区　　分		金　　額
加算		
減算		

Ch 1
Ch 2
Ch 3
Ch 4
Ch 5
Ch 6
Ch 7
Ch 8
Ch 9
Ch 10
Ch 11
Ch 12
Ch 13
総合計算問題

問題6　交換の圧縮記帳(2)

基本　7分

次の資料により、当社の当期における税務上の調整を示しなさい。

(1) 当社は、令和7年8月7日にA社との間で、次に掲げる建物の交換を行った。

区　分	交換譲渡資産		交換取得資産
	譲渡直前の帳簿価額	譲渡時の時価	時　価
建　物	26,000,000円	34,000,000円	38,000,000円
現　金	―	4,000,000円	―
合　計	26,000,000円	38,000,000円	38,000,000円

（注1）この交換は、圧縮記帳の要件を全て満たしている。

（注2）取得した建物は、令和7年9月1日より事業の用に供している。なお、耐用年数は24年であり、定額法償却率は0.042である。

(2) 上記の交換に伴い、譲渡経費1,100,000円を支出し雑損失として当期の費用に計上している。また、交換取得資産の時価と交換譲渡資産の譲渡直前の帳簿価額及び交換差金の額の合計額との差額8,000,000円を交換差益として当期の収益に計上している。

(3) 当社は、交換取得資産である建物について、損金経理により圧縮損8,000,000円を計上し、帳簿価額から直接減額するとともに、当期の減価償却費として300,000円を損金経理により計上している。

1．圧縮記帳

　(1) 圧縮限度額

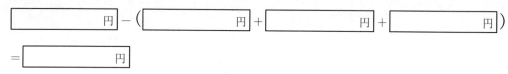

　(2) 圧縮超過額

　　□　円 － □　円 ＝ □　円

2．減価償却

　(1) 償却限度額

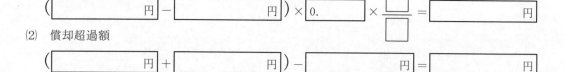

　(2) 償却超過額

　　（□　円 ＋ □　円）－ □　円 ＝ □　円

（単位：円）

区　分		金　額
加算		
減算		

| 解 答 | 問題1　国庫補助金等の圧縮記帳(1) |

(1)　圧縮限度額

| 6,000,000　円 | < | 9,000,000　円 | ∴ | 6,000,000　円 |

(2)　圧縮超過額

| 7,000,000　円 | − | 6,000,000　円 | = | 1,000,000　円 |

（単位：円）

区　　分	金　　額
加算	圧縮超過額（土地）	1,000,000
減算		

| 解 説 |

① 当期末までに国庫補助金の返還不要が確定しているため、当期に圧縮記帳の適用があります。

② 圧縮限度額は、交付を受けた国庫補助金等の額と固定資産の取得価額のいずれか少ない金額です。

③ 本問の場合、対象資産が「土地」であるため、圧縮超過額は直ちに別表四で加算調整することになります。

| 解 答 | 問題2　国庫補助金等の圧縮記帳(2) |

1．圧縮記帳

(1)　圧縮限度額

| 25,000,000　円 | < | 60,000,000　円 | ∴ | 25,000,000　円 |

(2)　圧縮超過額

| 30,000,000　円 | − | 25,000,000　円 | = | 5,000,000　円 |

2．減価償却

(1)　償却限度額

$$\left(60,000,000\ 円 - 25,000,000\ 円 \right) \times 0.042 \times \frac{9}{12} = 1,102,500\ 円$$

(2)　償却超過額

$$\left(1,800,000\ 円 + 5,000,000\ 円 \right) - 1,102,500\ 円 = 5,697,500\ 円$$

（単位：円）

区　　分	金　　額
加算	減価償却超過額（建物）	5,697,500
減算		

① 圧縮記帳について直接控除方式により経理している場合において、対象資産が減価償却資産である
ときは、圧縮超過額は、直ちに別表四で加算せず、償却費として損金経理をした金額に含めます。

② 圧縮記帳後の取得価額は、本来の取得価額から損金の額に算入された圧縮額を控除した金額となり
ます。

解 答　問題3　保険差益の圧縮記帳(1)

1．圧縮記帳

(1) 滅失経費の額

| 670,000 円 | + | 1,550,000 円 | = | 2,220,000 円 |

(2) 差引保険金等の額

| 35,000,000 円 | − | 2,220,000 円 | = | 32,780,000 円 |

(3) 保険差益金の額

| 32,780,000 円 | − | 10,500,000 円 | = | 22,280,000 円 |

(4) 圧縮限度額

$$22,280,000 \text{ 円} \times \frac{\text{※ } 30,000,000 \text{ 円}}{32,780,000 \text{ 円}} = 20,390,482 \text{ 円}$$

※ | 30,000,000 円 | < | 32,780,000 円 | ∴ | 30,000,000 円 |

(5) 圧縮超過額

| 24,500,000 円 | − | 20,390,482 円 | = | 4,109,518 円 |

2．減価償却

(1) 償却限度額

$$\left(30,000,000 \text{ 円} - 20,390,482 \text{ 円} \right) \times 0.042 \times \frac{6}{12} = 201,799 \text{ 円}$$

(2) 償却超過額

$$\left(200,000 \text{ 円} + 4,109,518 \text{ 円} \right) - 201,799 \text{ 円} = 4,107,719 \text{ 円}$$

（単位：円）

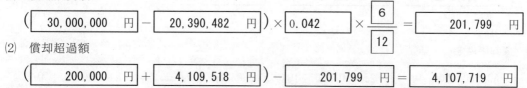

	区　分	金　額
加算	減価償却超過額（建物）	4,107,719
減算		

解 説

　減失経費の額は、固定資産の減失等に直接関連して支出される経費であり、けが人への見舞金や新聞に謝罪広告を掲載した費用のように固定資産に関連しない支出は含まれません。

解 答　問題4　保険差益の圧縮記帳(2)

１．圧縮記帳

　⑴　減失経費の額

$$\left(\boxed{350,000 \ 円} + \boxed{2,450,000 \ 円} \right) \times \frac{\boxed{26,000,000 \ 円}}{\boxed{26,000,000 \ 円} + \boxed{14,000,000 \ 円}}$$

$$= \boxed{1,820,000 \ 円}$$

　⑵　差引保険金等の額

$$\boxed{26,000,000 \ 円} - \boxed{1,820,000 \ 円} = \boxed{24,180,000 \ 円}$$

　⑶　保険差益金の額

$$\boxed{24,180,000 \ 円} - \boxed{2,800,000 \ 円} = \boxed{21,380,000 \ 円}$$

　⑷　圧縮限度額

$$\boxed{21,380,000 \ 円} \times \frac{^{※}\boxed{20,000,000 \ 円}}{\boxed{24,180,000 \ 円}} = \boxed{17,684,036 \ 円}$$

$$※ \quad \boxed{20,000,000 \ 円} < \boxed{24,180,000 \ 円} \quad \therefore \quad \boxed{20,000,000 \ 円}$$

　⑸　圧縮超過額

$$\boxed{18,000,000 \ 円} - \boxed{17,684,036 \ 円} = \boxed{315,964 \ 円}$$

２．減価償却

　⑴　償却限度額

$$\left(\boxed{20,000,000 \ 円} - \boxed{17,684,036 \ 円} \right) \times \boxed{0.042} \times \frac{\boxed{2}}{\boxed{12}} = \boxed{16,211 \ 円}$$

　⑵　償却超過額

$$\boxed{120,000 \ 円} - \boxed{16,211 \ 円} = \boxed{103,789 \ 円}$$

（単位：円）

	区　　分	金　　額
加算	圧縮積立金積立超過額（建物）	315,964
	減価償却超過額（建物）	103,789
減算	圧縮積立金認定損（建物）	18,000,000

解 説

① 商品等の棚卸資産は、圧縮記帳の対象となりません。ただし、減失経費の額を求める場合において、共通経費の額があるときは、保険金の額の比により按分することになりますが、その際の分母の保険金の額には、商品等の棚卸資産に係る保険金も含まれます。

② 圧縮記帳について積立金方式により経理している場合には、圧縮積立金積立超過額は、直ちに別表四で加算します。対象資産が減価償却資産である場合であっても、償却費として損金経理をした金額には含めません。

③ 圧縮記帳後の取得価額は、圧縮記帳の経理処理にかかわらず、本来の取得価額から損金の額に算入された圧縮額を控除した金額となります。

解 答 問題5 交換の圧縮記帳(1)

(1) 適用可否の判定

① ┃ 50,000,000 円 ┃ − ┃ 46,000,000 円 ┃ = ┃ 4,000,000 円 ┃

② ┃ 50,000,000 円 ┃ × ┃ 20 % ┃ = ┃ 10,000,000 円 ┃

③ 判 定

① $\left\{ \begin{array}{c} > \\ \leqq \end{array} \right\}$ ② ∴ ┃ 適用あり ┃

(いずれか多い方を○で囲む)

(2) 圧縮限度額

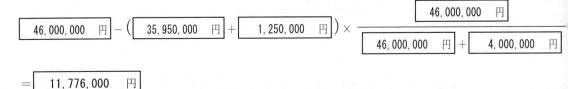

$$\boxed{46,000,000 \ 円} - \left(\boxed{35,950,000 \ 円} + \boxed{1,250,000 \ 円} \right) \times \frac{\boxed{46,000,000 \ 円}}{\boxed{46,000,000 \ 円} + \boxed{4,000,000 \ 円}}$$

= ┃ 11,776,000 円 ┃

(2) 圧縮超過額

┃ 14,000,000 円 ┃ − ┃ 11,776,000 円 ┃ = ┃ 2,224,000 円 ┃

(単位：円)

区 分		金 額
加算	圧縮超過額（土地）	2,224,000
減算		

解 説

本問の交換は、交換譲渡資産の時価が交換取得資産の時価より多いため、交換差金等を取得した場合に該当します。

解 答 問題6 交換の圧縮記帳(2)

1．圧縮記帳
(1) 圧縮限度額

$$38,000,000 \ 円 - (\ 26,000,000 \ 円 + \ 1,100,000 \ 円 + \ 4,000,000 \ 円)$$

$$= \ 6,900,000 \ 円$$

(2) 圧縮超過額

$$8,000,000 \ 円 - \ 6,900,000 \ 円 = \ 1,100,000 \ 円$$

2．減価償却
(1) 償却限度額

$$(\ 38,000,000 \ 円 - \ 6,900,000 \ 円) \times 0.042 \times \frac{7}{12} = \ 761,950 \ 円$$

(2) 償却超過額

$$(\ 300,000 \ 円 + \ 1,100,000 \ 円) - \ 761,950 \ 円 = \ 638,050 \ 円$$

（単位：円）

	区　　分	金　　額
加算	減価償却超過額（建物）	638,050
減算		

解 説

　本問の交換は、交換譲渡資産の時価が交換取得資産の時価より少ないため、交換差金等を交付した場合に該当します。

········ *Memorandum   Sheet* ········

Chapter 13

引当金等

問題1　貸倒損失(1)　　　　　　　　　　　　　　基本　4分

次の資料により、当社の当期における税務上の調整を示しなさい。

(1)　当社は、A社に対する売掛金1,500,000円を有しているが、令和7年9月15日にA社に対し会社更生法の規定による更生計画認可の決定があった。

　　この決定により、当社が有する売掛金の全額が切り捨てられることとなったが、当期末現在において何ら経理を行っていない。

(2)　当社は、B社に対する売掛金3,000,000円を有しているが、B社は、債務超過状態が相当期間継続し、弁済を受けることができないと認められるため、書面により債務免除を通知した額3,000,000円を貸倒損失として損金経理している。

（単位：円）

区　　分		金　　額
加算		
減算		

問題2　貸倒損失(2)　　　　　　　　　　　　　　基本　4分

次の資料により、当社の当期における税務上の調整を示しなさい。

(1)　当社が当期末において有する売掛金のうち2,000,000円は、A社に対するものであるが、同社は経営状態が著しく悪化し令和7年7月20日に債権者集会の協議決定により、債権金額の全額の切捨てが行われることが決定した。

　　なお、当社はこの決定に関する経理を何ら行っていない。

(2)　当社は当期末においてB商店に対して貸付金10,000,000円を有しているが、B商店の資産状況、支払能力等からみてその全額の回収不能が明らかになったため、当期において10,000,000円を貸倒損失として損金経理している。

　　なお、この貸付金については同商店所有の土地（時価10,000,000円）が担保に供されているが、当期末までに土地の処分は行われていない。

（単位：円）

区　　分		金　　額
加算		
減算		

問題3　個別貸倒引当金　　　　　　　　　　　　　　基本　6分

次の資料により、当社（期末資本金の額は100,000,000円であり、大法人による完全支配関係はない。）の当期における税務上の調整を示しなさい。

⑴　当社が当期末において有する売掛金のうち、A社に対するものが4,000,000円あるが、A社は令和7年12月18日に手形交換所の取引停止処分を受けている。

⑵　当社が当期末において有する貸付金のうち5,000,000円はB社に対するものであるが、B社は債務超過の状態が相当期間継続し、かつ、その営む事業に好転の見通しがないことから3,000,000円は取立て等の見込みがないと認められる。

⑶　当社は、それぞれA社に対する売掛金に対して3,000,000円、B社の貸付金に対して3,500,000円の個別貸倒引当金を損金経理により繰り入れている。

1．A　社

⑴　繰入限度額

| | 円 | × | | ％ | = | | 円 |

⑵　繰入超過額

| | 円 | − | | 円 | = | | 円 |

2．B　社

⑴　繰入限度額

| | 円 |

⑵　繰入超過額

| | 円 | − | | 円 | = | | 円 |

（単位：円）

区　　分	金　　額
加算	
減算	

問題4　一括貸倒引当金(1)　　　　　基本　10分

　次の資料により、当社（卸売業を営む期末資本金50,000,000円の法人であり、大法人による完全支配関係はない。）の当期の一括貸倒引当金の繰入限度額を計算しなさい。

1．当期末における債権等の金額（貸倒引当金控除前）は、次のとおりである。

　⑴　受取手形　　　　20,400,000円

　⑵　売掛金　　　　　29,300,000円

　⑶　貸付金　　　　　2,800,000円

　⑷　前渡金　　　　　1,100,000円（商品購入のための手付金である。）

　⑸　未収利子　　　　110,000円

　（注）1．上記の他、受取手形（すべて売掛金の回収として受け取ったものである。）を割引いた金額13,100,000円が注記表示されている。

　　　　2．売掛金のうちA社に対するものが1,480,000円あるが、当社はA社に対して買掛金が3,700,000円ある。

　　　　3．未収利子のうち、70,000円はB社に対する貸付金に係るものであり、残りは公社債に係るものである。

2．実質的に債権とみられないものの額の簡便法による控除割合は、0.053と計算されている。

3．直近の過去3事業年度における期末一括評価金銭債権の帳簿価額及び貸倒損失の額は、次のとおりである。

事　業　年　度	期末一括評価金銭債権の　帳　簿　価　額	貸倒損失額
令和4年4月1日～令和5年3月31日	77,000,000円	760,000円
令和5年4月1日～令和6年3月31日	81,000,000円	780,000円
令和6年4月1日～令和7年3月31日	84,000,000円	830,000円

(1) 期末一括評価金銭債権

　　　[　　　　　円] + [　　　　　　円] + [　　　　　　円] + [　　　　　　円]

　　+ [　　　　　　円] = [　　　　　　円]

(2) 貸倒実績率

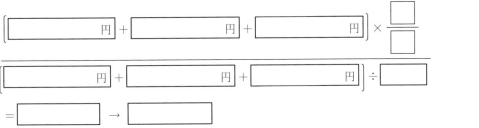

$$\frac{\left[\ \boxed{\quad 円} + \boxed{\quad 円} + \boxed{\quad 円}\ \right] \times \dfrac{\boxed{}}{\boxed{}}}{\left[\ \boxed{\quad 円} + \boxed{\quad 円} + \boxed{\quad 円}\ \right] \div \boxed{}}$$

　　= [　　　　　　] → [　　　　　　]

(3) 実質的に債権とみられないものの額

① 原則法

　　[　　　　　円] < [　　　　　円]　　∴ [　　　　　　円]

② 簡便法

　　[　　　　　円] × [　　　　　] = [　　　　　　円]

③ [　　　　　円] < [　　　　　円]　　∴ [　　　　　　円]

(4) 繰入限度額

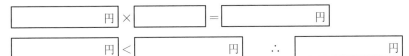

① [　　　　　円] × [　　　　　] = [　　　　　　円]

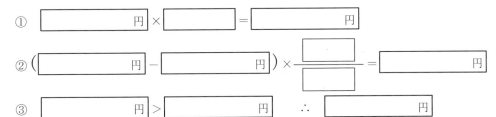

② ([　　　　　円] − [　　　　　　円]) × $\dfrac{\boxed{}}{\boxed{}}$ = [　　　　　　円]

③ [　　　　　円] > [　　　　　円]　　∴ [　　　　　　円]

総合計算問題

問題5 　一括貸倒引当金(2)　　　　　　　　　　　　　　基本　10分

次の資料により、当社（期末資本金の額は100,000,000円である。）の当期の税務上の調整を示しなさい。

(1) 当期末現在の貸借対照表に計上されている債権等（貸倒引当金控除前）の金額は次のとおりである。

① 受取手形　　　　55,600,000円

② 売掛金　　　　　36,180,000円

③ 貸付金　　　　　26,990,000円

④ 未収入金　　　　 1,114,000円

(2) 上記(1)の債権につき、次の留意事項がある。

① 受取手形は、すべて売掛金の回収のために取得したものであるが、このほか個別注記表に記載された割引手形が8,810,000円ある。

② 貸付金のうち4,000,000円は、A社に対するものであるが、当社はA社に対して買掛金が3,000,000円及び支払手形が1,000,000円ある。

③ 未収入金の内訳は、期中に売却した備品の売却代金120,000円、損害賠償金900,000円及び仕入割戻しの未収金94,000円である。

(3) 当社の過去3事業年度における税務上の期末一括評価金銭債権の帳簿価額の状況、売掛債権等についての貸倒損失額の発生状況は、次のとおりである。

なお、貸倒引当金の繰入限度額の計算は、貸倒実績率によること。

事 業 年 度	期末一括評価金銭債権の 帳 簿 価 額	貸倒損失額
令和4年4月1日〜令和5年3月31日	129,900,000円	960,000円
令和5年4月1日〜令和6年3月31日	126,300,000円	840,000円
令和6年4月1日〜令和7年3月31日	130,600,000円	1,200,000円

(4) 前期において損金経理により一括評価金銭債権に係る貸倒引当金として繰り入れた金額は1,050,000円（うち繰入限度超過額104,000円）であり、当期において全額戻し入れて収益に計上している。また、当期に一括評価金銭債権に係る貸倒引当金として損金経理により繰り入れた金額は1,120,000円である。

(1) 期末一括評価金銭債権

$\boxed{}$ 円 $+$ $\boxed{}$ 円 $+$ $\boxed{}$ 円 $+$ $\boxed{}$ 円

$+$ $\boxed{}$ 円 $+$ $\boxed{}$ 円 $=$ $\boxed{}$ 円

(2) 貸倒実績率

$$\dfrac{\left[\boxed{}\text{円} + \boxed{}\text{円} + \boxed{}\text{円}\right] \times \dfrac{\boxed{}}{\boxed{}}}{\left[\boxed{}\text{円} + \boxed{}\text{円} + \boxed{}\text{円}\right] \div \boxed{}}$$

$=$ $\boxed{}$ $\rightarrow$ $\boxed{}$

(3) 繰入限度額

$\boxed{}$ 円 $\times$ $\boxed{}$ $=$ $\boxed{}$ 円

(4) 繰入超過額

$\boxed{}$ 円 $-$ $\boxed{}$ 円 $=$ $\boxed{}$ 円

(単位：円)

区　　分	金　　額
加算	
減算	

（単位：円）

区　　分		金　　額
加算		
減算	貸倒損失認定損	1,500,000

解 説

　　会社更生法の規定による更生計画認可の決定による切捨て額は、法的に債権が消滅しているため、貸倒損失を認識しなければなりません。当社は、経理処理上貸倒損失を認識していないため、別表四で減算調整して認識します。

解 答 問題2 貸倒損失(2)

（単位：円）

区　　分		金　　額
加算	貸倒損失否認	10,000,000
減算	貸倒損失認定損	2,000,000

解 説

① 　債権者集会の協議決定による切捨て額は、法的な債権の消滅に準じて貸倒損失を認識しなければなりません。

② 　債権の全額回収不能が明らかになった場合には、貸倒損失として損金経理をすることができますが、本問の貸付金には担保（土地）が付されているため、その担保の処分後でなければ、貸倒損失を計上することはできません。

解 答 問題3 個別貸倒引当金

1．A 社

(1) 繰入限度額

4,000,000 円	×	50 %	=	2,000,000 円

(2) 繰入超過額

3,000,000 円	−	2,000,000 円	=	1,000,000 円

2．B　社

⑴　繰入限度額

| 3,000,000 | 円 |

⑵　繰入超過額

| 3,500,000 | 円 | − | 3,000,000 | 円 | ＝ | 500,000 | 円 |

(単位：円)

	区　　　分	金　　　額
加算	個別貸倒引当金繰入超過額（Ａ社）	1,000,000
	（Ｂ社）	500,000
減算		

解　説

①　当社が有する債権に係る債務者が、手形交換所の取引停止処分を受けた場合には、形式基準による個別貸倒引当金を設定することができます。この場合には、個別評価金銭債権の額の50％相当額が繰入限度額となります。

②　当社が有する債権に係る債務者について、債務超過の状態が相当期間継続し、かつ、その営む事業に好転の見通しがないため、債権の一部につき取立て等の見込みがない場合には、実質基準による個別貸倒引当金を設定することができます。この場合には、取立て等の見込みがないと認められる金額が繰入限度額となります。

解　答　問題4　一括貸倒引当金⑴

⑴　期末一括評価金銭債権

| 20,400,000 | 円 | ＋ | 13,100,000 | 円 | ＋ | 29,300,000 | 円 | ＋ | 2,800,000 | 円 |

＋ | 70,000 | 円 | ＝ | 65,670,000 | 円 |

⑵　貸倒実績率

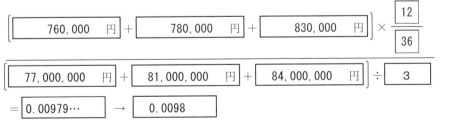

$$\frac{\left[\boxed{760,000 \text{ 円}} + \boxed{780,000 \text{ 円}} + \boxed{830,000 \text{ 円}}\right] \times \dfrac{\boxed{12}}{\boxed{36}}}{\left[\boxed{77,000,000 \text{ 円}} + \boxed{81,000,000 \text{ 円}} + \boxed{84,000,000 \text{ 円}}\right] \div \boxed{3}}$$

＝ | 0.00979… | → | 0.0098 |

⑶　実質的に債権とみられないものの額

①　原則法

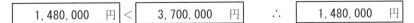

| 1,480,000 | 円 | ＜ | 3,700,000 | 円 | ∴ | 1,480,000 | 円 |

② 簡便法

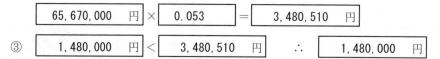

| 65,670,000 円 | × | 0.053 | = | 3,480,510 円 |

③ | 1,480,000 円 | < | 3,480,510 円 | ∴ | 1,480,000 円 |

(4) 繰入限度額

① | 65,670,000 円 | × | 0.0098 | = | 643,566 円 |

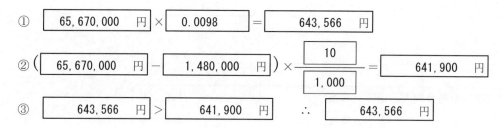

② (| 65,670,000 円 | − | 1,480,000 円 |) × $\dfrac{10}{1,000}$ = | 641,900 円 |

③ | 643,566 円 | > | 641,900 円 | ∴ | 643,566 円 |

解　説

① 当社は、期末資本金の額が1億円以下であり、大法人による完全支配関係もないため、中小法人に該当し、法定繰入率による繰入限度額の計算が認められます。

② 売掛金の回収として受け取った手形の割引手形は、期末一括評価金銭債権の額に含まれます。

③ 貸付金に係る未収利子は、期末一括評価金銭債権の額に含まれますが、公社債に係る未収利子は期末一括評価金銭債権の額に含まれません。

④ 貸倒実績率の端数処理は、「小数点以下4位未満切上」となります。

⑤ 実質的に債権とみられないものの額は、本問の場合、次の金額のうちいずれか少ない金額となります。

　(イ) A社に対する売掛金と買掛金のいずれか少ない金額

　(ロ) 期末一括評価金銭債権の額×簡便法による控除割合

⑥ 当社は、中小法人に該当するため、繰入限度額は、実績率による繰入限度額と法定繰入率による繰入限度額のいずれか多い金額となります。なお、当社は卸売業を営んでいることから、法定繰入率は、$\dfrac{10}{1,000}$となります。

解　答 問題5　一括貸倒引当金(2)

(1) 期末一括評価金銭債権

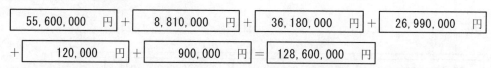

| 55,600,000 円 | + | 8,810,000 円 | + | 36,180,000 円 | + | 26,990,000 円 |

+ | 120,000 円 | + | 900,000 円 | = | 128,600,000 円 |

(2) 貸倒実績率

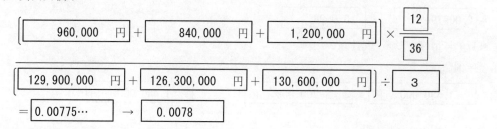

$$\dfrac{\left(960,000\,円 + 840,000\,円 + 1,200,000\,円 \right) \times \dfrac{12}{36}}{\left(129,900,000\,円 + 126,300,000\,円 + 130,600,000\,円 \right) \div 3}$$

= | 0.00775… | → | 0.0078 |

⑶ 繰入限度額

128,600,000 円 × 0.0078 = 1,003,080 円

⑷ 繰入超過額

1,120,000 円 － 1,003,080 円 = 116,920 円

（単位：円）

	区　分	金　額
加算	一括貸倒引当金繰入超過額	116,920
減算	一括貸倒引当金繰入超過額認容	104,000

解説

① 仕入割戻しの未収金は、期末一括評価金銭債権の額に含まれません。

② 貸倒引当金の繰入額のうち、繰入限度額を超える部分の金額は、別表四で加算調整が必要です。

③ 貸倒引当金の戻入れの処理は、毎期洗替えとなります。前期の繰入超過額を含めて当期に戻し入れて収益に計上した場合には、前期と当期の間で2重に課税されることとなってしまうため、当期において、別表四で減算調整をする必要があります。

Ch 1
Ch 2
Ch 3
Ch 4
Ch 5
Ch 6
Ch 7
Ch 8
Ch 9
Ch 10
Ch 11
Ch 12
Ch 13
総合計算問題

········ *Memorandum Sheet* ········

総合計算問題

No	内　容	標準時間	重要度	難易度
問題1	総合計算問題	40分	A	基本

| 問題1 | 総合計算問題 | 基本 | 40分 |

次の問において、求められている金額を計算しなさい。なお、解答に当たっては、次の事項を前提として計算すること。

(1) 税法上選択できる計算方法が2以上ある事項については、設問上において指示されている事項を除き、当期の法人税額が最も少なくなる計算方法によるものとする。

(2) 法人税の確定申告に当たって必要な申告の記載及び証明書の添付その他の手続は、いずれも適法に行うものとする。

(3) 解答に当たって補足すべき事項がある場合には、それを明記して解答するものとする。

内国法人甲株式会社(以下「甲社」という。)は、製造業を営む年1回3月末決算の非同族会社である。甲社の当期(令和7年4月1日から令和8年3月31日)の確定した決算(株主総会の承認を受けた決算)に基づく株主資本等変動計算書その他所得の金額等の計算にために必要な事項は、下記<資料>のとおりである。これらに基づき、当期分の法人税の課税標準である所得の金額及び確定申告により納付すべき法人税額を計算しなさい(計算過程を答案用紙の所定の欄に示すこと。)。

甲社は、設立以来毎期連続して適法に青色の申告書により法人税の確定申告書を提出しており、当期についても申告期限内に青色の申告書により法人税の確定申告を行う予定である。

<資　料>

1. 株主資本等変動計算書に関する事項

(単位：円)

	資 本 金	資本剰余金	利 益 剰 余 金			株 主 資 本合 計
		資本準備金	利益準備金	その他利益剰余金		
				別途積立金	繰 越 利 益剰 余 金	
前期末残高	200,000,000	60,000,000	50,000,000	160,000,000	14,000,000	484,000,000
当期変動額						
剰余金の配当					△20,000,000	△20,000,000
別途積立金の　積立て				40,000,000	△40,000,000	－
当期純利益					58,000,000	58,000,000
当期変動額合計				40,000,000	△2,000,000	38,000,000
当期末残高	200,000,000	60,000,000	50,000,000	200,000,000	12,000,000	522,000,000

２．所得の金額等の計算に必要な事項

⑴　租税公課に関する事項

①　当期中に納付した又は源泉徴収された下記の租税公課を費用計上している。

イ．当期中間申告分法人税（本　税）　　　　　　　　10,404,000円

ロ．当期中間申告分地方法人税（本　税）　　　　　　1,072,000円

ハ．当期中間申告分住民税（本　税）　　　　　　　　1,082,000円

ニ．当期中間申告分事業税（本　税）　　　　　　　　3,500,000円

ホ．利子等につき源泉徴収された所得税額　　　　　　173,272円　（下記⑷参照）

　　（注）　全額法人税額から控除される。

ヘ．外国株式配当につき源泉徴収された外国税額　　　18,000円　（下記⑷参照）

　　（注）　全額法人税額から控除される。

②　損金経理により納税充当金として計上した金額　　29,500,000円

③　納税充当金から支出した前期確定申告分事業税（本税）　4,240,000円

⑵　減価償却に関する事項

①　甲社が当期において減価償却費として費用に計上した金額は次のとおりであり、これら以外の減価償却資産については、特に指示があるものを除いて、調整すべき金額はない。

なお、甲社は減価償却資産の償却方法について、選定の届け出を一切行っていない。

種　類　等	取　得　価　額	期首帳簿価額	当期償却額	法定耐用年数	事業供用年月日	備考
事務所用建物	62,000,000円	60,000,000円	1,000,000円	50年	令5.6.4	注1
構　築　物（アスファルト敷）	2,250,000円	500,000円	200,000円	10年	平19.3.31以　　　前	注2
器　具　備　品	200,000円	――	200,000円	8年	令8.1.25	注3

（注1）　前期から繰り越された償却超過額が966,667円ある。

（注2）　前期において生じた償却不足額が9,130円ある。

（注3）　器具備品は、応接セット1組のものである。

⑶　繰延資産に関する事項

　　甲社の当期における繰延資産に関する事項は次のとおりである。

　①　甲社は当期において、電子計算機（法定耐用年数５年）を賃借（オペレーティングリース、賃借期間４年）し、事業の用に供している（当期におけるリース料の処理は適正に行われている。）。なお、その搬入に際し、引取運賃及び据付費として令和７年10月９日に330,000円（繰延資産の額）を支出し、その全額を雑損失として費用に計上（償却費として損金経理した金額）した（償却期間３年）。

　②　上記のほか、甲社は令和８年３月20日に、特約店に対し甲社製品名入りの冷蔵庫（法定耐用年数６年、償却期間４年）を５台贈与し、甲社における取得価額の合計額1,350,000円（繰延資産の額）を広告宣伝費として費用に計上（償却費として損金経理した金額）した。

⑷　受取配当等に関する事項

　①　甲社が当期中に支払いを受けた配当等の額は次のとおりであり、甲社は源泉徴収税額控除前の金額を雑収入として収益に計上している。

銘　柄　等	区　分	計　算　期　間	配当等の額	源泉徴収税額
Ｂ社（内国法人）株式	剰余金配当	令６.６.１〜令７.５.31	430,000円	65,854円
Ｃ社（内国法人）株式	剰余金配当	令６.６.１〜令７.５.31	250,000円	―　円
Ｄ社（外国法人）株式	剰余金配当	2025.1.1〜2025.12.31	120,000円	18,000円
Ｅ証券投資信託	収益分配金	令６.５.１〜令７.４.30	330,000円	50,539円
Ｆ公社債投資信託	収益分配金	令７.１.１〜令７.12.31	236,000円	36,143円
Ｇ銀行預金	預金利子	―――	135,400円	20,736円

　　（注１）　甲社は、数年前よりＣ社の発行済株式のうち50％を所有している。なお、他の株式について、その保有割合は常時１％未満である。なお、配当等の計算期間中に異動が生じたものはない。

　　（注２）　Ｄ社株式の配当等の額に係る源泉徴収税額は全額が外国税額である。

　　（注３）　Ｅ証券投資信託は、その信託財産を主として内国法人が発行する株式に運用するものである。

　②　配当等の額から控除する負債の利子の額は10,000円である。

⑸　その他の事項

　①　上記のほか、当期の費用に計上した金額のうち税務調整を必要とする事項は、次のとおりである。

　　イ．　役員給与の損金不算入額　　　　　　　　　1,800,000円

　　ロ．　交際費等の損金不算入額　　　　　　　　　2,242,750円

　　ハ．　寄附金の損金不算入額　　　　　　　　　　383,773円

　②　その他法人税額の計算上考慮すべき事項として、試験研究費の特別控除額が825,000円ある。

　（注）　以上のほかは計算上考慮する必要がないものとし、解答に当たって補足すべき点がある場合は
　　　　適宜補足した上で解答すること。

＜参考資料＞

減価償却資産の償却率、改定償却率及び保証率の表（一部）

耐用年数	定額法償却率	200%定率法			旧定額法償却率	旧定率法償却率
		償却率	改定償却率	保証率		
8	0.125	0.250	0.334	0.07909	0.125	0.250
10	0.100	0.200	0.250	0.06552	0.100	0.206
50	0.020	0.040	0.042	0.01440	0.020	0.045

計算過程欄(1)

【減価償却に関する事項】

計算過程欄(2)

【繰延資産に関する事項】

【受取配当等の益金不算入】

Ch 1

Ch 2

Ch 3

Ch 4

Ch 5

Ch 6

Ch 7

Ch 8

Ch 9

Ch 10

Ch 11

Ch 12

Ch 13

総合計算問題

Ⅰ　所得金額の計算

区　　　　　分	金　　額
会　社　計　上　当　期　純　利　益	円
加 算	
小　　　　　計	

減算		
小　　　　　計		
仮　　　　　計		
合　計・差引計・総　計		
所　得　金　額		

Ⅱ　納付すべき法人税額の計算

区　　　　　分	金　　額	計　算　過　程
所　得　金　額	円	(　　　　　)
法　人　税　額		【法人税額の計算】
差　引　法　人　税　額		
法　人　税　額　計		
控　除　所　得　税　額		
控　除　外　国　税　額		
差引所得に対する法人税額		(　　　　　　)
中　間　申　告　分　の　法　人　税　額		
納　付　す　べ　き　法　人　税　額		

計算過程欄(1)

【減価償却に関する事項】

1．事務所用建物

(1) 償却限度額

$62,000,000 \times 0.020 = 1,240,000$円　★

(2) 償却超過額

$1,000,000 - 1,240,000 = \triangle 240,000$

$240,000$円 $<966,667$円　∴　$240,000$円（認　容）

2．構築物

(1) 償却限度額

$500,000 \times 0.206 = 103,000$円　★

(2) 償却超過額

$200,000 - 103,000 = 97,000$円

3．器具備品

(1) 償却限度額

$200,000 \times 0.250 = 50,000$円 $\geqq 200,000 \times 0.07909 = 15,818$円

∴　$50,000 \times \dfrac{3}{12} = 12,500$円　★

(2) 償却超過額

$200,000 - 12,500 = 187,500$円

計算過程欄(2)

【繰延資産に関する事項】

1．リース付随費用

(1) 償却期間

3年

(2) 償却限度額

$330,000 \times \dfrac{6}{3 \times 12} = 55,000円$　★

(3) 償却超過額

$330,000 - 55,000 = 275,000円$

2．広告宣伝用資産・冷蔵庫

(1) 償却期間

4年

(2) 償却限度額

$1,350,000 \times \dfrac{1}{4 \times 12} = 28,125円$　★

(3) 償却超過額

$1,350,000 - 28,125 = 1,321,875円$

【受取配当等の益金不算入】

(1) 配当等の額

① 関連法人株式等

250,000円　★

② 非支配目的株式等

430,000円

(2) 控除負債利子

10,000円

(3) 益金不算入

$(250,000 - 10,000) + 430,000 \times 20\% ★ = 326,000円$

I 所得金額の計算

区　　　　　分		金　　額
会　社　計　上　当　期　純　利　益	★	58,000,000円
加	損　金　経　理　法　人　税	☆　10,404,000
	損　金　経　理　地　方　法　人　税	☆　1,072,000
	損　金　経　理　住　民　税	☆　1,082,000
	損　金　経　理　納　税　充　当　金	☆　29,500,000
	減　価　償　却　超　過　額	
	（構　　築　　物）	☆　97,000
	（器　具　備　品）	☆　187,500
	繰　延　資　産　償　却　超　過　額	
	（リ　ー　ス　付　随　費　用）	☆　275,000
	（広告宣伝用資産・冷蔵庫）	☆　1,321,875
	役　員　給　与　の　損　金　不　算　入　額	☆　1,800,000
算	交　際　費　等　の　損　金　不　算　入　額	☆　2,242,750
小　　　　　　計		47,982,125

Ch 1
Ch 2
Ch 3
Ch 4
Ch 5
Ch 6
Ch 7
Ch 8
Ch 9
Ch 10
Ch 11
Ch 12
Ch 13
総合計算問題

減 算	納 税 充 当 金 支 出 事 業 税 等	☆ 4,240,000
	減 価 償 却 超 過 額 認 容	
	（事 務 所 用 建 物）	☆ 240,000
	受 取 配 当 等 の 益 金 不 算 入 額	☆ 326,000
	小　　　　　計	4,806,000
仮　　　　　　　　計		★ 101,176,125
寄 附 金 の 損 金 不 算 入 額		☆ 383,773
法 人 税 額 控 除 所 得 税 額		★ 173,272
控 除 対 象 外 国 法 人 税 額		☆ 18,000
合 計 ・ 差 引 計 ・ 総 計		101,751,170
所 得 金 額		★ 101,751,170

Ⅱ　納付すべき法人税額の計算

区　　　分	金　　　額	計　算　過　程
所　得　金　額	★　101,751,000円	（千円未満切捨）★
法　人　税　額	23,606,232	【法人税額の計算】（算式★） 101,751,000×23.2%＝23,606,232円
試験研究費の特別控除額	★　825,000	
差　引　法　人　税　額	22,781,232	
法　人　税　額　計	22,781,232	
控　除　所　得　税　額	★　173,272	
控　除　外　国　税　額	★　18,000	
差引所得に対する法人税額	22,589,900	（百円未満切捨）★
中間申告分の法人税額	★　10,404,000	
納付すべき法人税額	12,185,900	完了点　★

配点：★1つにつき1点

☆1つにつき2点

【合計50点】

総合計算問題

〈解　説〉

1．出題概要

(1)　前提の確認

① 業　　種 ➡ 製造業

② 資 本 金 ➡ 200,000,000円（中小法人以外）株主資本等変動計算で確認

③ 会社区分 ➡ 非同族会社

(2)　出題形式

本問は、オーソドックスな申告調整型の問題となっています。

2．当期純利益

税引後の金額であり、株主資本等変動計算書から転記します。

3．租税公課に関する事項

(1)　中間申告分の法人税等

事業税は損金算入されますが、法人税、地方法人税及び住民税は損金不算入とされるため、費用に計上した金額は、加算調整が必要になります。

(2)　納税充当金の期中増加額

申告納税方式の租税は、申告書を提出することにより債務が確定します。納税充当金の期中増加額は、当期確定申告分のそれぞれの税額に充てるためのものであり、債務未確定費用の計上となるため、損金の額に算入されません。

(3)　納税充当金の期中減少額

納税充当金の期中減少額から法人税本税、地方法人税本税及び住民税本税を控除した金額は、「納税充当金支出事業税等」として減算調整が必要です。

4．減価償却に関する事項

甲社は償却方法については、償却方法の選定をしていないため、平成19年3月31日以前取得の建物以外の有形減価償却資産の法定償却方法は旧定率法となります。また、平成24年4月1日以後取得の建物以外の有形減価償却資産の法定償却方法は、200%定率法となります。

平成19年4月1日以後取得の建物の償却方法は定額法しかありません。

5．繰延資産に関する事項

(1)　リース付随費用

問題文に償却開始時期及び償却期間が書かれているため、それらを基に償却限度額の計算を行います。

(2)　償却費として損金経理した金額

繰延資産の額を損金経理した場合には、償却費として損金経理した金額となります。

6．受取配当等に関する事項

　C社株式については、数年前より、所有割合が3分の1超であるため、関連法人株式等となります。B社株式については、所有割合が5％以下のため、非支配目的株式等となります。控除負債利子は関連法人株式等について控除します。

········ *Memorandum Sheet* ········

法人税の主な申告書（別表）

別表一　各事業年度の所得に係る申告書─内国法人の分……令六・四・一以後終了事業年度等分

署受 税付印	令和　年　月　日　税務署長殿
納税地	電話（　　）　－
（フリガナ） 法人名	
法人番号	
（フリガナ） 代表者	
代表者住所	

所管　業種目　概況書　要否　別表等

通算グループ整理番号
通算親法人整理番号
法人区分　普通法人（特定の医療法人を除く。）、一般社団法人等、みなし公益法人等　左記以外の公益法人等、協同組合等又は人格のない社団等　公益法人等、特定の医療法人
事業種目
期末現在の資本金の額又は出資金の額　　　円　非中小法人
同上が1億円以下の普通法人のうち中小法人に該当しないもの
同非区分　特定同族会社　同族会社　非同族会社
旧納税地及び旧法人名等
添付書類　貸借対照表、損益計算書、株主（社員）資本等変動計算書又は損益金処分表、勘定科目内訳明細書、事業概況書、組織再編成に係る契約書等の写し、組織再編成に係る移転資産等の明細書

※税務署処理欄

青色申告　一連番号
整理番号
事業年度（至）　　年　　月　　日
売上金額　兆　十億　百万
申告年月日　　年　　月　　日
通信日付印　確認　庁指定　局指定　指導等　区分
年　月　日
申告区分
法人税　中間　期限後　修正　地方法人税　中間　期限後　修正

令和　□□　年　□□　月　□□　日　事業年度分の法人税　申告書
令和　□□　年　□□　月　□□　日　課税事業年度分の地方法人税　申告書
（中間申告の場合の計算期間　令和　年　月　日　の計算期間　令和　年　月　日）

適用額明細書提出の有無　有　無
税理士法第30条の書面提出有　有
税理士法第33条の2の書面提出有　有

項目	No	十億　百万　千　円
所得金額又は欠損金額（別表四「52の①」）	1	
法人税額（48）＋（49）＋（50）	2	
法人税額の特別控除額（別表六（六）「5」）	3	
税額控除超過額相当額等の加算額	4	
土地譲渡利益金額（別表三（二）「24」）＋（別表三（二の二）「25」）＋（別表三（三）「20」）	5	000
同上に対する税額（62）＋（63）＋（64）	6	
課税留保金額（別表三（一）「4」）	7	
同上に対する税額（別表三（一）「8」）	8	
法人税額計（2）－（3）＋（4）＋（6）＋（8）	9	000
分配時調整外国税相当額及び外国関係会社等に係る控除対象所得税額等相当額の控除額（別表六（五の二）「7」）＋（別表十七（三の六）「3」）	10	
仮装経理に基づく過大申告の更正に伴う控除法人税額	11	
控除税額（（9）－（10）－（11））と（18）のうち少ない金額	12	
差引所得に対する法人税額（9）－（10）－（11）－（12）	13	000
中間申告分の法人税額	14	000
差引確定/中間申告の場合はその法人税額（税額とし、マイナスの場合は（22）へ記入）（13）－（14）	15	000

項目	No	十億　百万　千　円
所得税の額（別表六（一）「6の③」）	16	
外国税額（別表六（二）「23」）	17	
計（16）＋（17）	18	
控除した金額（12）	19	
控除しきれなかった金額（18）－（19）	20	
所得税額等の還付金額（20）	21	
中間納付額（14）－（13）	22	
欠損金の繰戻しによる還付請求税額	23外	
計（21）＋（22）＋（23）	24外	

項目	No	十億　百万　千　円
この申告が修正申告である場合のこの申告により納付すべき法人税額又は減少する還付請求税額（57）	25外	00
欠損金等の当期控除額（別表七（一）「4の計」）＋（別表七（四）「9」若しくは「21」又は別表七（四）「10」）	26	
翌期へ繰り越す欠損金額（別表七（一）「5の合計」）	27	

項目	No	十億　百万　千　円
所得の金額に対する法人税額（2）－（3）＋（4）＋（6）＋（9の外書）－（別表六（六）「7の計」）－（別表十七（三の六）「3」）	28	
課税留保金額に対する法人税額（8）	29	
課税標準法人税額（28）＋（29）	30	000
地方法人税額（53）	31	
税額控除超過額相当額の加算額（別表六（二）付表六「14の計」）	32	
課税留保金額に係る地方法人税額（54）	33	
所得地方法人税額（31）＋（32）＋（33）	34	
分配時調整外国税相当額及び外国関係会社等に係る控除対象所得税額等相当額の控除額（別表六（二）付表六「3の計」＋（別表十七（三の六）「4」）又は「3」のうち少ない金額	35	
仮装経理に基づく過大申告の更正に伴う控除地方法人税額	36	
外国税額の控除額（（34）－（35）－（36））と（65）のうち少ない金額	37	
差引地方法人税額（34）－（35）－（36）－（37）	38	00
中間申告分の地方法人税額	39	00
差引確定/中間申告の場合はその地方法人税額（税額とし、マイナスの場合は（42）へ記入）（38）－（39）	40	00

項目	No	十億　百万　千　円
外国税額の還付金額（67）	41	
中間納付額（39）－（38）	42	
計（41）＋（42）	43外	
この申告が修正申告である場合のこの申告により納付すべき地方法人税額（61）	44	00
剰余金・利益の配当（剰余金の分配）の金額		

残余財産の最後の分配又は引渡しの日　令和　年　月　日
決算確定の日　令和　年　月　日

還付を受けようとする金融機関等
銀行　本店・支店
金庫・組合　出張所
農協・漁協　本所・支所
預金
ゆうちょ銀行等
口座番号
ゆうちょ銀行の貯金記号番号　－
郵便局名等
※税務署処理欄

税理士署名

（324）

事業年度等	・ ・	法人名	

法 人 税 額 の 計 算

(1)のうち中小法人等の年800万円相当額以下の金額 ((1)と800万円×12分のうち少ない金額)又は(別表一付表「5」)	45	000	(45)の15％又は19％相当額	48	
(1)のうち特例税率の適用がある協同組合等の年10億円相当額を超える金額 (1)−10億円×12	46	000	(46)の22％相当額	49	
そ の 他 の 所 得 金 額 (1)−(45)−(46)	47	000	(47)の19％又は23.2％相当額	50	

地 方 法 人 税 額 の 計 算

所得の金額に対する法人税額 (28)	51	000	(51)の10.3％相当額	53	
課税留保金額に対する法人税額 (29)	52	000	(52)の10.3％相当額	54	

こ の 申 告 が 修 正 申 告 で あ る 場 合 の 計 算

法人税額の計算	この申告前の	法 人 税 額	55		地方法人税額の計算	この申告前の	確定地方法人税額	58	
		還 付 金 額	56	外			還 付 金 額	59	
	この申告により納付すべき法人税額又は減少する還付請求税額 ((15)−(55))若しくは((15)+(56))又は((56)−(24))		57	外 00		この申告により納付すべき地方法人税額 ((40)−(58))若しくは((40)+(59)+(60))又は(((59)−(43))+((60)−(43の外書)))		61	00

土 地 譲 渡 税 額 の 内 訳

土 地 譲 渡 税 額 (別表三(二)「25」)	62	0	土 地 譲 渡 税 額 (別表三(三)「21」)	64	00
同　上 (別表三(二の二)「26」)	63	0			

地 方 法 人 税 額 に 係 る 外 国 税 額 の 控 除 額 の 計 算

外 国 税 額 (別表六(二)「56」)	65		控除しきれなかった金額 (65)−(66)	67	
控 除 し た 金 額 (37)	66				

所得の金額の計算に関する明細書

| 事業年度 | ： ： | 法人名 | |

区　　分		総　　額①	処　分		
			留　保②	社　外　流　出③	
当　期　利　益　又　は　当　期　欠　損　の　額	1	円	円	配　当	円
				その他	
加算	損金経理をした法人税及び地方法人税(附帯税を除く。)	2				
	損金経理をした道府県民税及び市町村民税	3				
	損金経理をした納税充当金	4				
	損金経理をした附帯税(利子税を除く。)、加算金、延滞金(延納分を除く。)及び過怠税	5			その他	
	減価償却の償却超過額	6				
	役員給与の損金不算入額	7			その他	
	交際費等の損金不算入額	8			その他	
	通算法人に係る加算額(別表四付表「5」)	9			外※	
		10				
	小　　　計	11			外※	
減算	減価償却超過額の当期認容額	12				
	納税充当金から支出した事業税等の金額	13				
	受取配当等の益金不算入額(別表八(一)「5」)	14			※	
	外国子会社から受ける剰余金の配当等の益金不算入額(別表八(二)「26」)	15			※	
	受贈益の益金不算入額	16			※	
	適格現物分配に係る益金不算入額	17			※	
	法人税等の中間納付額及び過誤納に係る還付金額	18				
	所得税額等及び欠損金の繰戻しによる還付金額等	19			※	
	通算法人に係る減算額(別表四付表「10」)	20			※	
		21				
	小　　　計	22			外※	
仮　　計　(1)+(11)-(22)	23			外※	
対象純支払利子等の損金不算入額(別表十七(二の二)「29」又は「34」)	24			その他	
超過利子額の損金算入額(別表十七(二の三)「10」)	25	△		※	△
仮　　計　((23)から(25)までの計)	26			外※	
寄附金の損金不算入額(別表十四(二)「24」又は「40」)	27			その他	
沖縄の認定法人又は国家戦略特別区域における指定法人の所得の特別控除額又は要加算調整額の益金算入額(別表十(一)「15」若しくは別表十(二)「10」又は別表十(一)「16」若しくは別表十(二)「11」)	28			※	
法人税額から控除される所得税額(別表六(一)「6の③」)	29			その他	
税額控除の対象となる外国法人税の額(別表六(二の二)「7」)	30			その他	
分配時調整外国税相当額及び外国関係会社等に係る控除対象所得税額等相当額(別表六(五の二)「5の②」)+(別表十七(三の六)「1」)	31			その他	
組合等損失額の損金不算入額又は組合等損失超過合計額の損金算入額(別表九(二)「10」)	32				
対外船舶運航事業者の日本船舶による収入金額に係る所得の金額の損金算入額又は益金算入額(別表十(四)「20」、「21」又は「23」)	33			※	
合　　計　(26)+(27)±(28)+(29)+(30)+(31)+(32)±(33)	34			外※	
契約者配当の益金算入額(別表九(一)「13」)	35				
特定目的会社等の支払配当又は特定目的信託に係る受託法人の利益の分配等の損金算入額(別表十(八)「13」、別表十(九)「11」又は別表十(十)「16」若しくは「33」)	36	△	△		
中間申告における繰戻しによる還付に係る災害損失欠損金額の益金算入額	37			※	
非適格合併又は残余財産の全部分配等による移転資産等の譲渡利益額又は譲渡損失額	38			※	
差　引　計　((34)から(38)までの計)	39			外※	
更生欠損金又は民事再生等評価換えが行われる場合の再生等欠損金の損金算入額(別表七(三)「9」又は「21」)	40	△		※	△
通算対象欠損金額の損金算入額又は通算対象所得金額の益金算入額(別表七の二「5」又は「11」)	41			※	
当初配賦欠損金控除額の益金算入額(別表七(二)付表一「23の計」)	42			※	
差　引　計　(39)+(40)±(41)+(42)	43			外※	
欠損金等の当期控除額(別表七(一)「4の計」)+(別表七(四)「10」)	44	△		※	△
総　　計　(43)+(44)	45			外※	
新鉱床探鉱費又は海外新鉱床探鉱費の特別控除額(別表十(三)「43」)	46	△		※	△
農業経営基盤強化準備金積立額の損金算入額(別表十二(十三)「10」)	47	△	△		
農用地等を取得した場合の圧縮額の損金算入額(別表十二(十三)「43の計」)	48	△	△		
関西国際空港用地整備準備金積立額、中部国際空港整備準備金積立額又は再投資等準備金積立額の損金算入額(別表十二(十)「15」、別表十二(十一)「10」又は別表十二(十四)「12」)	49	△	△		
特定事業活動として特別新事業開拓事業者の株式の取得をした場合の特別勘定繰入額の損金算入額又は特別勘定取崩額の益金算入額(別表十(六)「21」-「11」)	50			※	
残余財産の確定の日の属する事業年度に係る事業税及び特別法人事業税の損金算入額	51	△	△		
所　得　金　額　又　は　欠　損　金　額	52			外※	

(326)

利益積立金額及び資本金等の額の計算に関する明細書

事 業 年 度	： ：	法人名	

Ⅰ 利益積立金額の計算に関する明細書

区　分		期首現在 利益積立金額 ①	当期の増減 減 ②	当期の増減 増 ③	差引翌期首現在 利益積立金額 ①－②＋③ ④
利 益 準 備 金	1	円	円	円	円
積 立 金	2				
	3				
	4				
	5				
	6				
	7				
	8				
	9				
	10				
	11				
	12				
	13				
	14				
	15				
	16				
	17				
	18				
	19				
	20				
	21				
	22				
	23				
	24				
繰 越 損 益 金 (損 は 赤)	25				
納 税 充 当 金	26				
未納法人税等（各事業年度の所得に対するものに限る。） 未 納 法 人 税 及 び 未 納 地 方 法 人 税 （附帯税を除く。）	27	△	△	中間 △ 確定 △	△
未 払 通 算 税 効 果 額 （附帯税の額に係る部分の金額を除く。）	28			中間 確定	
未 納 道 府 県 民 税 （均等割を含む。）	29	△	△	中間 △ 確定 △	△
未 納 市 町 村 民 税 （均等割を含む。）	30	△	△	中間 △ 確定 △	△
差 引 合 計 額	31				

Ⅱ 資本金等の額の計算に関する明細書

区　分		期首現在 資本金等の額 ①	当期の増減 減 ②	当期の増減 増 ③	差引翌期首現在 資本金等の額 ①－②＋③ ④
資 本 金 又 は 出 資 金	32	円	円	円	円
資 本 準 備 金	33				
	34				
	35				
差 引 合 計 額	36				

租税公課の納付状況等に関する明細書

事業年度 ： ：　法人名

税目及び事業年度				期首現在未納税額 ①	当期発生税額 ②	当期中の納付税額 充当金取崩しによる納付 ③	当期中の納付税額 仮払経理による納付 ④	当期中の納付税額 損金経理による納付 ⑤	期末現在未納税額 ①+②-③-④-⑤ ⑥
法人税及び地方法人税		： ：	1	円			円	円	円 円
		： ：	2						
	当期分	中間	3		円				
		確定	4						
		計	5						
道府県民税		： ：	6						
		： ：	7						
	当期分	中間	8						
		確定	9						
		計	10						
市町村民税		： ：	11						
		： ：	12						
	当期分	中間	13						
		確定	14						
		計	15						
事業税及び特別法人事業税		： ：	16						
		： ：	17						
	当期中間分		18						
		計	19						
その他	損金算入のもの	利子税	20						
		延滞金（延納に係るもの）	21						
			22						
			23						
	損金不算入のもの	加算税及び加算金	24						
		延滞税	25						
		延滞金（延納分を除く。）	26						
		過怠税	27						
			28						
			29						

納税充当金の計算

期首納税充当金	30	円	取崩額 その他	損金算入のもの	36	円
繰入額	損金経理をした納税充当金	31		損金不算入のもの	37	
		32			38	
	計 (31)＋(32)	33		仮払税金消却	39	
取崩額	法人税額等 (5の③)＋(10の③)＋(15の③)	34		計 (34)＋(35)＋(36)＋(37)＋(38)＋(39)	40	
	事業税及び特別法人事業税 (19の③)	35		期末納税充当金 (30)＋(33)－(40)	41	

通算法人の通算税効果額の発生状況等の明細

事業年度		期首現在未決済額 ①	当期発生額 ②	当期中の決済額 支払額 ③	当期中の決済額 受取額 ④	期末現在未決済額 ⑤
： ：	42	円		円	円	円
： ：	43					
当期分	44		中間 円			
			確定			
計	45					

所得税額の控除に関する明細書

事　業年　度	：　　：	法人名	

区　　　　　　分		収　入　金　額 ①	①について課される所　得　税　額 ②	②のうち控除を受ける所　得　税　額 ③
公社債及び預貯金の利子、合同運用信託、公社債投資信託及び公社債等運用投資信託(特定公社債等運用投資信託を除く。)の収益の分配並びに特定公社債等運用投資信託の受益権及び特定目的信託の社債的受益権に係る剰余金の配当	1	円	円	円
剰余金の配当(特定公社債等運用投資信託の受益権及び特定目的信託の社債的受益権に係るものを除く。)、利益の配当、剰余金の分配及び金銭の分配(みなし配当等を除く。)	2			
集団投資信託(合同運用信託、公社債投資信託及び公社債等運用投資信託(特定公社債等運用投資信託を除く。)を除く。)の収益の分配	3			
割　引　債　の　償　還　差　益	4			
そ　　　　　の　　　　　他	5			
計	6			

剰余金の配当(特定公社債等運用投資信託の受益権及び特定目的信託の社債的受益権に係るものを除く。)、利益の配当、剰余金の分配及び金銭の分配(みなし配当等を除く。)、集団投資信託(合同運用信託、公社債投資信託及び公社債等運用投資信託(特定公社債等運用投資信託を除く。)を除く。)の収益の分配又は割引債の償還差益に係る控除を受ける所得税額の計算

個別法による場合	銘　　　　柄	収　入　金　額 7	所　得　税　額 8	配　当　等　の計　算　期　間 9	(9)のうち元本所　有　期　間 10	所有期間割合 $\frac{(10)}{(9)}$ (小数点以下3位未満切上げ) 11	控除を受ける所　得　税　額 (8) × (11) 12
		円	円	月	月		円

銘柄別簡便法による場合	銘　　　　柄	収　入　金　額 13	所　得　税　額 14	配当等の計算期末の所有元本数等 15	配当等の計算期首の所有元本数等 16	$\frac{(15)-(16)}{2又は12}$ (マイナスの場合は0) 17	所有元本割合 $\frac{(16)+(17)}{(15)}$ (小数点以下3位未満切上げ)(1を超える場合は1) 18	控除を受ける所　得　税　額 (14) × (18) 19
		円	円					円

その他に係る控除を受ける所得税額の明細

支払者の氏名又は法人名	支払者の住所又は所在地	支払を受けた年月日	収　入　金　額 20	控除を受ける所得税額 21	参　　　考
		・　　・	円	円	
		・　　・			
		・　　・			
		・　　・			
		・　　・			
	計				

内国法人の外国税額の控除に関する明細書

事業年度等　　・　・　法人名

別表六(二)　令六・四・一以後終了事業年度等分

Ⅰ　法人税に係る外国税額の控除に関する明細書

当期の控除対象外国法人税額 （別表六（二の二）「21」）	1	円	区　　分		国外所得対応分 ①	①のうち非課税所得分 ②
当期の法人税額 （（別表一「2」－「3」）－別表六（五の二）「5の③」－別表十七（三の六）「1」） （マイナスの場合は0）	2		当期のその他の国外源泉所得に係る所得の金額の計算	その他の国外源泉所得に係る当期利益又は当期欠損の額	24	円　　円
当期の法人税の所得金額の控除限度額の計算	当期の法人税の所得金額	所得金額又は欠損金額 （別表四「52の①」）	3	当期の加算	納付した控除対象外国法人税額	25
		繰越欠損金の当期控除額 （別表七（一）「4の計」）	4		交際費等の損金不算入額	26
		対外船舶運航事業者の日本船舶による収入金額に係る所得の金額の損金算入額 （別表十（四）「20」）	5		貸倒引当金の戻入額	27
		対外船舶運航事業者の日本船舶による収入金額に係る所得の金額の益金算入額 （別表十（四）「21」又は「23」）	6			28
		組合等損失額の損金不算入額 （別表九（二）「6」）	7			29
		組合等損失超過合計額の損金算入額 （別表九（二）「9」）	8			30
		計 (3)＋(4)＋(5)－(6)－(7)＋(8) （マイナスの場合は0）	9			31
	当期の調整国外所得金額	国外事業所等帰属所得に係る所得の金額 （別表六（二）付表一「25」）	10			32
		その他の国外源泉所得に係る所得の金額 （46の①）	11			33
		(10)＋(11) （マイナスの場合は0）	12			34
		非課税国外所得の金額 （46の②）＋（別表六（二）付表一「26」） （マイナスの場合は0）	13		小　計	35
		(12)－(13) （マイナスの場合は0）	14	当期の減算	貸倒引当金の繰入額	36
		(9)×90%	15			37
		調整国外所得金額 （(14)と(15)のうち少ない金額）	16			38
	法人税の控除限度額 $(2) \times \frac{(16)}{(9)}$ （通算法人の場合は別表六（二）付表五「35」）	17				39
当期に控除できる金額の計算	法第69条第1項により控除できる金額 （(1)と(17)のうち少ない金額）	18			40
	法第69条第2項により控除できる金額 （別表六（三）「30の②」）	19			41
	法第69条第3項により控除できる金額 （別表六（三）「34の②」）	20			42
	((18)＋(19)＋(20))又は当初申告税額控除額	21			43
	法第69条第18項により控除できる金額 （別表六（二）付表六「6の計」）	22			44
	当期に控除できる金額 (21)＋(22)	23		小　計	45
				計 (24)＋(35)－(45)	46

Ⅱ　地方法人税に係る外国税額の控除に関する明細書

当期の控除対象外国法人税額 (1)	47	円	地方法人税控除限度額 $(51) \times \frac{(16)}{(9)}$ （通算法人の場合は別表六（二）付表五「43」）	52	円
法人税の控除限度額 (17)	48		地方法第12条第1項により控除できる金額 （(49)と(52)のうち少ない金額）	53	
差引控除対象外国法人税額 (47)－(48)	49		(53)又は当初申告税額控除額	54	
地方法人税額の計算	課税標準法人税額 （別表一「2」－「3」）	50	000	地方法第12条第8項により控除できる金額 （別表六（二）付表六「13の計」）	55
	地方法人税額 (50)×10.3%－(((別表六（五の二）「5の③」）＋（別表十七（三の六）「1」）－(50))と0のうち多い金額) （マイナスの場合は0）	51		外国税額の控除額 (54)＋(55)	56

欠損金の損金算入等に関する明細書

事 業 年 度	・ ・	法人名	

控 除 前 所 得 金 額 (別表四「43の①」)	1	円	損 金 算 入 限 度 額 (1) × $\frac{50又は100}{100}$	2	円

事業年度	区 分	控除未済欠損金額 3	当 期 控 除 額 (当該事業年度の(3)と((2)ー当該事業年度前の (4)の合計額))のうち少ない金額) 4	翌 期 繰 越 額 ((3)ー(4))又は(別表七(四)「15」) 5
・ ・ ・ ・	青色欠損・連結みなし欠損・災害損失	円	円	
・ ・ ・ ・	青色欠損・連結みなし欠損・災害損失			円
・ ・ ・ ・	青色欠損・連結みなし欠損・災害損失			
・ ・ ・ ・	青色欠損・連結みなし欠損・災害損失			
・ ・ ・ ・	青色欠損・連結みなし欠損・災害損失			
・ ・ ・ ・	青色欠損・連結みなし欠損・災害損失			
・ ・ ・ ・	青色欠損・連結みなし欠損・災害損失			
・ ・ ・ ・	青色欠損・連結みなし欠損・災害損失			
・ ・ ・ ・	青色欠損・連結みなし欠損・災害損失			
・ ・ ・ ・	青色欠損・連結みなし欠損・災害損失			
	計			

当 期 分	欠 損 金 額 (別表四「52の①」)		欠 損 金 の 繰 戻 し 額	
	同上のうち	青 色 欠 損 金 額		
		災 害 損 失 欠 損 金 額	(16の③)	
	合 計			

災害により生じた損失の額がある場合の繰越控除の対象となる欠損金額等の計算

災 害 の 種 類		災害のやんだ日又はやむ を得ない事情のやんだ日	・ ・
災 害 を 受 け た 資 産 の 別	棚 卸 資 産 ①	固 定 資 産 (固定資産に準ずる繰延資産を含む。) ②	計 ①+② ③
当 期 の 欠 損 金 額 (別表四「52の①」) 6			円
災害により生じた損失の額 資産の滅失等により生じた損失の額 7	円	円	
被害資産の原状回復のための 費用等に係る損失の額 8			
被害の拡大又は発生の防止 のための費用に係る損失の額 9			
計 (7)+(8)+(9) 10			
保険金又は損害賠償金等の額 11			
差引災害により生じた損失の額 (10)ー(11) 12			
同上のうち所得税額の還付又は欠損金の 繰戻しの対象となる災害損失金額 13			
中間申告における災害損失欠損金の繰戻し額 14			
繰戻しの対象となる災害損失欠損金額 ((6の③)と((13の③)ー(14の③))のうち少ない金額) 15			
繰越控除の対象となる欠損金額 ((6の③)と((12の③)ー(14の③))のうち少ない金額) 16			

個別評価金銭債権に係る貸倒引当金の損金算入に関する明細書

事　業 年　度	・　・ ・　・	法人名	

債務者	住　所　又　は　所　在　地	1					計
	氏　名　又　は　名　称 （外国政府等の別）	2	（　　　　）	（　　　　）	（　　　　）	（　　　　）	
	個　別　評　価　の　事　由	3	令第96条第1項 第　号　該当	令第96条第1項 第　号　該当	令第96条第1項 第　号　該当	令第96条第1項 第　号　該当	
	同　上　の　発　生　時　期	4	・　・	・　・	・　・	・　・	
当	期　繰　入　額	5	円	円	円	円	円
繰入限度額の計算	個　別　評　価　金　銭　債　権　の　額	6					
	(6) のうち5年以内に弁済される金額 （令第96条第1項第1号に該当する場合）	7					
	(6)のうち取立て等の見込額　担保権の実行による取立て等の見込額	8					
	他の者の保証による取立て等の見込額	9					
	その他による取立て等の見込額	10					
	(8)＋(9)＋(10)	11					
	(6) のうち実質的に債権とみられない部分の金額	12					
	(6)－(7)－(11)－(12)	13					
	繰入限度額　令第96条第1項第1号該当 (13)	14					円
	令第96条第1項第2号該当 (13)	15					
	令第96条第1項第3号該当 (13) × 50 %	16					
	令第96条第1項第4号該当 (13) × 50 %	17					
繰入限度超過額 (5)－((14)、(15)、(16) 又は(17))		18					
貸倒実績率の計算の基礎となる金額の明細	貸倒れによる損失の額等の合計額に加える金額 ((6)の個別評価金銭債権が売掛債権等である場合の(5)と((14)、(15)、(16)又は(17))のうち少ない金額)	19					
	合計額の計算による控除する金額等の明細　貸倒れにかかよる損失の額等の金額　前期の個別評価金銭債権の額 （前期の(6)）	20					
	(20)の個別評価金銭債権が売掛債権等である場合の当該個別評価金銭債権に係る損金算入額 （前期の(19)）	21					
	(21)に係る売掛債権等が当期において貸倒れとなった場合のその貸倒れとなった金額	22					
	(21)に係る売掛債権等が当期においても個別評価の対象となった場合のその対象となった金額	23					
	(22) 又は (23) に金額の記載がある場合の(21)の金額	24					

一括評価金銭債権に係る貸倒引当金の損金算入に関する明細書

事業年度	・　・	法人名	

		円				円
当　期　繰　入　額	1		前 3 年内事業年度（設立事業年度である場合には当該事業年度）の (2) の合計額	8		
繰入限度額の計算	期末一括評価金銭債権の帳簿価額の合計額（22の計）	2		貸倒実績率の計算	$\dfrac{(8)}{\text{前 3 年内事業年度における事業年度の数}}$	9	
	貸　倒　実　績　率（15）	3			前 3 年内事業年度（設立事業年度）の前である場合には当該事業年度	売掛債権等の貸倒れによる損失の額の合計額	10	
	実質的に債権とみられないものの額を控除した期末一括評価金銭債権の帳簿価額の合計額（24の計）	4	円		別表十一（一）「19の計」の合計額	11	
	法　定　の　繰　入　率	5	$\overline{1,000}$		別表十一（一）「24の計」の合計額	12	
	繰　入　限　度　額（(2)×(3)）又は（(4)×(5)）	6	円		貸倒れによる損失の額等の合計額 (10)＋(11)－(12)	13	
繰　入　限　度　超　過　額 (1)－(6)	7			$(13)×\dfrac{12}{\text{前 3 年内事業年度における事業年度の月数の合計}}$	14		
				貸倒実績率 $\dfrac{(14)}{(9)}$（小数点以下 4 位未満切上げ）	15		

一　括　評　価　金　銭　債　権　の　明　細

勘定科目	期末残高	売掛債権等とみなされる額及び貸倒否認額	(16)のうち税務上貸倒れがあったものとみなされる額及び売掛債権等に該当しないものの額	個別評価の対象となった売掛債権等の額及び非適格合併等により合併法人等に移転する売掛債権等の額	法第52条第1項第3号に該当する法人の令第96条第9項各号の金銭債権以外の金銭債権の額	完全支配関係がある他の法人に対する売掛債権等の額	期末一括評価金銭債権の額 (16)＋(17)－(18)－(19)－(20)－(21)	実質的に債権とみられないものの額	差引期末一括評価金銭債権の額 (22)－(23)
	16	17	18	19	20	21	22	23	24
	円	円	円	円	円	円	円	円	円
計									

基準年度の実績により実質的に債権とみられないものの額を計算する場合の明細

平成27年4月1日から平成29年3月31日までの間に開始した各事業年度末の一括評価金銭債権の額の合計額	25	円	債権からの控除割合 $\dfrac{(26)}{(25)}$（小数点以下 3 位未満切捨て）	27	
同上の各事業年度末の実質的に債権とみられないものの額の合計額	26		実質的に債権とみられないものの額 (22の計)×(27)	28	円

寄附金の損金算入に関する明細書

事　業　年　度	・　・	法人名	

公益法人等以外の法人の場合

項目		No.	金額
一般寄附金の損金算入限度額の計算	支出した寄附金の額	指定寄附金等の金額（41の計）	1	円
		特定公益増進法人等に対する寄附金額（42の計）	2	
		その他の寄附金額	3	
		計　(1)＋(2)＋(3)	4	
		完全支配関係がある法人に対する寄附金額	5	
		計　(4)＋(5)	6	
	所得金額仮計（別表四「26の①」）	7	
	寄附金支出前所得金額　(6)＋(7)（マイナスの場合は0）	8	
	同上の 2.5又は1.25/100 相当額	9	
	期末の資本金の額及び資本準備金の額の合計額又は出資金の額（別表五(一)「32の④」＋「33の④」）	10	
	同上の月数換算額　(10)×月数/12	11	
	同上の 2.5/1,000 相当額	12	
	一般寄附金の損金算入限度額　((9)＋(12))×1/4	13	
特定公益増進法人等に対する寄附金の特別損金算入限度額の計算	寄附金支出前所得金額の 6.25/100 相当額　(8)× 6.25/100	14	
	期末の資本金の額及び資本準備金の額の合計額又は出資金の額の月数換算額の 3.75/1,000 相当額　(11)× 3.75/1,000	15	
	特定公益増進法人等に対する寄附金の特別損金算入限度額　((14)＋(15))×1/2	16	
特定公益増進法人等に対する寄附金の損金算入額　((2)と((14)又は(16))のうち少ない金額)		17	
指定寄附金等の金額　(1)		18	
国外関連者に対する寄附金額及び本店等に対する内部寄附金額		19	
(4)の寄附金額のうち同上の寄附金以外の寄附金額　(4)－(19)		20	
損金不算入額	同上のうち損金の額に算入されない金額　(20)－((9)又は(13))－(17)－(18)	21	
	国外関連者に対する寄附金額及び本店等に対する内部寄附金額　(19)	22	
	完全支配関係がある法人に対する寄附金額　(5)	23	
	計　(21)＋(22)＋(23)	24	

公益法人等の場合

項目		No.	金額
損金算入限度額の計算	支出した寄附金の額	長期給付事業への繰入利子額	25	円
		同上以外のみなし寄附金額	26	
		その他の寄附金額	27	
		計　(25)＋(26)＋(27)	28	
	所得金額仮計（別表四「26の①」）	29	
	寄附金支出前所得金額　(28)＋(29)（マイナスの場合は0）	30	
	同上の 20又は50/100 相当額〔50/100相当額が年200万円に満たない場合（当該法人が公益社団法人又は公益財団法人である場合を除く。）は、年200万円〕	31	
	公益社団法人又は公益財団法人の公益法人特別限度額（別表十四(二)付表「3」）	32	
	長期給付事業を行う共済組合等の損金算入限度額（(25)と融資額の年5.5％相当額のうち少ない金額）	33	
	損金算入限度額　(31)、((31)と(32)のうち多い金額)又は((31)と(33)のうち多い金額)	34	
指定寄附金等の金額　(41の計)		35	
国外関連者に対する寄附金額及び完全支配関係がある法人に対する寄附金額		36	
(28)の寄附金額のうち同上の寄附金以外の寄附金額　(28)－(36)		37	
損金不算入額	同上のうち損金の額に算入されない金額　(37)－(34)－(35)	38	
	国外関連者に対する寄附金額及び完全支配関係がある法人に対する寄附金額　(36)	39	
	計　(38)＋(39)	40	

指定寄附金等に関する明細

寄附した日	寄附先	告示番号	寄附金の使途	寄附金額　41
				円
			計	

特定公益増進法人若しくは認定特定非営利活動法人等に対する寄附金又は認定特定公益信託に対する支出金の明細

寄附した日又は支出した日	寄附先又は受託者	所在地	寄附金の使途又は認定特定公益信託の名称	寄附金額又は支出金額　42
				円
			計	

その他の寄附金のうち特定公益信託（認定特定公益信託を除く。）に対する支出金の明細

支出した日	受託者	所在地	特定公益信託の名称	支出金額
				円

（334）

交際費等の損金算入に関する明細書

事　業年　度	：　：	法人名	

支　出　交　際　費　等　の　額 （8 の 計）	1	円	損　金　算　入　限　度　額 （2）又は（3）	4	円
支出接待飲食費損金算入基準額 （9の計）× $\frac{50}{100}$	2				
中小法人等の定額控除限度額 （(1)と((800万円× $\frac{}{12}$)又は（別表十五付表「5」))のうち少ない金額)	3		損　金　不　算　入　額 （1）－（4）	5	

支　出　交　際　費　等　の　額　の　明　細

科　　　　　　　目	支　　出　　額	交際費等の額から控除される費用の額	差引交際費等の額	（8）のうち接待飲食費の額
	6	7	8	9
交　　際　　費	円	円	円	円
計				

旧定額法又は定額法による減価償却資産の償却額の計算に関する明細書

事　業　年　度　：・：　法人名

資産区分			番号					
	種　　　　類		1					
	構　　　　造		2					
	細　　　　目		3					
	取　得　年　月　日		4	・　・	・　・	・　・	・　・	・　・
	事業の用に供した年月		5					
	耐　用　年　数		6	年	年	年	年	年
取得価額	取得価額又は製作価額		7	外　円	外　円	外　円	外　円	外　円
	(7)のうち積立金方式による圧縮記帳の場合の償却計算の対象となる取得価額に算入しない金額		8					
	差　引　取　得　価　額 (7)-(8)		9					
帳簿価額	償却額計算の対象となる期末現在の帳簿記載金額		10					
	期末現在の積立金の額		11					
	積立金の期中取崩額		12					
	差引帳簿記載金額 (10)-(11)-(12)		13	外△	外△	外△	外△	外△
	損金に計上した当期償却額		14					
	前期から繰り越した償却超過額		15	外	外	外	外	外
	合　計 (13)+(14)+(15)		16					
当期分の普通償却限度額等	平成19年3月31日以前取得分	残　存　価　額	17					
		差引取得価額×5% (9)×5/100	18					
		(16)>(18)の場合　旧定額法の償却額計算の基礎となる金額 (9)-(17)	19					
		旧定額法の償却率	20					
		算出償却額 (19)×(20)	21	円	円	円	円	円
		増加償却額 (21)×割増率	22	(　　)	(　　)	(　　)	(　　)	(　　)
		計 ((21)+(22))又は((16)-(18))	23					
		(16)≦(18)の場合　算出償却額 ((18)-1円)×60	24					
	平成19年4月1日以後取得分	定額法の償却額計算の基礎となる金額 (9)	25					
		定額法の償却率	26					
		算出償却額 (25)×(26)	27	円	円	円	円	円
		増加償却額 (27)×割増率	28	(　　)	(　　)	(　　)	(　　)	(　　)
		計 (27)+(28)	29					
当期分の償却限度額	当期分の普通償却限度額等 (23)、(24)又は(29)		30					
	特別償却限度額又は割増償却限度額	租税特別措置法適用条項	31	(　条　項)	(　条　項)	(　条　項)	(　条　項)	(　条　項)
		特別償却限度額	32	外　円	外　円	外　円	外　円	外　円
	前期から繰り越した特別償却不足額又は合併等特別償却不足額		33					
	合計 (30)+(32)+(33)		34					
	当　期　償　却　額		35					
差引	償却不足額 (34)-(35)		36					
	償却超過額 (35)-(34)		37					
償却超過額	前期からの繰越額		38	外	外	外	外	外
	当期損金認容額	償却不足によるもの	39					
		積立金取崩しによるもの	40					
	差引合計翌期への繰越額 (37)+(38)-(39)-(40)		41					
特別償却不足額	翌期に繰り越すべき特別償却不足額 (((36)-(39))と(32)+(33)のうち少ない金額)		42					
	当期において切り捨てる特別償却不足額又は合併等特別償却不足額		43					
	差引翌期への繰越額 (42)-(43)		44					
	翌期への繰越額の内訳	・　・	45					
		当期分不足額	46					
適格組織再編成により引き継ぐべき合併等特別償却不足額 (((36)-(39))と(32)のうち少ない金額)			47					

備考

旧定率法又は定率法による減価償却資産の償却額の計算に関する明細書

事業年度 ・ ・ / 法人名

別表十六(二) 令六・四・一以後終了事業年度分

資産区分				
種類	1				
構造	2				
細目	3				
取得年月日	4	・ ・	・ ・	・ ・	・ ・
事業の用に供した年月	5				
耐用年数	6	年	年	年	年

取得価額	取得価額又は製作価額	7	外 円	外 円	外 円	外 円
	(7)のうち積立金方式による圧縮記帳の場合の償却額計算の対象となる取得価額に算入しない金額	8				
	差引取得価額 (7)-(8)	9				

償却額計算の基礎となる額	償却額計算の対象となる期末現在の帳簿記載金額	10				
	期末現在の積立金の額	11				
	積立金の期中取崩額	12				
	差引帳簿記載金額 (10)-(11)-(12)	13	外△	外△	外△	外△
	損金に計上した当期償却額	14				
	前期から繰り越した償却超過額	15	外	外	外	外
	合計 (13)+(14)+(15)	16				
	前期から繰り越した特別償却不足額又は合併等特別償却不足額	17				
	償却額計算の基礎となる金額 (16)-(17)	18				

当期分の普通償却限度額等

平成19年3月31日以前取得分	(16)>(19)の場合	差引取得価額×5% (9)×5/100	19				
		旧定率法の償却率	20				
		算出償却額 (18)×(20)	21	円	円	円	円
		増加償却額 (21)×割増率	22	( )	( )	( )	( )
		計 ((21)+(22))又は((18)-(19))	23				
	(16)≦(19)の場合	算出償却額 ((19)-1円)×12/60	24				

平成19年4月1日以後取得分		定率法の償却率	25				
		調整前償却額 (18)×(25)	26	円	円	円	円
		保証率	27				
		償却保証額 (9)×(27)	28	円	円	円	円
	(26)<(28)の場合	改定取得価額	29				
		改定償却率	30				
		改定償却額 (29)×(30)	31	円	円	円	円
		増加償却額 ((26)又は(31))×割増率	32	( )	( )	( )	( )
		計 ((26)又は(31))+(32)	33				

当期分の普通償却限度額等 (23)、(24)又は(33)	34				
当期分の償却限度額	特別償却限度額	租税特別措置法適用条項	35	条 項 ( )	条 項 ( )	条 項 ( )	条 項 ( )
		特別償却限度額	36	外 円	外 円	外 円	外 円
	前期から繰り越した特別償却不足額又は合併等特別償却不足額		37				
	合計 (34)+(36)+(37)		38				

当期償却額	39				
差引	償却不足額 (38)-(39)	40				
	償却超過額 (39)-(38)	41				

償却超過額	前期からの繰越額	42	外	外	外	外
	当期損金認容額	償却不足によるもの	43				
		積立金取崩しによるもの	44				
	差引合計翌期への繰越額 (41)+(42)-(43)-(44)	45				

特別償却不足額	翌期に繰り越すべき特別償却不足額 ((40)-(43))と((36)+(37))のうち少ない金額	46				
	当期において切り捨てる特別償却不足額又は合併等特別償却不足額	47				
	差引翌期への繰越額 (46)-(47)	48				
	翌期への繰越額の内訳	・ ・ ・	49				
		当期分不足額	50				

適格組織再編成により引き継ぐべき合併等特別償却不足額 ((40)-(43))と(36)のうち少ない金額	51				

備考

(337)

少額減価償却資産の取得価額の損金算入の特例に関する明細書

事　業年　度	：　：	法人名	

資産区分	種　　　　　類	1					
	構　　　　　造	2					
	細　　　　　目	3					
	事業の用に供した年月	4					
取得価額	取得価額又は製作価額	5	円	円	円	円	円
	法人税法上の圧縮記帳による積立金計上額	6					
	差引改定取得価額　(5)－(6)	7					
資産区分	種　　　　　類	1					
	構　　　　　造	2					
	細　　　　　目	3					
	事業の用に供した年月	4					
取得価額	取得価額又は製作価額	5	円	円	円	円	円
	法人税法上の圧縮記帳による積立金計上額	6					
	差引改定取得価額　(5)－(6)	7					
資産区分	種　　　　　類	1					
	構　　　　　造	2					
	細　　　　　目	3					
	事業の用に供した年月	4					
取得価額	取得価額又は製作価額	5	円	円	円	円	円
	法人税法上の圧縮記帳による積立金計上額	6					
	差引改定取得価額　(5)－(6)	7					
当期の少額減価償却資産の取得価額の合計額　((7)の計)		8	円				

一括償却資産の損金算入に関する明細書

事業年度	・　・	法人名		

事　業　の　用　に　供　し　た　事　業　年　度	1	・　・ ・　・	・　・ ・　・	・　・ ・　・	・　・ ・　・	・　・ ・　・	(当期分)
同上の事業年度において事業の用に供した一括償却資産の取得価額の合計額	2	円	円	円	円	円	円
当　期　の　月　数 (事業の用に供した事業年度の中間申告の場合は、当該事業年度の月数)	3	月	月	月	月	月	月
当期分の損金算入限度額 $(2) \times \dfrac{(3)}{36}$	4	円	円	円	円	円	円
当　期　損　金　経　理　額	5						
差　引　損　金　算　入　不　足　額 $(4) - (5)$	6						
損　金　算　入　限　度　超　過　額 $(5) - (4)$	7						
損金算入限度超過額　前　期　か　ら　の　繰　越　額	8						
同上のうち当期損金認容額 $((6) と (8) のうち少ない金額)$	9						
翌　期　へ　の　繰　越　額 $(7) + (8) - (9)$	10						

税理士試験教材のラインナップ

● 税理士試験に合格するためのメイン教材

税理士試験教科書・問題集・理論集

ネットスクール税理士 WEB 講座の講師陣が自ら「確実に合格できる教材づくり」をコンセプトに執筆・監修した教材です。

税理士試験の合格に必要な内容を効率よく、かつ、挫折しないように工夫した『教科書』、計算力を身に付ける『問題集』、理論問題対策の『理論集』から構成されており、どの科目の教材も、豊富な図解と受験生がつまずきやすいポイントを押さえた、ネットスクール税理士 WEB 講座でも使用している教材です。

簿記論・財務諸表論の教材

税理士試験教科書　簿記論・財務諸表論I　基礎導入編【2025年度版】	3,630円（税込）	好評発売中
税理士試験問題集　簿記論・財務諸表論I　基礎導入編【2025年度版】	3,300円（税込）	好評発売中
税理士試験教科書　簿記論・財務諸表論II　基礎完成編【2025年度版】	2024 年 9 月発売	
税理士試験問題集　簿記論・財務諸表論II　基礎完成編【2025年度版】	2024 年 9 月発売	
税理士試験教科書　簿記論・財務諸表論III　応用編【2025年度版】	2024 年11月発売	
税理士試験問題集　簿記論・財務諸表論III　応用編【2025年度版】	2024 年11月発売	
税理士試験教科書　財務諸表論　理論編【2025年度版】	2024 年12月発売	

☆簿記論・財務諸表論の方はこちらもオススメ!☆

穂坂式 つながる会計理論

税理士 財務諸表論 穂坂式 つながる会計理論【第2版】	2,640円（税込）	好評発売中

過去問ヨコ解き問題集

税理士試験過去問ヨコ解き問題集 簿記論【第3版】	3,740 円（税込）	好評発売中
税理士試験過去問ヨコ解き問題集 財務諸表論【第 5 版】	3,740 円（税込）	好評発売中

● 試験前の総仕上げには必須のアイテム!

ラストスパート模試　　毎年5〜6月ごろ発売予定

試験直前期は、出題予想に基づいた『ラストスパート模試』で総仕上げ!
全3回分の本試験さながらの模擬試験を収載。
分かりやすい解説とともに直前期の得点力 UP をサポートします。

※ 画像や内容は 2024 年度版をベースにしたものです。変更となる場合もございます。

● 税理士試験の学習を本格的に始める前に…

知識ゼロでも大丈夫！　税理士試験のための簿記入門

税理士試験向けの独自の内容で簿記の基本が学習できる1冊です。
本書を読むことで、税理士試験の簿記論に直結した基礎学習が可能なので、簿記の学習経験が無い方や基礎が不安な方にオススメです。
2,640円（税込）好評発売中！

法人税法の教材

税理士試験教科書・問題集　法人税法 I　基礎導入編【2025年度版】	3,300円（税込）	好評発売中
税理士試験教科書　法人税法 II　基礎完成編【2025年度版】		2024 年 9 月発売
税理士試験問題集　法人税法 II　基礎完成編【2025年度版】		2024 年 9 月発売
税理士試験教科書　法人税法 III　応用編【2025年度版】		2024 年12月発売
税理士試験問題集　法人税法 III　応用編【2025年度版】		2024 年12月発売
税理士試験理論集　法人税法【2025年度版】		2024 年 9 月発売

相続税法の教材

税理士試験教科書・問題集　相続税法 I　基礎導入編【2025年度版】	3,300円（税込）	好評発売中
税理士試験教科書　相続税法 II　基礎完成編【2025年度版】		2024 年 9 月発売
税理士試験問題集　相続税法 II　基礎完成編【2025年度版】		2024 年 9 月発売
税理士試験教科書　相続税法 III　応用編【2025年度版】		2024 年12月発売
税理士試験問題集　相続税法 III　応用編【2025年度版】		2024 年12月発売
税理士試験理論集　相続税法【2025年度版】		2024 年 9 月発売

消費税法の教材

税理士試験教科書・問題集　消費税法 I　基礎導入編【2025年度版】	3,300円（税込）	好評発売中
税理士試験教科書　消費税法 II　基礎完成編【2025年度版】		2024 年 9 月発売
税理士試験問題集　消費税法 II　基礎完成編【2025年度版】		2024 年 9 月発売
税理士試験教科書　消費税法 III　応用編【2025年度版】		2024 年12月発売
税理士試験問題集　消費税法 III　応用編【2025年度版】		2024 年12月発売
税理士試験理論集　消費税法【2025年度版】		2024 年 9 月発売

国税徴収法の教材

税理士試験教科書　国税徴収法【2025年度版】	4,620円（税込）	好評発売中
税理士試験理論集　国税徴収法【2025年度版】		2024 年 9 月発売

書籍のお求めは全国の書店・インターネット書店、またはネットスクールWEB-SHOPをご利用ください。

ネットスクール WEB-SHOP

https://www.net-school.jp/

ネットスクール WEB-SHOP　検索

※ 書名・価格・発行年月は変更する場合もございますので、予めご了承ください。(2024 年 8 月現在)

本書の発行後に公表された法令等及び試験制度の改正情報、並びに判明した誤りに関する訂正情報については、弊社WEBサイト内の『読者の方へ』にてご案内しておりますので、ご確認下さい。

https://www.net-school.co.jp/

なお、万が一、誤りではないかと思われる箇所のうち、弊社WEBサイトにて掲載がないものにつきましては、**書名（ＩＳＢＮコード）と誤りと思われる内容**のほか、お客様の**お名前及び郵送の場合はご返送先の郵便番号とご住所**を明記の上、弊社まで**郵送またはe‐mail**にてお問い合わせ下さい。

＜郵送先＞ 〒101−0054
東京都千代田区神田錦町3−23メットライフ神田錦町ビル３階
ネットスクール株式会社　正誤問い合わせ係

＜e‐mail＞　seisaku@net-school.co.jp

※正誤に関するもの以外のご質問、本書に関係のないご質問にはお答えできません。
※お電話によるお問い合わせはお受けできません。ご了承下さい。

税理士試験　教科書・問題集

法人税法Ⅰ　基礎導入編　【2025年度版】

2024年８月８日　初版　第１刷

著　　　　者	ネットスクール株式会社	
発　行　者	桑原知之	
発　行　所	ネットスクール株式会社　出版本部	
	〒101−0054　東京都千代田区神田錦町3−23	
	電話　03（6823）6458（営業）	
	ＦＡＸ　03（3294）9595	
	https://www.net-school.co.jp	
執筆総指揮	田中政義	
表紙デザイン	株式会社オセロ	
編　　　　集	吉川史織　加藤由季	
ＤＴＰ制作	中嶋典子　石川祐子　吉永絢子	
	有限会社ドアーズ本舎　長谷川正晴	
印刷・製本	日経印刷株式会社	

ⓒNet-School 2024　Printed in Japan　ISBN 978-4-7810-3830-8